2003年京东多媒体团队合影

2006年京东总部办公区

2008刘强东赴汶川抗震救灾

◐ 2006年年会

◑ 2014年年会

● 2008年的上海仓库

2014年京东"亚洲一号"自动入库运输线 ●

● 2014年京东"亚洲一号"上海现代化物流中心一期外景

◔ 2014年京东11.11指挥中心现场

2014年京东11.11仓储现场 ◑

2011年京东配送员 ◐

◐ 京东统一的红色配送车队

 京东配送员

刘强东每年都会当一天配送员

2007年，今日资本徐新和京东达成投资合作 ◑

2014年，京东成功登陆纳斯达克 ◐

◐ 纽约时代广场上红色的京东

◑ 农村的墙上，刷满了京东的广告，这是京东渠道下沉战略的一部分

创京东

刘强东亲述创业之路

李志刚◎著

中信出版集团·CHINA**CITIC**PRESS·北京

图书在版编目（CIP）数据

创京东：刘强东亲述创业之路 / 李志刚著. —北京：中信出版社，2015.6
ISBN 978-7-5086-5188-0
I.①创…　II.①李…　III.①刘强东–生平事迹　②电子商务　商业企业管理–经验–中国　IV.①K825.38　②F724.6
中国版本图书馆CIP数据核字〔2015〕第 100453 号

创京东——刘强东亲述创业之路

著　　者：李志刚
策划推广：中信出版社（China CITIC Press）
出版发行：中信出版集团股份有限公司
　　　　　（北京市朝阳区惠新东街甲 4 号富盛大厦 2 座　邮编　100029）
　　　　　（CITIC Publishing Group）
承 印 者：北京通州皇家印刷厂

开　　本：787mm×1092mm　1/16　　　　　插　页：8
印　　张：19.5　　　　　　　　　　　　字　数：280 千字
版　　次：2015 年 6 月第 1 版　　　　　印　次：2015 年 6 月第 2 次印刷
广告经营许可证：京朝工商广字第 8087 号
书　　号：ISBN 978-7-5086-5188-0 / F·3386
定　　价：49.80 元

目 录

回归零售的本质

文/刘强东

最近连续为两本书作序：一本是<u>沃尔玛创始人山姆·沃尔顿</u>的自传，一本就是《创京东》。

说实话，我更喜欢分享阅读沃尔顿自传后的感悟，因为沃尔玛是传统零售业的标尺，高山仰止，读沃尔顿的自传，仿佛跟一位业内前辈促膝交谈，总能得到很多启发和激励。我也希望将这些感悟记录下来，跟团队分享或用以自省。

而对于后者，虽然今天我也可以自信地说，京东模式创造了一种业内标杆，但显然还远不到树碑立传的时候，我们还在路上，未来还有无限可能。而且，识人易，观己难，尽管因为投资、合作等关系，我常常不得不在不同的场合介绍京东，但为自己点赞的事，还真的不符合我的性格。

因此，在志刚提出要写这本书的时候，我唯一的要求就是，要把京东行进至今的成败得失都写出来，不避讳，不粉饰。

还好，最终在这本类似"京东群英传"的书中，不仅有一众兄弟一路走来，与企业共同成长的激动与喜悦，也有面对外界质疑与突破瓶颈前的彷徨与焦虑，还有处处碰壁时的尴尬与窘迫。

但我也担心，这本书过于庞杂繁复的细节描述，有可能会分散读者对京东整体的认知。所以，我们不妨循着记忆，去介绍京东模式的本源。

共同记忆往往是最好的下酒菜。早年间，晚上加班之后，京东的兄弟们常常聚首在小酒馆、大排档，几口酒下肚，一天工作积累的疲劳和郁闷化解大半，杯子碰在一起，工作上产生的摩擦也就此过去。更重要的是，在那样放松的场合，大家可以一起言无不尽地讨论近来业务上的得失：解决了顾客哪些难题，又搞定了哪些难缠的客户。酒酣耳热间，很多细节问题被及时发现并解决，很多销售目标被拍着胸脯立下。第二天，兄弟们继续满血冲杀，而京东也在这样的节奏中突飞猛进。

如今，兄弟越聚越多，回忆越积越厚，酒却越喝越少了。

今天的京东已经飞速地壮大，大到已经没有地方可以容纳我们开一次全体员工会议。而且，随着我们的组织架构日臻完备，制度体系逐步建立，内部沟通协调也变得更加规范，人力考核激励机制也更加完善，作为一家上市公司，我们不能再以草莽创业时期那样的风格行事。而我最近思考和关注更多的是，组织严丝合缝，制度顺畅有序，京东早期那种兄弟齐心的创业激情不应被稀释，对顾客需求的迅速反应不能丢。我要求自己和我的团队始终保持一家创业型企业的状态：对市场变化要有最高的敏感度，仍然像早年的京东那样具备快速和强大的执行力。

因为这就是京东的立身之本，也是我们出发的原点。

2004 年，在更多人的记忆里，也许跟飞人刘翔的横空出世联系得更为紧密，没人会注意到在中关村一群鼓捣光磁刻录的家伙，忽然决定把自己的柜台全部搬到网上。虽然当时，我们已经是国内最大的光磁销售商，继续布局实体店，仍然有看得见的不错增长。但在彼时层层代理的传统零售体系下，零售商为上游压力掣肘，降低成本、提高效率的空间相当逼仄，及时回应顾客需求进行商业创新更是难上加难。而最终为这种低效率、高成本的零售渠道埋单的就是消费者。

今天，我们不敢说京东是为解决消费者痛点应运而生的，但当时线上渠道的兴起，的确让我们看到了摆脱传统牵绊、为消费者创造更多价值的巨大空间。这也是为何"京东全面转型电商的 2004 年",成为我睡得最踏实的一年,因为我们终于可以真正直面消费者,大路朝天,施展抱负了。

多年以后,我们最早的投资者、今日资本集团创始人徐新女士做过一个 3 000 人的调查,结论是,京东的崛起顺应了时代潮流,满足了网上成长起来的中产阶层对品质网购的巨大需求。

但在当时,我们其实没有做过系统性的数据分析,只是通过我们线上线下经营的对比,发现通过线上渠道,我们能为消费者节省大量购物成本,这将使得我们更具竞争力。

因此,京东的由来,其实非常的简单,无非是借助互联网,以新的消费需求为导向,不断做出突破性的商业模式创新,从而重构供应链系统,达到降低成本、提升效率的目的,最终为消费者创造价值,其遵循的仍然是零售行业的本质规律。京东的发展壮大,从未离开这个本质,未来也必须围绕这个本质。

2007 年,我不顾投资人和高管团队的反对,坚持开启全品类战略。理由很简单,就是因为顾客在 3C(计算机、通信和消费类电子产品)之外,还希望买到更加丰富的商品,京东满足了他们的需求,就能把他们留下来。

同一年,我更加一意孤行地要自建仓配一体的物流体系,也是因为当时我们大量的顾客投诉是到货慢、货物损坏,我们分析后发现,利用当时的社会化物流根本无法彻底解决这些痛点。我认为只有自建物流,才能从根本上解决这个问题。这一次,我们同样没有做过专业和系统化的成本测算,白手起家,我们甚至一开始不知道应该怎么算。

决定做这一切的出发点只有一个:我们要提供越来越好的顾客体验。顾客体验越来越好,吸引的新用户越来越多,但京东涵盖了采销、仓储、配送、客服等环节的自营模式也越来越重。这使得我们在很长一段时间内受到业内的广泛质疑。但质疑者没看到或者故意忽视的是,在京东厚重的模式背后,是行业费用率的大大降低,以及效率的大幅提升。我认为,模式是轻还是重并不是最重要的,最重要的是我们创造了什么价值。

有意思的是,当京东高效、低成本的运营链条迅速延伸,并不可避免地与传统零售体系发生碰撞时，更多的批评又开始指向京东破坏了原有的价格体系，影响了很多人的饭碗，而将京东定义为不受欢迎的"搅局者"。在这里，我不想说，高效先进取代低效落后是必然规律，而只想回到零售的本质来再次申明，消费者满意才是我们存在的价值。说实话，我内心里从来没有太在乎过友商的竞争，我内心里最在乎的只有"消费者是否满意"。

可喜的是，随着京东市场开拓的逐步加深，越来越多的上游厂商开始认识到，电商通过降低成本和提高效率来提供价值，为他们提供了高效快速低成本的销售平台和基于大量消费数据分析的精准营销平台。信任是合作的基础，很多厂商逐渐把京东这样的电商作为自己的主流渠道。

更值得一提的是，京东近来在智能制造领域的探索，还极大地丰富了电商与制造厂商的合作维度，依托京东大数据平台可以反向改造传统的生产方式，借助京东金融平台的股权众筹可以让创新产品更早和更有效地接触市场并得到反馈，众多的制造业企业正找到转型升级的新机遇。

而随着京东平台日益壮大，我们的供应链系统会越来越开放。这本书采访了近260位工作在不同岗位的京东人，对我们来说，也许可以起到敞开心扉给人看的效果，从而消除一些质疑，让更多的潜在合作者可以更多地了解京东、走近京东。面向未来，京东作为"互联网＋"的成功实践者，愿意在传统行业转型升级的进程中提供我们的价值。

当然，因为坚信京东自营模式的价值，我从不担心来自外部的质疑，更不关心这种外界压力是否会影响京东的股价。我更担心我们会染上大公司常见的懈怠，甚而阻碍我们及时感知顾客需求，未做针对性创新。

近来，我们正在通过积极拓展海外市场和农村市场来满足消费者广泛而丰富的需求。我们还通过推出"京东到家"服务，连接线下服务，开拓O2O（线上到线下）版图，满足消费者吃穿住行日常所需，我们希望通过扩大顾客覆盖面，建立更好的客户黏性，逐步完成电商对零售服务的全覆盖。在这个过程中，我们通过京东的IT技术和系统，对基层传统商业流通系统进行更新再造。无论是为农民，还是为大都市的消费者，我们给他们带去正品低价的商品和高效的服务，致力于提升人们的生活品质。

　　除了战略层面的突破性创新，常态化的执行层面的创新也至关重要。在京东，此类创新的催发，常常成为我们锻炼培养人才的重要方式。山姆·沃尔顿说：零售行业培训人的方式，是将搬运货物的推车，塞到一个刚刚前来报到不足30分钟的家伙手里，培养出说干就干、行动导向、精干型的家伙。京东在培养实干人才、促进岗位创新上，有过之而无不及。因为我们面对的是急速裂变生长的电商生态，要在其中围绕消费者需求变化，做从无到有的体系建设。

　　比如，京东每年有40%的仓库在搬家，这无论是对快递企业，还是对于传统商业机构，都是不可想象的。但这对京东仓储体系的员工来说，成了家常便饭，因此，仓储体系内，从高管到基层员工，都练就了在不影响日常订单生产的情况下，限时搬仓的本领。而我们技术体系的兄弟们用"在高速路上给汽车换轮胎"来形容京东技术团队常常需要在不影响日常业务并且保持高速扩张的同时，进行一次又一次的大规模系统升级。

　　再比如，大到仓储系统研发、POP（商家开放平台）模式再造、家电价格体系梳理，小到自制商品填充材料、自创摆货技巧，这些智慧结晶或灵光闪现，在各条业务线上汇聚起来，构成了我们的核心竞争力。

　　10多年间，我真诚对待我们的员工，使得他们信任我，信任公司的未来，并与他们分享公司的成功，就是要在公司内部创造一种兄弟齐心的文化氛围，共同呵护创业创新的激情。

　　2015年是京东开展电子商务的第12年，12年是一个轮回，这本书也许来得正是时候。我希望老员工可以通过此书检视过往，永葆激情，新员工也可以借此了解京东的由来源起，大家一起鉴往知来。

　　借此机会，我想感谢在京东一路走来的过程中，我们的投资人、股东、员工、合作伙伴以及我们的顾客给予我和京东公司的支持。没有你们，就没有我和京东的今天。当然，遗憾的是，因为这样那样的原因，很多在书中出现的熟悉面孔已经离开了京东，无论他们身在何处，我都要送上祝福，希望他们的日子过得越来越好。

序 二

为什么是京东

文/李志刚

我的老家在湖北农村，10多年前购物不便。在村里的小卖部，一不小心就买到山寨的饮料、方便面。若是要买家电，就得赶上20公里的路到县上经销商开的门店，家电的品牌、型号选择范围比一线城市小得多。后来父母搬到了镇上，我有时候会寄东西回家，不得不选择中国邮政，因为一般的快递还未将小镇纳入配送范围。

很长时间里，中国零售业的发展就是这样的不均衡，哪怕是中国最大的零售连锁公司苏宁，也不能将门店铺设到县级城市——他们尝试过，但是成本太高了。中国厂商是依靠分销体系，从全国总代理到省级总代理再到市、县、镇，这样层层分派下来构建起覆盖中国市场的零售网络。中国排前列的家电厂商、IT厂商都是将分销体系玩得炉火纯青的。

在这个分销体系里，信息、商品、资金的流动效率低下，对消费者来说，也是不公平的。家电价格区间段明显，因为信息不透明，在一线城市市区内卖99元的电饭煲，到郊区卖119元，到村里小店就卖139元。在家电价格体系里，大代理商可能两三个月周转一次，小的则是进一批货就卖一年，必须存在足够高的利润空间支撑其生存。

这个花费了30多年建立起来的、看似稳固的分销体系，却在这几年遭到电商前所未有的挑战。京东这家电商公司，在12年里凭借规模获得更大的话语权，直接向厂商采购，商品送入京东的库房，消费者在京东网站或者移动端下订单，再由京东送货上门。

2014年年报出来之后，京东净收入1 150亿元，同比增长66%；苏宁营收1 091.16亿元，同比增长3.63%。这是京东首次超过苏宁，是应该写入中国零售史的一次财报。就像听到另一只靴子落地的声音，中国零售业确实变天了。

2012年"8·15价格战"的硝烟似乎还没散去。那一年，刘强东在微博上发起闪电般的突袭，挑起京东针对苏宁、国美大家电品类的价格战。结果，电商行业的竞争对手们也纷纷下场，将价格战变成了对京东的群殴。

京东狼狈了一段时间，但从长期战略来看，京东是受益者。这场价格战，因为众多参与者推波助澜的缘故，将电商行业内部的事件演变成全社会关注的焦点新闻（虽然当时的舆论不利于京东），让消费者意识到线上线下大家电的差异。自此之后，京东大家电销售额逐年快速增长。这也是线上线下两种零售业态的激烈交锋，中国零售业喊了几年的"狼来了"终于成真。

这就是我为什么想做有关京东的这本书的缘故。

在我眼里，京东是新商业变革中的典型样本。

第一，它冲击了有数十年历史的分销体系以及零售连锁模式，是中国零售业态从低效率到高效率的演进。

第二，它让社会的信息流动变得更为公平、更有效率。

这两点，在本书后文里有详细的阐述。与其他颠覆旧有行业模式或者格局的创业公司不同，京东这家公司的特殊在于，它是一个传统行业公司"逆袭"的故事。刘强东创业初期是做线下批发，后转为零售连锁，因为偶然的因素做起了电商生意，他顺着传统生意做起来，因为互联网以及资本而打开了新世界的窗口，做成了世界前十的互联网公司。

在写这篇序言的时候，我刚刚在从北京到上海的高铁上，遇到一对40出头的夫妻，他们是创业者，更准确地说，他们是 20 世纪 80 年代末的大学生，后来下海做手机零件供应商，也是不大不小的老板了。他们刚刚从北京参加某个培训班回上海，在高铁上为某个创业方向争论不休，正是当下被互联网变革折磨得焦虑不安、满大街寻找出路的传统行业创业者。

过去 30 多年，中国依靠人口红利、资本投资和开放市场三大动力来推动中国经济增长，造就了制造业、外贸出口、房地产等行业的黄金时代。但是，人口红利消失，海外市场需求萎缩，资本投资回报率降低，旧有的动力衰歇，意味着中国需要新的经济增长动力。在温州，曾经有小店老板绘声绘色地向我描述，就在他的店对面，工厂老板是如何像大鸟一样跃出阳台，坠落在地，这个日子让他难忘，以至于他在当天的日历上画了一个圈。自杀的温州工厂老板，正是中国经济转型之痛的一个小小缩影。

中国经济的转型，在于创新，在于通过股权融资这一创新最重要的动力去推动创业者用新技术、新模式进行商业变革。过去的两年我在不同的场合谈过或者写过由互联网推动的中国新商业变革，也就是当下最受追捧的"互联网+"。如电商之于零售、金融、医疗、教育、娱乐、能源等领域，都会有新技术、新模式去颠覆旧有的格局。所有用户需求得不到满足的、所有效率低下、交易成本过高的、所有被监管过度的领域在未来都有被创新颠覆的可能。

主导新商业变革的创业者们，正是传统行业的掘墓人与新商业变革的开拓者。如何让用户以更优的成本获得更好的服务和产品，这是他们思考的发端。传统行业一切不必要的、损耗效率的环节，都是他们变革的对象。

在京东的历史上，有三次起着决定性作用的战略决策。第一次，是 2004 年转型做电商，京东得以抓住了未来 10 年乃至更长时期的消费趋势；第二次，是决定向全品类扩张，从只做 3C 产品转为一站式消费平台；第三次，是决定自建仓配一体的物流体系。巧的是，这两大战略决策都是在 2007 年做出的，都是刘强东在遭遇投资人和管理层反对的情况下坚持己见，推进下去的。

从 2007 年到 2013 年，京东主要干的就是这两件事：让线上商品选择更丰富，让自有配送送货范围更大、速度更快。面向全国销售的京东，以统一的价格面向全国消费者，这意味着，就像搜索引擎在信息获取上人人平等，电商在商品选择上人人平等，为社会带来公平和效率。在线下北京能够买到的品牌，四川小县城根本买不到，但电商可以买到，还可以送到家。越偏远的地方商品价格越贵，京东的价值就越大，打破原来层层加价的分销体系。

这个过程，充满京东与供应商的博弈。但这是大势所趋，更有效率的零售模式一定能够取代低效率的零售模式。比起原有的分销体系，厂商直接将货物运送到京东库房，只经过京东这一环节送到消费者手里，环节少了许多，效率提升上去了。

刘强东意识到，"最近一二十年来所有的创新模式，都跟降低交易成本、提高交易效率有关。要么交易成本更低，要么交易效率更高，二者必居其一，新的模式才能够生存发展。如果这两点都达不到，所有的创新都没有意义"。

京东提升交易效率、降低交易成本的背后，是京东对供应链强大、精细的控制能力。

人们很容易忽略京东的技术力量——尽管在京东内部，研发是第三大投入部门，仅次于物流和市场部门。若要打个比方，京东的技术是润物细无声，无处不在：无论是采销部门的销售预测系统、自动补货系统，还是维系仓储配送正常运营的管理系统。

零售要做的无非是理解消费者需要什么，对未来的销售做出很好的预测来降低库存成本。传统零售的运营效率相对难以控制，很重要的一点是商品销售预测很难做。京东2001年做零售的时候，预测鼠标每年能卖多少个，效果不好。这在线上更容易通过技术实现，技术能够记录消费者留下的每一丝痕迹，再进行数据分析。大数据驱动着整个京东的供应链和采销系统。销售预测作为供应链的源头系统，它的准确率直接影响到供应链下游的自动补货、调拨内配和库存健康系统，以解决困扰传统零售的问题：如何通过合适的供应商，以更低的价格、在精准的时间、按照优质的质量标准、获得恰当数量的产品以满足消费者需求？

线上能够如实地跟踪、反映用户数量和活跃程度以及选择偏好。在线下，这个问题很难解决。中国的零售连锁商，曾经尝试在门店门口安装记录仪，记录客流量。但是，这得到的数据很肤浅，只能记录究竟有多少人进出这个门店。而且，客流量又和业绩考核紧密相关，一些门店不惜造假。

当京东通过信息、物流与资金，编织起一张串联了全国各地的供应商、消费者、创业者的网络时，这家公司不再是单纯的零售公司，而成为依靠技术驱动、业务多元化的开放平台。

在北京我家附近的华联超市旁，长期停驻着一辆红色的依维柯货车，车厢用白色线条勾勒出一只微笑的小狗。这辆货车被改装过，车厢一面有敞开的窗口，穿着红色工服的员工忙忙碌碌，不断将一个个包裹递给从地铁口出来的年轻客户，下班时分正是提取包裹的高峰期。

红色的依维柯货车是京东设置的自提点。在中国很多城市，京东已是熟悉的品牌，你可以在它的网站上订购比线下价格更便宜的商品，并且通过它自己的物流体系，将商品送货上门。除了送货上门以外，京东还为部分客户提供自提的选择，以便客户更自由地安排自己的时间。这时候，京东已经是年交易额 2 602 亿元，拥有近 7 万名员工，自建物流遍布全国 1 862 个区县（全国共 2 860 个区县）。我突然想起，2012 年春，我拜访一位投资了多家电商公司的投资人，他说："京东想做成亚马逊+UPS，是不可能的事。"很多时候，就是要将别人认为不可能的事办成可能，你才会获得最大的价值回报。

而在 2014 年，亚马逊开始像京东一样，自建配送，试图将"最后一公里"掌握在自己手里。

刘强东做成了很多人认为不可能做成的事情。如果这事大家都觉得能够做成，那它的价值能有多大呢？正因为大家都觉得做不成，这件事才具备更大的价值。京东是一家实干的公司，做的是世界上最脏最累最苦的活儿，赚着刀锋一般薄的利润。如果桌面上有 100 元，那你就只赚 20 元，80 元让其他人拿走，这样，竞争的门槛就会很高。暴利意味着竞争的低门槛，会涌入更多的创业者，做出更新、利润更低的模式，意味着等着别人干掉自己。

这两年，新商业变革进入了深水区，与传统产业的冲突越来越多，结合也越来越紧密。新技术、新模式的公司更深入地参与供应链里面来，以便获得更多的商业价值。举个简单的例子，过去视频网站的竞争局限于线上内容采购、播放流畅程度的竞争，而现在视频网站不仅参与到上游内容制作中来，甚至还伸入到下游播放硬件（互联网电视机）的制造、售卖中来。

这必然让公司越来越重。重资产模式正是这几年涌出的创业公司的特点，纯粹的轻公司，商业价值越来越低。原本是苦逼的、被人嘲笑的活儿，现在变成了必须做的、无法绕过的事情。打个不大恰当的比方，就像美国攻击伊拉克，先用空中力量打击伊拉克的军事力量，但最终还是需要地面部队推进。

而这也对年轻的创业者们发起更多的挑战，原本只需要懂得互联网、懂得如何写代码、懂得如何管理工程师和产品经理，现在需要学习更多，学习供应链管理，学习如何管理线下的团队。对于那些沉浸在0和1的二进制世界的极客们来说，线下团队是另一个世界，或者说工程师团队和地推团队就像中国的城乡二元对立结构，需要管理者跨越中间的沟壑。这正是创业者能从刘强东身上学到的，面对如此的冲突，京东是如何将有不同思维、不同话语体系的人凝聚成一个整体的？这正是这本书花费不少笔墨记述的地方。

在这本书里，我将京东历史分为三个阶段：

第一阶段是1998年至2006年，是京东的草创阶段，在这一阶段，刘强东完成了用户、资本、团队的原始积累，从线下转为线上零售，并且在电商行业崭露头角。

第二阶段是2007年到2010年，以京东拿到第一次风险投资为标志，资本为刘强东打开了互联网的新世界，京东进入了快速成长的时期，第一波职业经理人开始加入这个草根出身的公司，扩张全品类以及自建仓配一体的物流这两大战略就是在这一阶段确立以及坚定不移执行下去的。

第三阶段是2011年到至今，在这阶段，京东继续保持快速扩张，引进世界级的资本，支撑了京东巨大的物流投入，且拓展了刘强东的眼界：不让他再局限于中国这一块市场，而是放眼全球。京东的业务也变得多元化起来，"开放"成为这一阶段的主题。同时，这一阶段京东继续内功的修炼：引进更多的高管，完善公司管理组织架构的搭建；重新梳理企业文化，以将整个公司捏合成一个有共同愿景、有凝聚力的团队。在这一阶段，京东初步体现出一家正规的大公司的模样。

这三个阶段的划分，是京东从游击队打伏击，进化为正规军作战，进而演变为集团军的变化过程。

这个过程是团队的升级换代。我发现，这正是创业团队往往很难搞的一块儿。创业团队受限于种种条件，不大可能一开始就找到非常优秀的人才加入自己的团队，也没有必要一定要找到最好的人才捏合成创业团队——看到机会，有互相认同的合适人才，那就干吧。

不过，如果公司发展还算顺利，业务扩张了、人员扩张了，那就会面临着管理短板的问题：在这个快速学习能力至关重要的时代，不是所有人的学习能力都能够跟上公司的发展。旧有的团队成员跟不上的时候怎么办？

我看到了有些创业公司依旧是过去的老人打江山——尽管有些老人的管理能力已经成为公司新业务发展的瓶颈；我看到了有些创业公司激进地引进职业经理人，却未安抚好老员工的情绪，新旧文化的冲突在公司内部爆发，内耗重重。管理从来不是一个温情的话题，理性从来有着冷酷的一面。团队的升级换代，历来是考验创业者心胸、管理技巧的问题。从中关村柜台起家，在互联网公司里极少有像京东团队这样低的起点了。而这家公司也经历了团队升级换代的考验，基本是平稳度过。

从中关村的小小柜台，到目前市值 400 多亿美元的公司，京东的发展过程总结起来，关键无非是这三点：

第一，战略。京东不是刘强东一个人做起来的，但京东的战略绝对是刘强东一个人做出来的。转型电商、扩张全品类、自建物流是京东最为重要的三大战略。这些战略决策，并没有经过那么严密的计算，这当中有商业洞察的天赋，不过，更重要的是，思考的出发点是用户体验至上。京东做物流的起因来自用户抱怨当时糟糕的第三方物流。用满意的用户体验倒推需要做哪些步骤，倒逼团队想方设法在成本与效率之间取得平衡。一切生意的起点，来自用户需要。

第二，执行力。京东高效的执行力是我见过的公司里最强的，至少是最强的之一。这与京东从零售做起有紧密关联，零售本身讲究组织链条的严密、讲究雷厉风行的执行力。

第三，企业文化。高效的执行力来自员工对这家公司愿景的认同，来自团队的凝聚力。京东这家公司的管理难度罕见，一是扩张速度特别快，从 1 000 人到 7 万人只花了 6 年，翻了 70 倍；二是线上线下并重，就像前文说的，需要跨过城乡二元对立的鸿沟。在这本书里我花费了很多笔墨写京东的企业文化，不过，有一条是京东没有写进它的企业文化里，但我认为深植在京东骨子里，并支撑了京东员工激情奋斗的，那就是，刘强东创造了一个相对公平公正的环境，让有能力的人能够通过业绩获得相对公平的回报，包括收入、职位与地位。

　　我与刘强东交流，他认为自己正在从创业者到企业家转变的过程中，京东还没有到立传的程度。我认同他的观点，但是，我也认为，如果不抓紧记录，那么很多鲜活的案例将随着时间湮没，最后只剩下枯燥干瘪的数字与会议记录。如果从 2004 年算起，在电商之路上已是第 12 个年头的京东，有一些经验和教训值得与人分享。这就是我做本书的初衷，如果读者能够通过本书更深入了解京东，得到一些启发的话，那就够了。

引　子

2014 年 5 月 22 日，纽约纳斯达克证券交易所正忙着装修外墙，搭着脚手架，现场乱糟糟的。四周挂着大幅的红色底子、写着白色"JD"的广告牌。

一楼是演播室，空间挑高，约两层楼高，10 多个摄像机镜头全方位覆盖，主持人用夸张的表情和语调播报，纳斯达克上市公司的股票行情：Apple、Baidu、Cisco、Facebook、Google、Intel、Microsoft、Amazon……几乎你能想得到的科技类上市公司，一一在我的面前晃过。

当地时间 9 点 30 分，西装革履、精神奕奕的刘强东按下了敲钟的按钮，他一手创办的京东在纳斯达克正式上市，融资 31 亿美元，上市当天市值达 286 亿美元。

纽约时代广场巨大的 LED 屏幕上，闪现着刘强东的面孔，一张中国人的面孔；与此同时，远在太平洋另一端，正是夜晚的北京，也有一群人在北辰世纪中心的露天场地上欢呼——那是京东公司办公所在地，不远处就是鸟巢与水立方。

刘强东上市致辞的时候，张口就是"这是京东人……"，但他马上意识到自己的错误，改为"先生们、女士们"，全场笑了起来。现场被上百人挤得满满当当的，包括沈皓瑜、黄宣德、隆雨、李大学、陈生强、蓝烨、黄莺春等高管，及徐新等投资人。

根据招股文件，京东从2007年拿到今日资本1 000万美元起到腾讯注入2.145亿美元止，累计融资20.26亿美元。上市后，因为AB股架构，刘强东以18.8%的持股比例占有83.7%的投票权。

2009年，凯鹏华盈（KPCB）中国区主管合伙人周炜原本考虑过投京东，那时候京东亏损厉害，斟酌再三未投。2011年，再考虑投京东的时候，价格已经贵了十几倍。而凯鹏华盈中国基金因为一些项目有了回报，做决策更容易一些。因此，投了将近1亿美元，获得5倍左右的回报。

周炜开玩笑说，"签字的时候我手也有点抖"。当时他们内部也有争议，京东能否做成一家像亚马逊那样，甚至比亚马逊更大的公司？周炜说："刘强东这帮人很能吃苦，在刀锋一般薄的利润下，还能活下来，这是他过去经历带来的价值。电商是苦逼的活儿，没人能和他比。如果是纯互联网公司，他不一定比人强。"

当时，很多人跟他谈京东的毛利问题，周炜觉得若是谈二线电商需要重视毛利，但京东很明显已经是领导者，这家公司的领导力、规模、前景在那里摆着。

他觉得现今最令人兴奋的是中国三四线城市的电商前景，中国的用户已经被电商惯坏了，那些传统零售商太落后了。而刘强东在5月22日的新闻发布会上宣布，对融资得来的31亿美元，第一笔资金用于3~6线城市的开拓。

2007年即投资了京东的徐新在现场笑得合不拢嘴："8年，150倍回报。最满意的还不是钱，而是帮助企业打造了一个伟大的公司。京东会成为一家伟大的公司，我剩下7个点，不打算卖了，要长期持有。伟大的公司在世界上不多的，今日资本运气好，找到这样的好公司应该长期持有。"而刘强东告诉她："现在的股价不重要，10年后的股价才重要。"

2007年，京东拿到融资之后，公司全体员工喝酒庆祝，直接用分酒器喝，一口干掉二三两。那时候大家憧憬京东未来会上市，成为一家了不起的企业。在纳斯达克，京东集团副总裁兼日用百货事业部总经理孙加明是两位老员工代表之一，站在第一排，他一点儿都不激动，他最激动的时刻是当初憧憬上市的时候。

京东上市，是当时中国企业在美最大的一笔上市融资（后阿里巴巴在美上市打破纪录）。纽交所和纳斯达克都在争取京东，直到上市前两个月，京东确定在纳斯达克上市。纳斯达克首席执行官罗伯特·格雷菲尔德和中国区首席代表郑华曾多次跟刘强东打交道。郑华说："刘强东是很有雄心壮志的人，他像一头牛一样，做公司10多年，做事很有韧性和斗志，他雄心勃勃，并且是持久的雄心，他也很有耐心，越战越勇。由他来给纳斯达克的金牛做揭幕仪式，很适合。"

金牛是纳斯达克新形象工程，自2013年纽交所被总部位于亚特兰大的ICE（洲际交易所）收购后，纽约市市长希望纳斯达克成为纽约市的标志性地点，因此塑立一头金牛。在上市仪式完成后，刘强东匆匆赶到交易所外，揭开蒙在金牛上的红布，他笑容满面，不像过去军人一般的严肃。

2012年，在刘强东办公桌上立着一个用英文和拼音混搭的招牌："Wen Xin Ti Shi: English Only"。到2014年，我和他聊天的时候，他有时无意识地蹦出anyway、last mile等单词，这在过去是见不到的。

在当天晚上的IPO酒会上，刘强东用带着宿迁口音的英语发表演讲，他说："我花了20年，从宿迁到了北京；我又花了20年，从北京到了纽约。"在座的人哈哈大笑。接着，他说："我们下一个20年的目标是什么？我希望在全世界每个国家每个城市，都有我们的客户或者合作伙伴。"又是一阵欢笑声。

这个饱受争议的创业者，他的雄心和他的公司都将接受来自华尔街的考验。京东首席财务官黄宣德的观点是："如果京东能够做到100分，对投资人只会说80分、90分，保守一点比较好，可能近期的股价只能反映80分、90分的水平，但等实际业绩出来不就达到了100分的水平吗？保守的沟通，有利于投资人建立对公司的信任和长期信心，我们更看重公司的长期价值，而不是追求股价最大化。"

2015年4月10日，京东市值454亿美元，是中国第四大互联网公司。

第一部分

················

1998~2006

2004 年，刘强东带领京东从线下连锁零售店转向电商。京东在发展的路上拐了一个大弯，这是京东历史上最重要的一次战略决策，既有偶然的因素，也有必然。刘强东用他的亲身经历来印证，传统企业面临互联网变革的时候，能否勇于抛弃过去成功的经验，是决定性因素。

柜台起家

世上三样苦，驶船、打铁、卖豆腐。

这是江苏省宿迁市当地流传的一句话，京杭大运河由南往北穿过宿迁，当地很多人驶船养活一家人。

1998年春天的一个夜晚，巨浪凶狠地扑过来，40吨的铁皮船进水了，王绍侠拼命将水舀出船舱。巨浪接二连三地扑过来，船舱进水越来越多，眼看就要沉下去了。王绍侠的全部家当都在这条船上，20年的心血就要沉入水里，她的大脑一片空白，想抱着船头随船一起沉下去算了。那一瞬间，她又想起了自己的儿女，还有年迈的母亲。求生的本能让她跳到了相邻的一条船上。10秒之后，船头消失在水面上。王绍侠望着水面发呆，泪水在眼眶里打转，她不能哭，在别人的船上哭是不吉利的事，一连三天她都木木地站在船上。直到三天后，上了岸，见到自己的妹妹，她才号啕大哭起来。

船沉之后，王绍侠待在母亲家里，没有把这事告诉远在北京上班的儿子刘强东，刘强东打电话回外婆家，发现几次接电话都是自己的母亲，才觉得奇怪："妈，你怎么没有出船，一直在家里？"王绍侠回答："我们家的船……沉了！"刘强东马上急了："我爸呢?!"王绍侠回答："还在，我们打算继续借钱跑船。"

刘强东说："人活着就好，你们别跑船了！钱我来还！"

1998 年 6 月 18 日，24 岁的刘强东带着工作两年积攒下来的 12 000 元，在中关村海开市场租下 4 平方米的摊位，买了一台二手电脑、一辆二手三轮车，一个人开始了自己的创业之旅，京东多媒体——京东的前身成立。

这一年，中国的经济正处于焦灼和兴奋期，一方面是集体单位、国有企业职工大量下岗，昔日的铁饭碗被打破，前途未卜的迷雾笼罩着这些家庭的生活，另一方面却是民营企业的欣欣向荣。中国有三块地方成为最具有活力的创业地带，一是珠江三角洲，二是以温州为代表的浙江，三是中关村。珠江三角洲与温州以外贸和加工厂为主，而中关村被视作知识英雄的摇篮，以 IT 产业为主，从 1988 年到 1998 年，中关村以每天至少创立一家公司的速度发展。

这时候，以中关村为核心地带，中国互联网方兴未艾，封闭多年、一朝开放的中国经济终于赶上了世界最新的潮流。"海归"张朝阳因为搜狐而成为 1998 年《时代周刊》"全球 50 位全球数字英雄"之一。网络门户是 1998 年的互联网焦点，搜狐、新浪、网易一时风头无两，太平洋彼岸的明星公司是杨致远创办的雅虎，自 1996 年上市以来得到华尔街的追捧，2000 年才达到它的股价峰值。

这一年，谷歌刚刚诞生，而相似的百度迟至 2000 年才在中国诞生；腾讯还叫作 OICQ，只是一只小小的胖企鹅，蜗居在深圳；马云还在折腾他的中国黄页，阿里巴巴未见踪影。没有人能够预见，日后中国互联网三大巨头 BAT（三个字母分别对应的是百度、阿里巴巴和腾讯）的统治格局，更没有人能够预见，京东会成为中国第四大互联网公司。

1998 年，刘强东创办京东多媒体，是典型的线下渠道生意：在柜台进货，在柜台卖货，先做批发，后转为零售。美国零售业历史悠久，发展成熟，曾经是美国销售额第一的零售公司西尔斯创立于 1884 年，创立于 1962 年的沃尔玛 1993 年超过西尔斯，成为美国最大的零售公司，更在 1998 年销售额超过 1 000 亿美元。中国的零售业是在开放市场经济以来的短短时间里发展起来的，尤其是早期，因政治原因被压抑多年的消费需求爆发，造成了卖方市场：暴利、混乱、无秩序、充满欺诈和贪腐。

中关村大大小小的卖场，正是中国销售渠道现状最好的写照：正品与山寨货齐飞，消费者能否以合适的价格买到对的产品，取决于自己的眼力和砍价能力。若不小心，还会招来卖家的一顿打。京东多媒体就诞生于这样一个环境。

刘强东的做法迥异于中关村众多卖家。他没有进货渠道，没有资金，没有客户，没有团队，就靠他一个人做，坚持明码标价，拒绝讲价。好多客户谈不下价格，扭头就走，去别的地方转了一圈，又回头和刘强东谈，因为发现刘强东这里的价格定得合理。第一单98元的生意做成了。慢慢地，口口相传，京东多媒体积累起了一批客户，开业三个月后，忙不过来的刘强东聘请了第一名员工。

京东多媒体最初是做婚纱影楼视频编辑的硬件和系统，公司扩大的时候，从海开市场的档口搬到位于硅谷电脑城对面的北大资源楼，在那里刘强东接连租下三个办公室：2425、2426、2427。这时候，公司转为售卖光磁产品、刻录机和录像带转制系统，70%卖给中关村各电脑城柜台，30%经由柜台卖给个人——2002年，京东多媒体在硅谷电脑城三楼开设第一个柜台，产品品类增加了光盘。柜台做生意的成交率比较高，10个客户里能谈成七八笔生意。因为京东多媒体员工不仅仅是卖东西，还提供额外的技术服务。

这段时期，刘强东为未来的京东商城打下了根基，或者说，未来的京东商城是沿着这样一条轨道往前跑，从未脱离。

正品。从海开市场柜台做起的时候，刘强东就开始开发票。开发票是一种宣示，宣示"我卖的是正品"，底气十足，工商局在京东多媒体查了三天，没有逃税，没有水货，没有假光盘。当时光盘仿制很简单，空白光盘用丝网印刷做上logo，再做个与正品一模一样的包装盒，就能得到比正品多十几倍的毛利空间。刘强东坚决不做山寨货，老老实实地售卖正品，按照一个有较低利润的价格售卖，这个价格和中关村泛滥成灾的假光盘相比，没有竞争优势。有给银行数据做备份的客户找上门来，打算买三五百张光盘先试试，如果质量好再大批量进货。但是京东多媒体报出的价格与其他柜台差得太多，客户不满意。现任京东家电事业部运营管理部总经理的江建就告诉他，如果你觉得他们卖的是真货，你就去买。他把京东多媒体的授权书拿给客户看，告诉对方，你是用在银行数据储备上，不能说存储两天就失效了。这打动了客户。后来，这位客户继续在他那里采购，觉得京东性价比最高，没有坑蒙拐骗，说一是一，说二是二。

2011年，北京中关村太平洋数码城倒闭，震动业内，彼时中国电商已是喷薄而出的朝阳，当年京东商城交易额超过300亿元，成为中国自营B2C电商老大，而中关村大大小小的电脑城已是落日的余晖，大量柜台撤柜，楼层里空荡荡的一片，谋求转为写字楼。刘强东当时发微博说："评太平洋数码城关闭：昨夜和一些友人聊天，一同学说恭喜你们杀死了太平洋数码城，惊愕！其实不是京东们革了你们的命，而是你们自己！扪心而问，你们做了多少偷梁换柱的勾当？卖了多少水货假货？暴打了多少客户？这是因果报应！"

低价。 刘强东相信薄利多销，相信有规模才能有行业的控制力，如果公司的销售额始终在全国市场只占2%、3%，就永远没有话语权："你不能老指望暴利，从创业开始到现在，在我的经历里从来没有暴利的概念。中关村很多商家最大的问题是什么？老有暴利的概念，老想在哪儿拿一个5 000万的单子，挣2 000万。我们从创业第一天开始，到今天为止，就是细水长流，薄利多销，规模为首。"

京东在光磁产品这一领域，最高曾占据全国60%的市场份额。这市场份额是靠低价拿下来的，价格战始终是京东最直接也是最血腥的竞争手段。在线下做刻录机代理的时候，京东也经常上午一个价格，下午一个价格，把其他代理商都打残了，结果做成独家代理。

有难打交道的客户，被京东员工叫作刺头，有做得久的业务员告诉新手孙加明，这几个刺头你不用弄了。孙加明回头和刘强东交流，刘强东说，未必，换个人没准儿就行了，你试试。初生牛犊不怕虎，孙加明厚着脸皮去敲开刺头们的门，这些客户出货量大，对孙加明爱理不理的。他把每天跟客户交流的细节告诉刘强东，刘强东又指导他调整方法。

方法就是，低价。每天给客户报一个与进货成本持平甚至亏本的价格，不管客户拿不拿货，每天都给他报价，总会有一天，他发现如果不在京东多媒体进货，就亏了。他找其他商家砍价，别的商家肯定不答应。他就找上孙加明尝试拿一单货，合作建立起来之后，就有惯性，只要京东多媒体的报价不比别人高，他就会习惯在这里拿货，京东多媒体也不会长期亏钱。

好服务。 在海开市场卖婚纱摄影系统、VCD转制系统的时候，京东多媒体就面对一群完全不懂IT硬件和技术的客户。刘强东除了提供产品以外，还负责提供技术培训，他不做一锤子买卖，不像很多商家能赚一个人的钱就算一个，反正客流量这么大，哪怕每个人只来买一次，也足够了。现任京东大学平面影像制作负责人陈时宽1998年加入京东多媒体担任技术工程师，曾花费15天时间，从零基础开始培训一位来自东北的客户。那位客户一开始连怎么用鼠标都不会，把鼠标拿在手里在空中比画，培训后学会了刻盘。陈时宽给客户编辑视频的时候，因为方法不对，清晰度下降了。刘强东就批评他，不能降低质量，必须让客户满意。

他们没有"用户体验"这个概念，有的是朴素的观念：我把客户服务好，客户会成为回头客，继续来。10多年后，京东成为一家年交易额2 602亿元的电商公司，其价值观里的"客户为先"，源头来自1998年中关村的一个小小柜台。

试水电商

在刘强东埋头苦干的时候，中国零售业正在向专业的大型连锁店发展，典型代表就是以家电销售为主的苏宁、国美，1998 年国美关闭北京市中心的小型门店，在三环附近开设 2 000 平方米的大型卖场，建立起新的选址标准：营业面积在 1 000 平方米以上，库房面积 200 平方米。进入 2000 年后，苏宁、国美在全国迅速扩张门店，国美一年新开门店 300 多个。

线下连锁店这一零售业态的模式，巅峰期要等到 2004 年以后，国美、苏宁相继上市，拿到资金之后快速扩张、跑马圈地，同时利用资本并购，国美先后并购了大中、永乐。国美创始人黄光裕在 2004 年、2005 年连续两年成为胡润百富榜的中国首富。

与此同时，有一种新的零售模式——电商，在中国悄悄壮大。奇怪的是，中国零售业对此漠不关心，关心它的，是互联网行业。一个世界的轰轰烈烈，是另一个世界的悄然无声。1999 年，王峻涛创办 8848，这是中国电商的先驱，亦是先烈。8848 依托的是连邦——一家软件连锁销售公司，连邦有着比较完善的供应链管理，这是 8848 起步的优势。但是，8848 在经历两年快速发展之后，内耗严重，又在等待更好的资本行情里错失了上市的时间窗口。

1999 年，李国庆和他的妻子俞渝共同创办当当，从网上售卖图书做起——这一点跟远在美国西雅图的亚马逊很相似；邵亦波归国创办易趣网，一家类似 eBay 的网站。次年，卓越网创立，又是一家类似亚马逊的电商公司。当时电商有两种模式，一种是 B2C，以亚马逊为模板；一种是 C2C，以 eBay 为模板，进行网上拍卖。亚马逊创办于 1994 年，其创始人杰夫·贝佐斯是一位眼光高远、脾气暴躁的企业家，1997 年 5 月 15 日上市时，股价 18 美元，2015 年 4 月亚马逊股价已经在 370 美元以上，市值 1 700 亿美元。

亚马逊的模式是，从品牌商处采购商品，放进亚马逊自己的仓储，用户在亚马逊网站上下单，再借由 UPS 和联邦快递完成"最后一公里"运输，送至用户手上。在刘强东创办京东多媒体的时候，亚马逊已经从沃尔玛挖来负责物流建设的高管，一年在仓储建设上花掉 3 亿美元。

互联网浪潮汹涌，以互联网公司为主的纳斯达克指数 1998 年突破 2 000 点大关，到 1999 年 12 月逼近 5 000 点，在一浪高过一浪的行情里，亚马逊股价攀至 106.69 美元。但转眼间，从 2000 年 4 月开始，繁荣的泡沫破灭，市值瞬间蒸发掉 8.5 万亿美元，亚马逊市值从 228 亿美元跌到 42 亿美元。

1999 年，中国还有一家名叫"阿里巴巴"的 B2B 电商公司创立，创始人是马云。阿里巴巴将中国外贸商家聚拢在阿里巴巴的网站上，将全球买家的流量导向这些阿里巴巴商家，通过对商家的收费服务（诚信通和搜索关键字竞价排名）获取利润。2000 年 7 月，马云登上《福布斯》，这是中国企业家第一次登上这家财经杂志。

电商的风起云涌，互联网的大起大落，都与刘强东和他的京东多媒体无关，刘强东一头扎进零售的世界里，研究库存、采购，直至 2003 年一个偶然事件的发生。是年 3 月 6 日，北京接报第一起非典型性肺炎病例，死亡的阴影笼罩大江南北，从北京到广州，街头人影寥寥，依赖客流量的零售业受到重创，当时中关村所有电脑都在降价，平均降价幅度达到 30%~40%。因为"非典"，京东多媒体采购的 1 000 多元一台的雅马哈刻录机（当时市面主流产品是 400 多元一台）没了买家，全积压在办公室里。IT 产品积压时间越长掉价越快，而且销量上不去，就拿不到返点，通常代理商的主要利润来源是返点。21 天，京东亏了 800 多万，公司账面资金只有两三千万。当时传言纷纷，都说"非典"得要半年、一年时间才能熬过去。

刘强东害怕员工感染"非典"，把京东多媒体的 12 个柜台全部关闭。京东的一部分员工在高速公路封闭前离开了北京，另一部分留在办公室，刘强东给他们做饭吃。公司亏损厉害，大家坐在办公室里想着，再过两三个月公司就要死掉了，于是开会讨论怎么办，有位同事提出来，客户不能见面交易，为什么不通过互联网交易呢？这样就不用面对面了。

京东多媒体员工开始在网络上发帖子，推销光盘，在 CDbest 这个论坛上，版主留言说，京东多媒体是他认识的唯一一家不卖假光盘的公司。5 年的正品坚持，5 年的口碑积累，换来了版主的一句话，才有了 21 名网友的初步信任。由此，京东迈出了线上零售的第一步。他们的做法很简单，在论坛上发起团购活动，公布该期团购的产品参数、价格以及截止日期，留下 QQ 号做联系方式。京东商城行政管理中心总监李梅号称"京东电商第一人"，最早负责京东多媒体线上销售。她用笔和纸记录下客户名单，收到客户汇款之后，按照客户要求挨个到库房找货、打包，再走邮政渠道发货给客户，发短信告知客户快递单号。如果是中关村附近的客户，就由司机开着金杯小货车或者刘强东自己的红旗轿车送货上门。

网络销售刻录机，刘强东采用一贯的低价战术，甚至赔钱卖刻录机，得到客户的疯狂追捧。京东多媒体借机清理库存，打开市场。尽管刻录机不赚钱或者亏本，但客户买了刻录机就要买光盘，京东多媒体的光盘按照市场价格卖，有利润空间，保持了盈亏平衡。

刘强东由此对互联网产生了极大的兴趣，连 QQ 号都没有的他，没日没夜地泡在网上，半夜 12 点在发帖子，凌晨 2 点回帖，5 点还在回帖。那时候，公司已经搬到了中关村苏州街的银丰大厦，是刘强东自己买下的第一套物业，既是他的办公室，又是他的住处。他困了就在房间里打地铺眯一会儿，白天正常上班，一直连轴转。兴奋的刘强东，让他的员工觉得像是变了个人。

做了半年团购后，刘强东决定做独立网站卖产品，一来想独立掌握客户来源，二来 CDbest 论坛索要的提成越来越高。2004 年 1 月 1 日，京东多媒体网站（www.jdlaser.com）正式上线，有 100 多个单品。网站特别粗糙，每款产品页面上只有纯文字的、干巴巴的产品参数介绍，两三张产品图片，没有打动人的描述，也没有品牌介绍。

京东多媒体的技术底蕴是如此薄弱，以至于我把京东列入技术起点最低的互联网公司之一。刘强东懂编程，但不懂互联网，做网站不行，公司的技术员辛波，以前主要做视频剪辑、字幕编辑，也不是专业出身。网站上线后，连最简单的系统补丁、防火墙都没有做。所以，网站遭到黑客入侵，顺理成章。

黑客在京东多媒体网站上留言"京东网管是个大傻瓜"，辛波接到电话通知，赶紧去机房，折腾两小时之后，解决了问题。在回来的路上，还没到公司，又接到电话，黑客在网站上留言："京东网管还是大傻瓜。"幸亏这位黑客没有恶意破坏数据库，只是调侃一下。在此之后，刘强东才招来京东第一个正儿八经的技术员工吕科（前京东运维部高级总监）。

壮士断腕

中国的互联网在快速发展，2004 年 1 月 15 日，中国互联网络信息中心（CNNIC）在北京发布了《第十三次中国互联网络发展状况统计报告》。截至 2003 年 12 月 31 日，中国共有上网计算机约 3 089 万台，上网用户数约 7 950 万人，CN 下注册的域名 340 040 个，WWW 站点约 595 550 个，国际出口带宽 27 216Mbps（兆比特每秒）。而在第二次《中国 Internet 发展状况统计报告》里，截止到 1998 年 6 月 30 日，中国共有上网计算机 54.2 万台，上网用户 117.5 万人，CN 下注册的域名 9415 个，WWW 站点 3 700 个，国际出口带宽 84.64Mbps。

不过，2004 年，中国电商依旧是互联网内部的热闹，线下零售巨头对电商的态度依然漫不经心，而国外的电商巨头盯上了这个人口众多的巨大市场。2003 年，eBay 以 1.5 亿美元的价格全资收购易趣，2004 年，亚马逊以 7 500 万美元收购卓越网，由此进入中国市场。

2004 年，刘强东召集员工商量，要砍掉公司线下业务，转型为纯线上的零售公司，原因是：线下用户体验不好，在线上卖，消费者不用离开办公室，不用讨价还价，不用鉴别真假，就能得到更便宜的产品，连带发票。而且，京东线上增速远远高于线下。

他的想法并没有获得很大的支持。员工的想法是，互联网普及率不高，很多人没有电脑，网络订单不靠谱，市场到底有多大？没人知道。虽然线上增速快，那是因为基数小，如果基数大了，还能保持这样的增速吗？

2003 年，京东多媒体已经做到八九千万元的销售额，是国内最大的光磁产品销售商，按照规划，未来将开设 500 个门店，短短数年内线下业绩会爆发性增长。这个时候，苏宁、国美在全国跑马圈地，快速开店，相互交锋，线下连锁零售店刚刚迎来巅峰期，这个势头还将保持几年。

以苏宁、国美为参照物，员工觉得前途光明，有清晰的商业模式，有可预期的利润空间，为什么非要走另一条看不清未来的路呢？

如果没有刘强东的独断专行，就没有现在的京东。很长时间里，京东的会议讨论，事实上是刘强东的一言堂。大家发表意见，他从中挑选出符合他想法的，引导大家往那个方向讨论，最后成形的，就是他本人在会议前已经想得差不多的想法。他预计到了员工对转型电商的反对，但反对无效，他已经决定关闭门店。

最终柜台都被撤掉了，只保留了一个柜台用于采购。早期京东多媒体的货源来自中关村各个卖场里的代理商，用柜台的名义能拿到批发价，是个体客户怎么砍价都砍不到的价格。一直到 2006 年，唯一保留的柜台才撤掉。

有些员工在这次关店行动中离开了，觉得老板瞎胡闹，担心万一转型不成功怎么办。留下来的人，与其说看到了电商的未来，还不如说他们盲目地信任着刘强东。

如果没有做电商，没有关闭线下门店，京东的路径就是连锁店，竞争对手从当当、卓越亚马逊换成宏图三胞，同样会面临着今日宏图三胞们的焦虑和尴尬，眼看着电商掠食线下的市场份额，而自己线下门店经过多年扩张，尾大不掉，难以舍弃。

船小好掉头。刘强东壮士断腕的决绝，让他赶上了中国电商刚刚起来的行情。熬过了 2000 年到 2002 年的互联网泡沫破灭，中国互联网复苏了，2003 年网易创始人丁磊成为中国新首富，中国的数字英雄们为中国商业吹进一股清新的风：他们奇迹般的财富积累速度，源于知识创新，源于人才聚集爆发的创造力，源于清晰的股权激励，源于公开透明的资本推动，源于现代企业制度。未来 10 年，最激动人心的财富神话都是在这些人手里创造，未来 10 年，他们逐渐取代 1992 年前后创业的企业家们，成为中国新商业领袖。

熬过 21 世纪初互联网泡沫破灭的电商公司，寥寥无几。中国电商的行情真正起来，要到 2005 年了。刘强东幸运地赶上了，不早不晚。

和京东多媒体一样，很多中关村代理商一边开着门店，一边开着网站，但这些网站随后湮没在历史的尘埃里。刘强东能够做成京东，很重要的因素是专注。做电商大家都没有经验，需要学习探索，一步一步地摸索。两手都抓的公司们，因为线下业务占了很大比重，没有足够的动力去学习陌生领域的知识。

专注是刘强东在自己父母身上吸取的教训。他父母这一辈子做了很多种生意，办过小厂，驶过船，开过批发部。县城里的百货商场开着大卡车将大量滞销的工业品载到镇上敞开卖，价格特别便宜，农民发疯一般地抢购，镇上的批发部就没有存在的价值了。干了两年亏了本，刘强东父母又关掉批发部，重新驶船。

这 10 多年来，中国赚钱的行业很多，外贸、房地产等都是。但是刘强东没有碰，他相信专注做自己的事，做精了，总会有回报，不要看着别人做哪一行赚钱就去做哪一行，最后每件事都是半吊子。京东这十几年来都是做和零售相关的事情，以电商为中心点，不断拓展生意的边界。

商业都是由链条组成的，对商业的判断不是直观感觉，而是精密的分析，一环扣一环，把计划想清楚了就知道下一步该怎么做。京东所有金融产品都和电商密不可分，脱离不开。没有电商，京东金融就没有根基。

商业的规律很简单，你创造价值，获取收益。收益是波浪曲线，但价值一定是这条波浪曲线的基准线，是恒定的。收益可能高于价值，也可能低于价值，但不管怎么震荡，都不会脱离价值太远，收益的趋势和价值的趋势一定是趋同的。你收废纸也会有价值，也能做成富豪，只要做出有价值的事情。

京东的物流扩张基于价值，提供购物平台，做物流保证消费者体验，降低成本，提升库存周转速度，提升效率，不是有价值的事吗？

这是刘强东十几年来对商业本质的认知，京东是这个观点的实践。

客户信任京东多媒体这家公司之后，需求越来越多地涌现，要 CPU（中央处理器）、要硬盘、要 CD 机，客户不断在论坛里发帖呼喊自己的需求。刘强东直接打电话给员工，你赶紧去采购某某品类拿来卖。谁也不知道什么货能卖出去，什么货卖不出去，完全由客户需求来引导采购。客户要什么，就去中关村拿货，再入库、上架。客户相信京东多媒体的货是真的，价格又便宜，就不断来买。

2004年底，公司举办年会，刘强东说，这是他睡得最踏实的一年。做代理的时候，如果上游不授权，公司就完蛋了，所有的命脉都掌握在人家手里，那些客户看似客户，不给货源，拿什么卖？每到年底，刘强东就会想，明年代理权还能拿到吗？而网络上，直接接触终端消费者，可以从中关村的卖场买回产品，再卖给终端消费者。咽喉终于没有被人扼住了。

反过来，如果聚拢了足够多的终端消费者，那就是扼住别人的咽喉。

零售的本质是，如何理解消费者，把消费者需要的商品送到消费者手里。任何一个零售企业做的事情，不外乎是两块，节省成本、提高效率。传统零售跟电商，很多成本类似，采购成本、营销成本、库存成本等等。线下有租金成本，门店的位置决定了大部分客流量，在中国商业地产越来越贵的情况下，租金成本比例会越来越高。线上的话，则有购买流量的成本、IT研发成本和物流成本。

你要做的无非是理解消费者需要什么，对未来的销售做出很好的预测来降低库存成本。传统零售的运营效率相对难以控制，商品销售预测很难做。京东2001年做零售的时候，预测鼠标每年能卖多少个，效果不好。传统零售和电商背后的供应链管理是一样的，采购、运营没有什么本质区别。

线下零售企业，规模到了一定程度，难以避免总部、分部或者经销商的三级管理架构，很难避免直营门店与加盟商的冲突。对线上企业来说，则可采取中央集权式的管理架构，所有的东西在总部完成，除了物流和客服，在外地设置分部。

我跟刘强东交流的时候，他提到了美国西南航空的案例，这家航空公司主要做美国国内城际间航线，以低成本运营著称。在美国各大航空公司陷入困境的时候，西南航空持续数十年保持盈利。类似这样的商业案例，让刘强东认识到"最近一二十年来所有的创新模式，都跟降低交易成本、提高交易效率有关。要么交易成本更低，要么交易效率更高，二者必居其一，新的模式才能够生存发展。如果这两点都达不到，所有的创新都没有意义"。

土得掉渣的公司

刘强东的眼界是一点一点拓宽的。草根出身、柜台起家的他，2005 年差一点卖掉了京东多媒体。当时，京东线上销售额是 1 000 万元，利润微薄。小熊在线的老板问刘强东，能不能把网站卖给他？价格是 1 800 万元。如果刘强东答应了，可能中国电商跟刘强东就没什么关系了。

刘强东叫上孙加明和张奇（现拍拍网 3C 类目事业部运营总监），商量要不要卖掉。他肯定犹豫过，如果没有犹豫，他就不会和员工商量了。孙加明和张奇本能地抵触，这是大家一起做出来的，如果卖了之后又做什么呢？刘强东想了想，卖掉之后还是会重新做一个京东出来，于是下定决心，不卖了，咱们继续做。

2005 年，京东正式成立线上采购部门，由孙加明负责。京东封闭，与外界接触不多，不知道新蛋网，只管自己埋头苦干。新蛋网创立于 2001 年，比亚马逊更早进入中国市场，2005 年的销售额是 13 亿美元，在很长一段时间里，新蛋网是很多中国用户购买 IT 产品的首选网站。网易创始人丁磊曾经向他的投资人徐新推荐新蛋网，声称网易的采购都是在新蛋网上进行，这样可以阻止腐败。结果，徐新反过来向他推荐自己刚投资的网站京东商城，不过那时已是 2007 年了。

在 2005 年，新蛋网是有着美国血统的外企，页面做得漂亮，销售额也和京东不可同日而语。京东还是土得掉渣的创业公司，各个环节都很粗糙，发个包裹需要十天半个月，客户等得不耐烦，还老丢货。当时中国"最后一公里"的配送服务非常糟糕，配送站多为加盟店，服务质量很不稳定。

京东多媒体的仓库管理没有系统，没有货架号，没有扫描码，全靠打包的人靠大脑记住货物位置去拣货。刚开始做仓库管理的员工不得不花费将近一个星期的时间，认识300多种产品，并将存放位置一一对应起来。直到2006年，公司把仓库搬到海淀区西北部的凤凰岭，才开始按照货架号管理，这还在老员工那儿遇到阻力：为什么要弄货架号？我们明明记得住，在上架之前多一个"添加货架号"的环节，多大的负担啊。幸好刘强东明白货架号管理的好处，快速拣货、不用人工判断，流程更清晰、专业，因而充分授权让负责人推进。

仓库也没有监控体系，连客户到底收到的是两盒光盘还是一盒光盘也弄不清楚。有些客户声称自己订购两盒光盘只收到一盒，要求重新发货。刘强东对客户体验的追求很偏执，让负责仓库打包的王爱民（现京东产品管理部3C组高级经理）重新发货给客户。王爱民不服气，说如果一个月内再有错误，我宁愿接受10倍罚款。后来，京东多媒体发货前先称重，以解决这个问题。

为了节省成本，刘强东要求每个员工带废弃的纸箱到公司，下班之后，员工们把纸箱又拆又改，做成适合包装光盘的小纸箱。有次，刘强东开车，看到小两口将一堆家电包装纸箱丢在马路旁，他就停车在路边，将纸箱捡起来全塞到后备厢里。那位妻子对丈夫说，你看看，你混的还不如一个捡破烂的，捡破烂的都开红旗了。

这家出身柜台的公司，销量不断攀升，顺着客户需求不断扩充品类，从光盘、刻录机，到鼠标、键盘，再到内存条、硬盘，再到笔记本。笔记本在当时是高端产品，1万多元一台，刘强东还纠结过，万一卖不出去该怎么办？

从这时候开始，搬仓就成了京东发展史上不可或缺的一笔，每一次搬仓都意味着京东销量的成倍增长。2002年，刘强东买下银丰大厦1202室做办公室兼住处，将仓库也安在了这个160多平方米的空间里，与采销、财务、售后等部门同处。公司做电商之后，租下隔壁100平方米的1203室做仓库，半年后，搬到银丰大厦对面大楼200平方米的仓库；又隔了半年，仓库重返银丰大厦，这次换成地下室，一个可以打篮球的地方。刘强东乐观地告诉员工，两年不用搬仓了。结果，半年以后，公司全体动员搬仓至凤凰岭。这是一场硬仗，刘强东和员工们累了就把纸箱拆开平铺在地上打瞌睡，饿了就用老干妈拌着盒饭填肚子。

2005年，公司的ERP（企业资源计划）系统不顶用了。这个系统是2000年刘强东自己编写的，很简陋。当时公司每卖一张光盘都要录入系统，刘强东每天可以看到销量明细。中关村很多卖家账面很乱，货款追不回来。但京东通过系统能够对上账。刘强东和吕科开始开发新的库存管理系统，为了这套系统，甚至关闭网站三天梳理库存。刘强东自己在纸上写写画画，设计系统模块，告诉吕科架构该怎么搭，逻辑思路是怎样的，吕科再写代码实现刘强东的构想。每天晚上，刘强东跑到库房做测试，打电话给吕科，遥控指挥该怎么改系统。

有时候，刘强东灵光一闪，有新想法，马上叫上吕科，一起做，做好就上线，有纰漏再修正。他没有说先想清楚方方面面，把漏洞都堵住了再去做。这家公司从传统企业转型而来，互联网那套快速上线、快速迭代的打法倒是殊途同归。前前后后，两人花费了一个多月时间，先弄出库存管理系统。

京东后来的管理系统架构基本脱胎于2005年到2006年开发的系统。所以刘强东才能始终对公司管理系统了如指掌，在多次品类扩张、系统架构改造过程中快速决策。

带领绵羊的狮子

　　截至 2006 年，京东多媒体的团队都特别草根，普遍学历不高，专业水平欠缺，优点是充满激情，吃苦耐劳。这跟京东多媒体从中关村卖场柜台做起有关，起点太低，公司没有任何能吸引人的故事可讲，也跟公司能开出的工资水平有关，那时候很多人拿着 800 元、1 000 元的工资，这没法吸引高层次的人才。

　　后来，等刘强东拿到投资之后，有投资人形容，刘强东是一头狮子带着一群绵羊打仗，绵羊打着打着变成了狼。

　　那时候，这些员工物质条件相当艰苦，收入不高，工作强度大，从早晨 8 点要干到晚上 10 点，周末只能休息一天，甚至还得加班。大家都是年轻人，没钱的时候互相接济。为了省钱，这些年轻人在海淀桥往西两公里的城中村六郎庄里合租，月租金 300 元。

　　他们白天打鸡血般地干活儿，晚上一块儿喝酒，日子过得有滋有味的，觉得自己跟别的公司的人不一样，内心骄傲，若是有人说公司不好的话，就立马生气反驳。刘强东到底做了什么，让这个团队在物质条件艰苦的情况下维系下来，还不断升级进化？

　　刘强东的母亲王绍侠热情、爽朗、强势、爱操心，亲戚朋友一大家子的事都爱管。刘强东继承了他母亲的某些特点。他从小就展现出身为兄长的一面，刘强东表弟吴洁在外婆家住，和刘强东一起长大。他读小学一年级，从1到10数不清，尚是初中生的刘强东就不准他吃饭，什么时候数清楚了才准吃饭。吴洁偷偷跑去游泳，刘强东就让他站在太阳下晒，一掐皮肤，如果有白痕就是下过水，罚站。读初三的时候，吴洁逃学，跑去少林寺学武，到了商丘，钱用完了又返回家。刘强东特意从北京回来教训他，吴洁顶嘴，他抬手就是一巴掌。

2006年底，吴洁大学毕业回宿迁考公务员，刘强东让他到北京来工作。吴洁还是选择了宿迁的国税局，传统、稳定、有面子。但他待不到半年时间就后悔了，不喜欢收入低、没事干、混日子的生活状态。他想辞职，刘强东说，你既然选择了这个行业就要坚持，真正了解它后，再说要不要继续干。你这种状态是不对的，还没开始多久呢，就说自己不喜欢了。三年后，刘强东打电话问吴洁，你干得舒心吗？吴洁回答，安逸，但收入只够过普通人的生活，还是想出来工作。刘强东这才说，你想明白了，那就出来吧。

在公司，他对这些年轻的员工也如兄长，强势严厉，要求苛刻。他会拷问张奇显示器多少钱一台，如果张奇回答不出来，就瞪着他：你怎么不知道呢？干什么吃的？后来张奇每天都把所有产品价格过滤一遍，八九百个商品的进价、售价都一一记住。

单眼皮、面相憨厚的张奇年仅16岁就加入京东多媒体，他是什么都没有的人，好不容易来到中关村这样的繁华地带，每天很早就到公司，打扫卫生，准备当天的工作。一开始他负责派送货物，要求速度快。有些柜台是给三家代理商打电话，客户在柜台那里等着，谁先送到就要谁的货，先到的代理商可能报价要贵上10元，这也不重要。为了争取客户，张奇跑得脚板翻。

他做了一年半的送货、结账，又调到售后部门。坏件周转起来很吃力，先由客户送到京东多媒体，京东多媒体再返回到厂家维修，接着返还给客户。销量不断增加，坏件也越来越多。刘强东认为客户第一，每天都给张奇施压：怎么还没拿回来坏件？张奇觉得他不讲道理：维修是有周期的，厂家慢，我也没办法。

有那么一两个月时间，脾气暴躁的刘强东总冲着张奇吼。逼不得已，张奇自己动手把坏件分门别类，刻录机坏掉的地方主要是不弹舱门，或者光头坏了，读不出光盘内容。分类后，他搞不定的就返回厂家，自己能搞定的，就自己搞定。结果100台坏件能弄好 60 台，坏件返修速度一下子提升很多。

另一方面，刘强东又像兄长一样关心着这些下属。他们的工作和生活分界不清晰，刘强东对员工既教工作技巧，又灌注他的人生观、世界观、价值观。张奇和孙加明合租，周末刘强东直接到他们的住处，进门看到吃剩下的泡面盒子堆在桌子上，就教训在家里看电视的张奇和孙加明，要注意卫生。

京东经常加班，员工晚饭通常拿煎饼、炒面糊弄过去。到了晚上 9 点多 10 点钟，刘强东就招呼大家一块儿吃饭喝酒，改善伙食，也听听员工的想法，一周大概两三次。这是京东酒文化的起源。在中国，做销售的公司都逃脱不了喝酒，与厂家、渠道商打交道都需要喝酒，白酒当成水来喝，凶猛如兽。

不过，京东的酒文化也有自己的特色，那就是凝聚团队。酒桌上，员工会向刘强东说一些事，问一些问题。刘强东多数是在听，很少说话。事后，员工发现，他提的问题很快就解决了。通常基层员工发现的流程上的问题，需要其他部门配合改进，因为自己没有足够的权限，酒桌就成了另一条渠道。

刘强东和基层喝酒，从不让高管跟着，让基层在酒桌上畅所欲言。他特别体恤基层心情，而基层干活儿也特别卖力。支撑这家公司的是基层，如果基层不乱，上面的管理者调整，不会动摇公司的根基。

京东的酒文化，第一是敢不敢的问题，哪怕只有一杯啤酒的量也得有胆量端起白酒和人拼，京东的人必须有血性，不顾及后果，先实现目的，再处理后续问题。第二是说不说的问题，得清晰表达自己的想法，也把别人的想法听进去，酒文化的精髓在于沟通，工作上的冲突和摩擦，喝酒的时候你走我两个，我捶你两下，就过去了。京东的酒文化保留了很长时间，直到近两年才淡化，身体健康第一，团队建设改为更健康的方式。

张奇、孙加明他们觉得，刘强东不像别的老板，只管事情能否做成，他喜欢在细节上教他们，发自内心地想把他们从小树苗修整成大树。自然，这跟早期的员工特别年轻有关，张奇加入京东时只有 16 岁，孙加明来京东才满 20 岁。他们的人生几乎是白纸一张，毫无工作经验，没有社会经历，懵懵懂懂，什么都需要学习。

刘强东给客户打电话谈生意，就让孙加明在一旁用分机听如何跟别人沟通生意。

晚上和大家吃饭，员工告诉他自己是怎么开发客户的，他听到不正确的地方就马上纠正。刘强东言传身教，向孙加明他们灌输观念：年轻的时候该加倍努力，让自己尽可能学到东西，才可能有未来。那时候，孙加明最兴奋的事，就是拿下一个难搞的客户，晚上喝酒被刘强东夸两句，就豪气冲天地说：干杯，明天再把那谁拿下！

孙加明加入京东的时候，先从送货做起，再转为业务员，京东多媒体准备销售刻录机的一款新品，价位在 600 多元，所有的业务员都没有老客户积累，起跑线一样，谁拿到第一，谁就能获得 1 000 元的奖金，最后孙加明拿到了。他做了半年业务员，就升为主管。

有时候，刘强东明知道他们可能做错了，也不说，让他们受挫，这样得来的教训特别深刻。京东日用百货部粮油组经理王娜 2005 年加入京东，负责数码产品，数码产品价格波动剧烈，往往上午一个价，下午一个价。有次他采购的数码相机，过两天到货之后，市场价格已经下降了，造成一台相机几百元的损失，尽管进货不多，只有三五台，他也特别内疚，主动找刘强东认错。刘强东却没有骂他，告诉他，做生意赔钱赚钱都正常，行情不好就要及时忍痛出货，必须狠心，否则会亏得更多。此后，王娜对价格行情特别敏感，稍有风吹草动就立马跑掉。

刘强东在生活上对员工的关心，也让孙加明他们有样学样。有次外出采购，正在下大雨，张奇对姚彦中说："你别去了，我是老员工，我去。"这件事让京东商城 IT 数码部电脑配件总监姚彦中记了 10 年，点点滴滴，温暖在心头。姚彦中学车、买车还是孙加明提醒的。他买车的时候，张奇和孙加明都把信用卡拿出来借给他刷。后来，孙加明在酒桌上向刘强东建议，如何让员工能够买得起房子。2012 年，京东推出无息贷款，为员工买房提供首付。姚彦中的房子就是在这一年买的。他说："在京东，只要你把工作做好了，买房买车都会有人帮你考虑到。"

少年强东历险记

　　刘强东向这些年轻人强调激情，反复重申年轻不努力，不能为年老的时候留下回忆是不行的，每天都得有好的状态，设立短期、中期目标，不断冲击更高的目标。京东一年有两次加薪机会，如果有成绩，就能加薪。不过，物质上的激励总是有限的，京东这些人能够长年保持激情，一定有精神层面的原因。完成了预定目标，不仅能够拿到承诺的奖金，还能有精神上的满足感：打了胜仗的骄傲，带领更大团队的荣耀，与更高层次人物对话、社会地位上升的尊严。

　　前几年，我刚认识刘强东时，用"霸气"形容他，他说："我不希望是这样的，实际表现出来是不是这样呢，那可能有一点吧。我们在内部的形容词不是'霸气'，是'冲击力'，我们更强调团队的冲击力，我们与任何人竞争都有极强的冲击力，能打败任何竞争对手。"这话，一如他当年贴在公司墙上的标语"战斗！战斗！"，一如他设定的目标"中国第一，世界前五的电商公司"。

　　虽然起于草莽，但刘强东毫不掩饰他的雄心，尽管那时候公司员工还在蟑螂满地爬的办公室里工作。他有走向世界的欲望，童年时，他已经流露出不甘平凡的意愿，就像他告诫孙加明他们的那样，不要让年老的时候没有留下回忆。

　　江苏宿迁位于中国的南北交界处，京东大运河贯穿全城，这里是西楚霸王项羽的故乡，城里有项羽举鼎的雕塑。刘强东就出生于此，在北方的白杨树和南方水稻的包围中长大。他的老家在来龙镇的农村，四周是田，小路泥泞，他从小学到高中毕业一直住在外婆家里，红砖平房三间，屋子白墙斑驳，墙皮剥落，木板床挂着白蚊帐，这是一个典型的苏北农民的家。刘强东家离外婆家不到一公里，是20世纪90年代末修的一幢两层三间、带院子的砖楼，外墙贴着白色瓷砖，院门红瓦翘檐，门楣贴着"家兴财源旺"，在周边破败的红砖平房映衬下，显得格外簇新。

刘强东的父母依靠驶船养活一家人。刘父原是生产队会计，1979年农村搞包产到户，家里借了2 500元买了一条10吨的船搞货运，从徐州运沙子到扬州，又从扬州运瓷器到徐州，赚一点运输费。当地驶船的模式就是这样，用家里的积蓄以及借款买一艘小船，过几年还完借款之后，又用卖掉小船的钱和借款再买一艘大点的船，如此反复。

最早的时候，来龙镇有沙场，两天一趟，能赚二三十元，一年跑一百来趟，毛收入两三千元，扣除主要成本柴油费，还有一千多元，这在20世纪80年代初期的中国农村算不错了，当时大米才一毛钱一斤，猪肉七毛钱一斤。

三年后，刘家借款一万多元，换成40吨的水泥船，有两个柴油机，目的地也换成了淮安、泗阳、淮阴，单程距离100多公里，往返需要半个月，要过三道闸，过闸最长的时候要等好几天。驶船收入比种地强，但是风险高，担惊受怕，在刀口上讨生活。每年都有刘母王绍侠认识的船家被浪头打翻沉入水底或者两船相撞被活活夹死的事件发生。

父母常年跑船，在船上吃住。刘强东和他妹妹被寄养在他的外婆家，照今天的话来说，就是留守儿童。他的外婆是一位典型的被艰难生活榨干了血肉，只剩下皮与骨头的中国农村妇女。5岁的刘强东就要照顾3岁的妹妹，妹妹喊饿，他就在地上用砖块搭灶做饭，把米煮成一锅黑乎乎的饭。再长大一点，割猪草、挑水他什么都做。

刘强东的创业动力，很重要的一点，就是改善家庭经济，让外婆、母亲能够放心花钱，过上好日子。他跟外婆感情很深，一直到读大学的时候才离开外婆家。外婆去上海走亲戚，带了一些水果回到宿迁，给孙辈每人留了一个。刘强东在宿迁城里读高中，不在家里，外婆就带着最大的一个梨走上五六里路到来龙镇，坐车赶上近30公里的路到宿迁，再步行三公里到宿迁中学，把梨当面拿给刘强东。

刘强东在大学里打工，除了留下自己的生活费外，还将钱寄回家给外婆治病。2000 年 1 月，宿迁刚下了一场大雪，外婆去世，接到家里的电话，他就哭了起来，先坐飞机赶到徐州，再坐 5 个多小时的车赶回宿迁。夜里 11 点，他扑通一声跪在外婆的灵堂里，跪了一晚上。每逢春节、清明，他回家到外婆坟前拜祭，都泪如雨下，恨当年条件太差，外婆辛劳了一辈子，未能让她去最好的医院，用最好的大夫。现在条件好了，外婆不在了。

这些经历，让他能够体谅中国农民难以言道的辛酸和血泪。京东自建物流之后，雇用了大量来自农村的人，他们享有业内较高的工资、稳定的福利以及良好的工作环境，这一切都是刘强东带给他们的。这些员工干上几年，甚至能够在县城买房买车，让家人过上更体面的生活。他对一线配送员特别好，很多配送员提到他都很感激，去北京开年会远远看到他一眼都激动、满足。

刘强东内心柔软，对中国农民的艰辛感同身受。2014 年春节前，刘强东在吃饭时看到一条有关留守儿童自杀身亡的新闻，忍不住哭起来，立即要求在春节期间，为京东凡是有孩子的一线值守员工发钱，每个孩子 3 000 元，让这些留守在农村的孩子们春节能够到大城市与父母团聚，这意味着家里有 3 个孩子就能拿到 9 000 元收入。2015 年春节前，公司宣布仍将保留这一福利政策。为此，公司一年要多支出数千万元。

从小学起，每逢暑假，刘强东就和妹妹一起到船上生活，妹妹把着船头，他自己掌舵，风里来浪里去。

他觉得父母的家庭作坊模式做不大，永远只能开一条船，船从 10 吨换成 40 吨、80 吨、120 吨，还是一条船，赚钱总是有限。她对父母说，为什么不建立一个船行，有很多船，给别人驶？

父母的观念是，自己亲手做才踏实。当时，刘强东就想着，如果将来他创业，一定要拥有很多很多的船，从长江驶向大海，用 10 万吨的巨轮将货物运到全球各地。很多年后，刘强东坐在他近 200 平方米的办公室里，说："我的梦想就是在什么都没有的情况下，在一清二白的基础上做起一个伟大的企业。"

在刘强东的童年，最重要的一段经历是他独自离开宿迁去冒险。这段冒险给他的人生留下了深刻的痕迹。可以说，他不甘平庸、想做一个伟大企业的欲望，最初的刺激就来自这段冒险。

1989 年夏天，刘强东初中毕业，15 岁的他没和家里人打招呼，一个人离家出走，独自到江西九江、湖北黄梅县探亲。他的父亲原本承诺，他考上宿迁中学就带他去上海玩。结果，父亲违约了，刘强东感到失望，怀揣 50 元就出去闯荡。这 50 元是平日外婆给的零花钱积攒而来的。

15 岁以前，刘强东从未出过远门，没坐过火车，飞机想都不敢想。他在村里面找到一张破旧的地图，看有公路从宿迁通往徐州，再从徐州坐火车去南京。他早晨出发，第二天凌晨 1 点就到了南京。他没有钱住宾馆，从火车站走路到金陵饭店。37 层高的金陵饭店灯火辉煌，深深震撼了从来没有见过这么高的楼的刘强东。

他也买不起南京地图，向人打听应该怎么去江西九江，有人建议他坐江轮，他又一边打听一边从金陵饭店走到南京 10 号码头，在桥洞露宿，有位乞丐借了一个麻袋给他。

在船上，刘强东第一次吃到方便面，以前吃的都是自家手工擀的面条，连机器做的挂面也没吃过。他觉得方便面真是人间美味，从来没吃过这么好吃的面条。

同船的乘客里，有一位耍猴跑江湖的老头，他给刘强东讲故事，教他魔术，光扑克牌的玩法就教了 30 多种。在九江下船的时候，老头劝刘强东跟着自己走南闯北，看尽人间景物。这种率性江湖的游侠范儿，对少年刘强东还挺有吸引力的，差一点儿就拜师了。但他想着要考大学，只好和老头挥手告别。很多年后，刘强东在和京东员工喝酒的时候，表演过魔术，便是来自这段少年经历。

这次出远门的经历，在刘强东的人生里留下浓重的痕迹，这是他第一次自主思考生命的意义，认真思考自己只有一次的人生。虽然老师在课堂上教育学生思考人生，思考理想，但那时风过水无痕，对他没有多大的影响。

刘强东从南京登上轮船"江芜 129 号"，溯江而上，前往江西。在轮船顶层的甲板上，他看着长江水滚滚东逝，船头劈开波浪，学校里学的各种诗词就涌了出来，什么"一江春水向东流"，什么"孤帆远影碧空尽"。他突然意识到，生命就跟江水一样，到了海里就再也回不来了。

很久以后，刘强东偶尔也会跟他的下属说起，生命只给我们一次机会，哪怕有号称"生命的传承"的孩子，那也不是你自己，离开这个世界之后，你再也回不来了，再也不能活第二次。哪怕有来生，那也是全新的生命，你也不会想得起前生是怎么过的。

这次出远门，让刘强东第一次有了理想的感觉，不能像村里的大人一样，来了不知道怎么来的，死了也不知道怎么死的，奋斗一辈子就是为了一口饭。

他在轮船上即兴写了两句打油诗："愿做出海蛟龙，不做南河刀鳅。"南河是刘强东老家村南边的小河，他经常去小河里钓鱼，最讨厌钓到刀鳅（一种带刺的泥鳅），每次钓到刀鳅，都会把它狠狠摔在地上。

创业者最重要的特质是什么？就是冒险精神，刘强东 15 岁时的冒险之旅，对他未来的人生有很大影响。10 年后，刘强东开始他的另一段冒险经历，富贵险中求。他骨子里不安分、甘冒奇险的因子，让他的野心如燎原野火一样，呼呼地烧起来。

这段离家冒险的经历，也让刘强东始终秉持一种观念，你需要去外面的世界看看。他这么告诉他的表弟吴洁，你不读书，就一辈子走不出来龙镇这个地方，过着一眼就能看到老的生活。你得到外面去看看。

他事业有成的时候，还将中学同学的孩子聚集起来，和他助养的贫困学生一起在北京过夏令营。他也邀请京东的管培生①去美国纽约玩，去他家里做客，目的很简单，这些管培生在京东已经待了两三年，人生发展到了一个瓶颈口，需要到国外开开眼界。

2015 年 3 月 20 日月，在北京北四环、与鸟巢和水立方遥遥相对的北辰世纪中心，阔达气派的办公室里，刘强东侃侃而谈：

我感觉，全球的企业越来越趋同。过去中国对全世界充满好奇，创业的时候，我记得中国企业家见到国外的企业家，共同的问题都是：你怎么管人啊？你为什么这么做？对国外企业的各种做法充满好奇，充满不解的疑惑。中国企业，包括职业经理人

---

① 京东管理培训生项目"京鹰会"——TET（Trainee Eagle Team）是公司针对优秀应届毕业生制定的旨在培养储备管理人员的人才发展项目。

的制度、流程、系统，都和国外的企业有关。刚开始改革开放时，双方差距巨大，中国人像农民进城，像我第一次到南京一样，觉得南京怎么这么繁华啊，到处霓虹灯闪烁，农村很少有那么多灯光。但是，今天在南京生活了10年的人到了北京，可能会觉得北京很大，但仅仅是大而已，没什么冲击力。

这么多年跟这么多国外企业家切磋，感觉大家在管理上都没多大的本质区别，他们说的中国企业家都听得懂，特别是新兴的互联网企业，和国外企业对话，大家已经是同一种语言了。

到国外看了这么多企业，你会真正理解每个企业的追求可能不一样。欧洲的企业，让人惊奇的都是几百年传承，家族做了8代、10代，现在的老板是第五代或第八代传人。英国有家很著名的面包店，已经是第12代了，还是每天烤几百箱面包出来。卖完了，就算还有很多人排队，也对不起，我不卖了。人家每年还带家人出去度假几个月。以它的知名度，销量、规模完全可以翻10倍以上，烤更多面包，赚更多钱。我去纽约，有家很有名的日本料理餐厅，有几个月也歇着。不是不要赚钱，而是要休息。

而中国人都愿意抓住每个赚钱的机会，如果说今天我能赚10个面包钱，绝对不卖9个，卖9个他睡不着觉，他就会想，今天本来可以卖10个，为什么今天只做了9个呢？他明天就会做11个面包。

所以我觉得，如果说现在中国企业家和外国企业家的理念还有什么不同的话，那就是我们追求成功的目的是什么，国外很多企业家成功的目的是为了更好地生活，为了幸福感，让家庭生活得更加幸福。

而中国的企业，现在主流的成功还是以赚更多钱作为一个重要标准。在中国，只要你公司赚钱了，足够有钱，即使过去被无数人看不起、不屑的人，也变成一个英雄。比如有的人弄各种假的保健品，狂打电视广告，赚了几百亿之后，现在大家一提他，每个人觉得他就是教父、成功企业家，只要有钱，你就是成功。

所以，我觉得中国企业家的追求和国外企业家的追求还是有一定的偏差，也不能说中国企业做错了，这是中国企业、社会发展的一个很重要的动力，如果中国的企业家、中国的老百姓和欧洲人一样，都说我不想干活儿，我是为了享受，这会面临最大的一个问题，当一个国家都没人干活儿，钱又不能从天上掉下来。政府是不能创造财富的，政府是花钱的。靠政府，怎么做？骗外面的钱，弄国债，骗到之后还不了，就像希腊一样，老子不玩了，随便你们爱咋咋的。

我不推崇欧洲人那种悠闲的、只会享受的观念，每个人都只想花钱，政府还要给他们养老，提供高福利，却没人想创造价值，给政府交税，最终只能破产，你的享受也不可能从天上掉下来。但另一方面，中国人又太过了，除了钱之外就没有幸福了。

我更美慕美国企业的模式，美国很富有，有基本的福利制度，保障老百姓都能过上有尊严的日子，同时不养懒汉，如果你不努力，你的生活质量会下降，如果努力，生活就会变好。

我更希望有一天中国的企业家做企业还是以追求幸福为目的，但追求幸福不能建立在懒惰的基础上，而要建立在创新、努力的基础上。我觉得在欧洲和中国相对比较极端的对立面外，美国树立了比较好的体系，既能激励你，又不会让你太懒惰，从而让每个人过得有尊严和幸福。

与其说，刘强东在谈他游历全球的感受，不如说他在谈他的公司管理理念，收获的多少与努力的程度挂钩，人可以通过付出来获得尊严与幸福。

第二部分

2007~2010

2007 年，京东获得第一笔融资，由此进入发展的快车道。风险资本给刘强东打开了新世界的大门。这家起于草莽的公司，开始逐渐摆脱草根江湖的味道，从中关村电脑城的游击队向正规军转化。

也是这一年，京东多媒体正式更名为"京东商城"，将域名改为www.360buy.com。刘强东已经不满足于做一家只销售IT产品的电商网站，他希望用户的各种消费需求都能够在京东商城得到满足。

这家公司坚定不移地扩张着自己的疆域，在2007年到2010年期间，完成从家电到日用百货再到图书等品类的布局。并且在这一期间，确立仓储配送一体化的物流战略，接连建立华南、西南、华中、东北等大区，与此前已有的华北、华东大区一起，完成开发全国市场的布局。

1996年，杰夫·贝佐斯向亚马逊员工提出"扩张优先"（Get Big Fast）的理念。他认为，公司越壮大，越能从批发商英格拉姆、Backer & Taylor那里拿到低价货物，渠道能力就越强。公司成长越快，就能进军更多的领域，也就有资格加入电子行业前沿领域，并参与树立新品牌的角逐。

与此相似，从零售做起的刘强东，深信规模效益。在很长一段时间里，他宁愿用亏本来换取更多的品类、更快的物流以及更大的规模。

2007年到2010年，京东每年的销售额是上一年的大约三倍。这个数字，是对"京东速度"最好的诠释。但这段时间，京东也一直陷入缺钱的窘境里，几乎每年都在融资。

融资

2007 年：打开新世界

京东转型做电商，不早不晚。不像 8848，成为先烈；也不像当当，在贫瘠土地上耕耘多年，才等到土地肥沃。2003 年的"非典"，只是电商起来的一个小小契机。真正让电商站在风口上的，是中国互联网红利，经历过 21 世纪初互联网泡沫破灭的中国互联网开始重新兴盛；是中国互联网使用人口的持续增长；是中国经济腾飞带来的消费红利。尤其是 2007 年以后，中国电商进入了大跃进时代，市场好，资本又支持，最差的公司都能做到以百分百的速度增长。

京东发展步伐越来越快，刘强东意识到他要找钱了。在论坛上，有人建议他去找风险投资。2006 年 10 月，晚上 10 点，刘强东在北京香格里拉与今日资本集团创始人兼总裁徐新见面。徐新对刘强东的第一印象是，这哥们儿挺有诚信，也挺有抱负的，心里只有第一，没有第二，有决心做一番事业。她有一种强烈的感觉，自己发现了一匹千里马。另外让徐新眼前一亮的是，一分钱广告不打，京东每个月的销售收入比上个月增长 10% 以上，显然是模式切中了要害。

凌晨两点结束聊天，徐新随即买好第二天两人的机票，和刘强东乘上午 9 点的飞机从北京赶到上海——今日资本所在城市，这样刘强东就没机会去见别的投资人了，她不希望放过这匹千里马。

时任今日资本投资经理的常斌（2013年11月1日，常斌加入京东，担任京东负责投资的副总裁）开始做尽职调查，他看论坛上京东被骂得厉害，网上的观点是，如果是白领就去新蛋，如果是学生追求便宜就去京东，好处是不用去中关村那个人挤人的地方，被奸商坑，甚至挨打。今日资本的思路是，网友所认为的大量不足是可以改进的。

常斌给30位用户打电话了解京东，用户的反馈是，方便、便宜、专业。当时网上有一拨热衷电脑DIY（自己动手组装）的人，对京东的忠诚度很高。那时候，京东的特色是"月黑风高·老刘专场"，到了半夜，用击穿底价的力度去销售CPU、硬盘、主板等，这需要京东的重度用户自己在页面上找。他还给10位供应商打电话了解情况，供应商说，京东这家公司拿货少，但是团队斗志昂扬的，感觉自己特别来劲，有种"我跟你们就是不一样"的感觉。

京东公司很小，团队还不完善，财务不太专业，财务系统不规范，ERP系统是刘强东自己设计的，刘强东主要抓存货、销售量、现金流。今日资本抽查了库存和现金情况，都对得上号。他们又跟老员工们做尽职调查，发现大家对刘强东是发自内心的尊重，忠诚度很高，令行禁止，玩命地干，执行力强。

张奇回忆自己在京东的年月，觉得压力最大的时候就是2007年融资的尽职调查，他心里想，如果说错话了，是不是会搞砸这次融资？这是关乎京东生死的决定性融资。他给刘强东打电话问，不聊行吗？ 在办公室里，他独自面对今日资本的四五个人，聊了一两个钟头，对方问他入职后的经历，问他对刘强东的个人印象，问他对公司有没有信心，问他这公司有没有问题，他小心作答，紧张得满头大汗，不知道自己哪句话是对的，哪句话是错的。

今日资本内部讨论的时候，有合伙人提出来，DIY要玩不转了，未来市场是属于电脑整机的。也有合伙人问，生意不挣钱，估值怎么算？但根据调查得来的结论是，消费者热爱京东的服务，骂它也是因为爱它。如果投钱让公司改善服务，还能把生意做大。徐新拍板，干了。

刘强东希望融资 200 万美元。徐新说，200 万美元哪够啊，当品类机会来临的时候，你要舍命狂奔，迅速做大，成为第一品牌，所以你需要 1 000 万美元。估值是刘强东定的，徐新马上就答应了，没有还价。

签协议的时候还有一个插曲。在找上今日资本之前，刘强东曾经向国内一家民营企业融资 500 万元，当时这家民营企业给了 100 万元之后，就想撤资，因为京东总亏钱。今日资本怕京东跟那家民营企业之间的协议里有炸弹，提出来看看协议。这时候，你能看到刘强东守信又精明的一面，他强硬地拒绝了这一要求，理由是签有保密协议。

用徐新的话来说，"他特别倔，人家都违约了，保密协议还有什么效力？"今日资本的人猜测，可能他跟那家民营企业签的条款很严苛。为什么是猜测？因为，今日资本最终还是没有看到条款，徐新让步了，今日资本不看了，让律师来看，律师只需要告诉她协议有没有威胁到今日资本的炸弹。律师说没有问题，双方就签了协议。今日资本马上给京东做过桥贷款 200 万元，其中 100 万元还给那家民营企业，100 万元用于发工资——当时京东已经捉襟见肘，连工资都快发不出去了。

刘强东和徐新达成共识，未来几年可以不计利润，舍命狂奔，抢夺市场占有率，并拿出 18% 的期权来奖励团队。在京东和今日资本的协议里，有一条目标激励条款（外界都说是对赌协议，也是京东历史上唯一一份对赌协议，但今日资本坚持认为是目标激励条款，因为只有激励，没有惩罚，这里采取今日资本的说法）。为了定目标，常斌打电话给刘强东，让他给个未来三年的业务预测。刘强东发来传真，2007 年 3.5 亿元，2008 年 10 亿元。当时 2006 年京东的销售额是 8 000 万元，常斌一看，明年增至 4 倍，后年还在明年基础上增至 3 倍，你逗我玩儿吗？

今日资本担心目标太高完成不了，影响士气，就和刘强东商量，定了一个看起来合理的 4 年业务目标：每年销售增长 100%，第四年要求盈利，如果实现目标，今日资本就拿出一部分期权奖励京东团队。这一条款写进了合同里。

事实上，京东 2007 年实际交易额约 3.6 亿元，2008 年约 13 亿元。回头来看，虽然刘强东给出的目标预测简单粗暴，却是全部超额完成。他对生意有着特别敏锐的把握，还给自己留下了安全边界。后来我问刘强东，他说，他们给设定的目标是"闭着眼睛都能完成，干吗不签？"

2007 年 8 月 28 日，京东和今日资本在北京中国大饭店召开了新闻发布会，公布今日资本投资京东 1 000 万美元。这是京东历史上唯一一次为融资消息而召开的新闻发布会，缘由在于，徐新希望京东快速推广品牌，拿到 1 000 万美元之后，京东开始第一次市场营销——那时候，他们还没有市场部，连市场营销顾问徐雷（现京东市场营销部高级副总裁）也是徐新推荐的。按照白领生活路径，京东在北京和上海的地铁、公交车以及广播台打广告，知名度马上上升了。

过去京东的唯一推广方式就是给用户打折，那是赚今天的钱；打广告则是赚明天的钱。刘强东一开始还不习惯，一看用户增长很来劲，但再一看广告要花那么多钱，又觉得很心痛。

2007 年 1 月，京东注册用户 10 万人，当月消费用户 1 万人。放在中国互联网上，是一个非常不起眼的数据，当时京东员工都是草根出身，与多为海归、名校出身的互联网公司气质迥然不同，放在互联网圈子，京东看起来是格格不入的异类。也不像很多互联网公司一开始就怀揣改变世界、改变人类历史的梦想，京东是顺着传统生意走下来，风险投资的介入，向刘强东开启了新世界的大门，打开了他的视野，把沉浸在零售世界的刘强东拉进了互联网世界。2007 年的刘强东，对于互联网是懵懵懂懂，他如饥似渴、不耻下问，只要是他觉得有价值的信息，就赶紧记在本子上。

2008 年：资本寒冬里的煎熬

2008 年，资本市场寒冬降临。

在这一年启动了第二轮融资的京东，估值从 1.5 亿美元开始下降，1.2 亿、1 亿、8 000 万美元。在 6 000 万美元的关口上，有一家著名基金答应投资京东，结果雷曼兄弟宣布破产，这一下，市场更糟糕了，这家基金也收缩战线，其合伙人见刘强东，将估值砍到 3 000 万美元，被刘强东拒绝了。

这一阶段的融资是刘强东最煎熬的日子，见了三四十家基金，有时候一天见两三家，却没有人愿意投。每个投资人都在问，你这家公司怎么赚钱？你的模式跟淘宝比，有什么优势？成本跟国美、苏宁相比，优势在哪里？

很多投资人往往更愿意相信那些已经成功的人讲的故事，而不愿意听一个没有成功案例的人的故事。

最难过的时候，刘强东在银丰大厦旁边的新岛咖啡独自喝酒，排遣压力。后来说起这段历史，京东集团总裁助理缪晓虹问他为什么不告诉她，他回答，害怕员工知道之后失去信心，离开公司。

在融资这件事上，刘强东始终只让缪晓虹和陈生强（现京东金融集团首席执行官）这两个人知道。他做了一道防火墙，将融资的事情控制在极小范围内，把绝大多数员工隔离在外，员工只需要关注好业务，做好执行就行。

当时公司资金链紧张。有一次，京东集团副总裁兼通信事业部总经理王笑松拿着付款单找陈生强，供应商说不付款不给货。之前每次他找陈生强要钱，两人都会争论很久，陈生强说这个不能出那个不能出。这一次，陈生强出奇的冷静，看了王笑松一眼说："笑松，明天要给员工发工资，这钱付出去之后，工资就发不出来了。"王笑松再也没说什么，拿着付款单转身离开。

王笑松回忆时说："老刘会分享京东的规划，让人热血沸腾，我们相信他，又感觉他是不是冒进了，每次付不出款的时候，就想老板是否在吹牛。不过真的像奇迹一样，最困难的时候都有钱进来，很佩服他的融资能力。"刘强东从来没有在员工面前暴露他的焦虑，始终是充满自信的，他总是告诉大家，钱马上要来了，把所有的压力留给自己。在员工们垂头丧气的时候，他跟大家一讲话，士气马上振奋起来，继续奔赴战场。

在最难过的时候，今日资本给京东做了四五次过桥贷款，他们也心里发慌了。2008年11月，今日资本召开年会，邀请了LP（有限合伙人）参加，也邀请了刘强东参加。刘强东在台上介绍自己的公司，引起了亚洲知名投资银行家、香港百富勤创始人梁伯韬的注意，徐新也向梁伯韬引荐刘强东，在晚宴的时候特意将刘强东安排在梁伯韬身旁。梁伯韬觉得刘强东很有激情和信心，通过他当年如何赚第一桶金、如何从线下转向线上的故事，可以看出他既懂零售，又懂互联网。他认同刘强东的战略观点，中国零售效率太低，中间商吃掉了一大笔利润，如果能将中间环节颠覆掉，利益拿来与社会用户分享，是很好的模式。

梁伯韬这时已有了投资的意向，不过他打算找另一家基金做尽职调查，一起投。他找的是雄牛资本的李绪富，这是他在百富勤带的徒弟，徐新也曾经在百富勤做过梁伯韬的下属。雄牛资本自 2007 年 10 月成立以来，还未进行一笔投资。

李绪富曾经为苏宁服务过。黄光裕最风光的时候，收购大中，包飞机直飞南京与张近东谈判，坐在张近东旁边的就是李绪富。常斌带着李绪富去见刘强东，聊天说起京东如何好，李绪富问，这么好的公司为什么还不挣钱？你觉得大家电能做起来吗？

和刘强东见面聊了一次，李绪富就发短信告诉常斌，决定投资这家公司。当时京东要求 21 天内就得把钱打过来，因为快年底了，刘强东得偿还今日资本的贷款。

李绪富和常斌还有段有趣的对话。李绪富告诉常斌，他觉得这家公司能让他挣 8 倍的钱，常斌说，你肯定能挣 8 倍。过了一年，常斌向李绪富承认错误，他当时觉得今日资本能挣 8 倍，雄牛资本只能挣 4 倍，当时那么说不过是附和李的说法。李绪富笑他：你看你多没眼光，你看我最后挣了多少？

梁伯韬说："我相信李绪富的眼光，他也信任我。我看好这个行业，也看好这个人，人比业务模型还重要，初创公司的模型没人说得准。很多投资人看公司有没有赚钱，没看现金流，事实上最重要的是现金流，现金流是正的，就能生存，负的就不能生存。亏损是在流血，但能够产生现金流补血的话，还是能生存的。"

在京东融资的过程中，缪晓虹发现，谈了很多次的投资人反而不成，成的都是这种只见过一两次面的。作为天使投资人，梁伯韬 2008 年个人投资京东 100 万美元，最后获得了超过百倍的回报，他说："在最困难的时候帮助了京东，我当之无愧。"

2008 年的融资经历，无论给京东还是今日资本，都留下了深刻的教训：有融资机会的话，一定要抓紧时间去做。员工离职、竞争对手拆台、业绩下降，都未必会让公司倒闭，但没钱就一定会倒闭。

2006 年当当融资 2 700 万美元之后，在 2007 年和 2008 年都未融资（在 2010 年 12 月当当上市之前，它在资本市场一直未有大动作），而另一家竞争对手卓越亚马逊，因为美国总部受到 2008 年金融危机影响，砍掉不少预算。彼时，刘强东还将当当和卓越亚马逊视作电商中的老大哥，充满敬意，声称自己是新玩家。不过，这位新玩家在连续拿到融资之后，开始走上全品类扩张以及自建物流的路，这是京东崛起之路的关键点。

刘强东拿到今日资本的第一笔投资时，亚马逊表现强势，2007 年第一季度业绩首次突破 30 亿美元大关，股票上涨 240%。

很多投资人投资中国互联网公司的思路是，拿美国市场的成功案例去看自己手上的标的，选择最接近成功案例的标的。这种思维在中国互联网被证明是可行的。投京东，不是说今年投了你，明年就要看到利润。投资人仔细研究了亚马逊，对每年的发展状况、财务报表进行分析，来对比京东。得出的结论是，中国必然有亚马逊，那中国的亚马逊现在应该是怎样的？后面又该怎么走？筛选了一圈之后，发现京东是最接近亚马逊的一个企业。考核京东也是看京东是不是按照亚马逊的发展走。

同期竞争对手收缩的情况下，京东更值钱了。如果没有亚马逊这个成功案例，京东怎么能说服投资人，说我还得再烧 5 年钱，甚至亏损？

京东脱颖而出，投资人认可刘强东的思路，给了他很多钱，把这个市场烧成了天价，仍然支持他继续往前走。市场第一名的玩家不考虑挣钱，而是选择烧钱的时候，后面的竞争者更不可能挣到钱，也得烧钱。市场很好的时候，投资人心态好，就多投一些公司，市场不好的时候，就谨慎了，不考虑市场前三以外的公司。京东的策略就是，我是老大，我有钱，你没钱，咱们就耗着，耗到市场不好的时候，你们没钱就得死。

刘强东说："我们这种模式投资很重，资金需求很多。过去，我拿钱没有原则，在市场极度疯狂、不理性时，我没办法清醒。不过很多行业，第一个清醒，第一个死。当大家都不理性的时候，我也得跟着不理性，这就需要足够多的钱。幸亏京东在大家还看不明白时，就拿到足够多的钱，支撑足够长的时间。现在看，大家都理性了，该死的都差不多死了。"

拿到 2 000 万美元的融资之后，京东做大规模的品牌扩张，决意要迅速占领市场，把其他对手压垮。那时候，打开百度搜索，右边广告几乎全是京东的。把新闻网站打开，也可以看到无数京东的广告。正巧这一年金融危机，门户网站广告很难卖出去，价格便宜。京东和凡客诚品都用便宜的价格拿到了很多流量，加上低价、送货快，这两家网站起来得非常快。接下来的 4 年里，京东和凡客诚品成为 B2C 电商风头最劲的两家公司。

2009：电商风口来了

2003 年，因为"非典"，刘强东才开始试水电商。同年，马云在阿里巴巴之外创办 C2C 模式的淘宝，竞争对手是通过并购易趣进入中国的 eBay。深谙中国国情的马云，用凶猛的、免费的模式打败了 eBay，淘宝以一年翻一倍的速度做起来了。淘宝的运营能力非常强悍，特别擅长跟线下商家结合起来，把网站搞得很热闹。击败 eBay 之后，淘宝在 C2C 这块没有对手、一马平川的市场里，大肆圈地。

在这段时间里，中国电商最耀眼的是淘宝，B2C 的光彩弱势得多。2000 年，当当在 B2C 这块贫瘠的土地上含辛茹苦地耕耘，到 2006 年，互联网行业的人开始意识到各个垂直领域都可以做起 B2C 来，接下来 3 年是垂直领域 B2C 电商网站创立的高峰期，例如以卖大家电为起点的世纪电器网（后改名库巴网，2006 年），京东直接竞争对手、主打 3C 的易迅网（2006 年），时尚领域的凡客诚品（2007 年）、乐淘（2008年）、好乐买（2007 年）。

2008 年金融危机过去之后，投资圈发现中国没受什么影响，消费依然很火，开始考虑中国互联网下一步的投资热点是什么。他们想到，中国的消费内需可以和互联网结合在一起，这就是电商。

再造一个淘宝已经很难了，淘宝的生态体系做得足够厚重了，难以动摇其根基。但是京东模式是可以参考的：独立网站、花钱买流量、卖得便宜、送货快。资金蜂拥进垂直电商领域。2009 年，几乎各个品类排名前三的垂直电商都投得差不多了，淘宝品牌榜前 100 的也被用投资人的眼光扫视了一遍。对于投资圈来说，这是一个灾难的开始，电商用钱把市场惯坏了。

为了讨好客户，有些电商网站每买不足 30 元的商品，就送价值 6 元的毛巾。为了追求用户体验，每单货的包装成本也很高，甚至存在过度包装的问题。再加上为了获取用户，流量购买的价格越来越高——有人开玩笑说，百度发展得好，都是电商和电商背后的风险资本的功劳。

电商需要解决三个问题：买得便宜、买得方便、买得放心。淘宝解决了前两个，但没解决第三个问题，京东就强调正品行货，用亏损换规模，用非常快的速度拿到足够多的用户，品牌建设也不错，不过它维系服务的成本很高，持续投入建设仓储、配送团队，相比淘宝，京东对人群的运营偏弱，主页上的活动都是干巴巴的，不像淘宝，把情人节、光棍节什么的，玩得名目繁多，热热闹闹。

京东在 2007 年就开始扩张品类，从 IT 产品、手机、小家电、百货到图书等等，用户转化率比较高。京东以亏损换取规模的时候，把用户长久留在了京东。但是，很多垂直 B2C 是以亏损换来流量，用户像蝗虫一样，哪里有打折就去哪里。投入市场的费用不该只是获取流量、获取销售，而是获取用户，如果转化率太低、不可持续的话，这个电商公司就没有长期发展的价值。有些电商网站的用户是一次性购物，搜索到便宜物品就去这个网站下单。网站可以花 50 元买用户，不可以花 50 元买 100 元的销售。市场费用应该是获得忠实的用户，让好的客户体验刺激他不断重复购买，来稀释最初获取用户的广告投入。

2009 年，老虎基金给出 2 亿美元的估值，回头刘强东与股东们商量了一下，说试试涨点价，看人家接不接。他喊出了 2.5 亿美元的价格，只喊价一次，对方就马上一口应承下来。这下，他们都知道价格报低了，老虎基金的预期肯定比这个高。

这里还有个故事。某基金也想投京东，投资人从香港乘飞机赶到南京，再从南京包车赶到宿迁，冒着大雪带着合同而来。该基金喊出的估值是 3 亿美元，而老虎基金的估值是 2.5 亿美元。如果接受该基金的估值，京东股份稀释得就少一些。当时缪晓虹和陈生强纠结起来，对方也说，老虎基金那边是口头承诺，没签合同不算数。

缪晓虹建议抓阄，刘强东拒绝了，他说：要守信用，不守的话，如何带领公司？最后京东还是接受了老虎基金的投资。

这事老虎基金也知道。投桃报李，他们还提过以 7 亿美元的估值买一些股票。刘强东说京东不缺钱，叫他们找老股东买。钱还是小事，老虎基金在很多决策上，给了刘强东很大的支持。

有些人在 2008、2009 年怂恿刘强东把今日资本赶出去，将估值做低，给刘强东本人发股票。刘强东的回答是，最难的时候，是今日资本给了我帮助，我不能那样做，签下的合同，我认。这些事刘强东本人从来没有当面对今日资本说过，但是今日资本辗转听到了，他们意识到，托付的人托付对了。

君子吐然诺，五岳倒为轻。

徐新曾经对缪晓虹说，我挣个 10 倍就好了。这话缪晓虹转给了刘强东，刘强东回答，不，我至少要让她挣个 100 倍。2014 年，京东上市，今日资本获得回报超过150 倍。投资人为什么相信刘强东？因为他承诺的每次都兑现了，每年都能做到，言必行，行必果，投资人对他的信任是不断增加。

2010 年：价值千亿美元的局

2010 年，中国第一家 B2C 电商公司麦考林在美上市，开启了中国电商上市让风险投资获得回报、退出的大门。2010 年到 2012 年，是中国电商的黄金时代，数十亿美元涌入这个行业。2010 年 12 月，当当在美上市，这家融资 4 000 万美元的公司，发行价每股 17 美元，当天涨到 25 美元，几个月后涨到 30 美元。那个时候，4 000 万美元的投资做出一家市值 20 亿美元的公司，是个很好的样本。

2010 年开始，很多垂直电商拿到了动辄数千万美元的投资。电商的风口起来了。像老虎基金这些，都是全球范围内投资，全行业下注，当当他投，京东他也投，凡客诚品、乐淘也都投。他们不仅仅是买下选手，是连整个跑道都给买下来。

回头看 2010 年到 2012 年，是电商的黄金时代，也是风险投资的中世纪黑暗时代。很多人认为用钱可以买来用户、买来市场份额、买来核心竞争力，后来，哀鸿遍野。消费者受益了，用很少的钱买到了产品和服务，但是为此埋单的是风险投资。

中国的电商行业是一个千亿美元的局，创业者是局中人，风险投资也是局中人。风险投资的本质是推动社会和科技发展的有价值的力量，为电商的前进做了很多贡献，可破不了电商这个千亿美元的局。只能说，完成了时代的使命就默默退开。他们和那些失败了的电商企业一样，是时代演进中被人们遗忘的角色，但做出的贡献不可磨灭。中国社会对失败者缺乏尊重和同情，不管他们曾经做过什么，做到了什么样的高度。因为这种凉薄，失败者的背影显得更加凄凉。

身处局中的时候，谁看得清呢？2010年对于京东来说，是幸福来得有点快。2010年4月，高瓴资本以10亿美元估值，投资京东2.65亿美元，是当年中国互联网最大的一笔投资，后来又追加了5 000万美元。好多公司首次公开募股才融资两三亿美元。高瓴资本集团董事长兼首席执行官张磊的理念是，若要赌，就要豪赌。

张磊投资公司和别人不一样，他要求必须有创始人控制条款，如果创始人不能控制公司，他不会投。他研究众多公司的历史后得出结论，创始人控制公司不见得一定能成功，但创始人没有控制公司，肯定成功不了。他也担心一点，有些股东投资的钱比较少，容易受到诱惑，急着想卖。他把这种风险称作"邻居风险"。

张磊问刘强东，需要融资多少？刘强东报出的数字是，5 000万~7 500万美元。张磊告诉他，我要么一分不投，要么投3亿美元。刘强东拒绝了，3亿美元足以让张磊成为京东第一大股东，协商结果是2.65亿美元，刘强东有董事会控制权，实行超级投票权。

张磊和刘强东一拍即合，"我们都特别简单，他跟我从来都很坦诚直白"。

2009年底，张磊和刘强东在一个论坛上见面，张是听众，刘是演讲者。他们都是人大毕业，张磊主动找到刘强东，问他是否需要融资。刘强东说，肯定需要钱，但不喜欢跟风险资本家谈，谈得很多，却没人理解他。张磊和刘强东在高瓴资本办公室聊了两个小时，就决定投京东。很多互联网创业者融资，拣投资人喜欢听的说，大部分会说公司是轻资产。但刘强东说，京东是重资产，只有重资产才能保证客户体验。这种坦白，打动了张磊。

2007年，京东开始请普华永道做审计，一年销售额才几个亿，却为审计付出几百万元，所有财务数据都真实地呈现在投资人面前，在投资前有充分沟通和交流。刘强东说："很多问题都来源于投资前为了拿投资人的钱不敢说实话，好多该披露的信息不披露，老是忽悠别人，把钱弄到之后再做投资人不知道的事情，于是矛盾就产生了。"

京东集团前首席财务官陈生强（现京东金融集团首席执行官）谈到融资说，跟投资人见面，如果是谈运营，那就可以什么都聊；如果投资人第一次来谈财务，第二次再约就不见面了。因为只看数字的投资人是没有价值的，公司需要的是真正理解业务的投资人。有投资人担心数据造假，当时还没有审计报告，陈生强每周一上午都会发一份关于上周数据的报告给刘强东，刘强东会让投资人随便挑一周，把该周报告的邮件转给他。公司不可能 365 日天天造假，也不可能发给刘强东的数据造假。投资人可以拿着周报数据到系统里调数据，随便抽查。"只能做到这一步，再往下就别烦我了，否则把你踢出去。"

战略

真正的领军者，需要站在宏观角度思考，对市场、技术、行业趋势有整体的把握。大家为什么看好亚马逊，因为亚马逊大规模地建立起仓储系统、IT 系统等基础设施，这些成为它的核心竞争力。如果贝佐斯只盯着卖书的话，还需要那些东西做什么？而他的战略眼光当然不会局限于眼下所做的事情。

在京东的历史上，有三次起着决定性作用的战略决策。第一次，是 2004 年转型做电商，京东得以抓住了未来 10 年乃至更长时期的消费趋势；第二次，是决定向全品类扩张，从只做 3C 产品转为一站式消费平台；第三次，是决定自建仓配一体的物流体系。巧的是，后两大战略决策都是在 2007 年做出的，都是刘强东在遭遇投资人和管理层反对的情况下坚持己见，推进下去的。

商业世界里，总有一些人眼光比别的人看得更长远。你不知道，这是否是他们与生俱来的天赋。刘强东年少的时候，就展现出他颇有主见的一面。初中毕业的时候，大部分农家孩子选择了考中专、中师，毕业之后就能直接工作，成为国家干部，那时候这是了不起的事情，被称为"跳龙门"。刘强东有自己的主见，他说，送我上中专我也不上，我一定要读高中、上大学，一定要去中国最大的城市，不是北京，就是上海。后来他填报高考志愿，选择的大学不是在北京就是在上海。

1992 年，高中毕业，刘强东建议父亲去宿迁买一个池塘，可以填起来卖土地，或将来盖房子，10 年后肯定值钱。他初中时就对农村有很深刻的认识，认为农村会衰败，人口大量迁移，未来农村人口会大量搬到城里。城里所有的东西都会值钱，包括住的、吃的、穿的。

很长一段时间里，京东被各种为什么不盈利、怎么才能盈利的质疑围绕，投资人问，媒体问，竞争对手也在鼓噪。刘强东说："如果京东 2007 年没有转型成全品类电商的话，京东就可以实现微利了，因为 3C 标准化程度高，控制一下运营成本就可实现盈利，只做 3C 的话，不需要投入这么多做配送队伍，而转型则导致投入大幅增长，亏损时间加长。"他的理论是，利润不能拿钱袋子装起来，有更大的疆土需要开拓，收获的资金或者资源应该像种子一样撒出去。

选择什么品类切入电商是影响未来发展的重要因素。为什么老牌电商公司当当被京东后来居上？一个重要的原因是当当依靠图书起家。

当当的主业是图书，2011 年总收入 36 亿元，其中图书音像占了 67.9%，这是当当着重扩张百货品类之后的比例，2010 年图书音像收入占 81.67%。2011 年图书市场定价总金额是 1 063 亿元，其中大众市场是 726 亿元（还有一些不进行公开流通），这还是定价总金额，图书绝大多数时候是打折卖，这部分市场容量远小于 700 亿元，线上容量更小了。2010 年线上图书市场码洋规模不超过 60 亿元，当当和卓越亚马逊这最大的两家占据了绝大部分市场份额。

图书这个盘子太小了，它带来的收入远远不能支撑一家电商平台进行大规模的扩张。相对的，京东选择了 3C 品类切入电商，市场容量远大于图书，单价高、产品更新换代快、口碑辐射能力强，所以比起图书更容易做大规模。

京东在 3C 品类里，偏重 IT，库巴网则偏重大家电。买手机、电脑的口碑效应特别强，京东把价格卖到最低之后，用户会自动去宣传，拉低了用户获取成本和销售成本。而大家电的供应链管理则重得多，除了配送还有安装。京东一开始看起来是重的，实际灵魂是轻的。

京东切入电商的品类带着偶然的因素，刘强东在线下本来做光磁产品，选择 IT 产品切入电商，是顺其自然。但是，在此后的品类扩张节奏上，京东把握得很好，先 IT

产品，再数码通信，再小家电，再大家电，再日用百货，再图书。这一再证明了刘强东的战略眼光。

要做大家电这个项目，投入非常大，需要建单独的库房，配送也跟中小件配送不一样，需要请背楼工把空调、冰箱给背上去，还涉及安装、售后等问题。公司管理层劝他想清楚再上，他非常果断：必须做，用户能来京东买手机，为什么不能买家电？家电厂商也需要京东，线下国美、苏宁占的份额太高了，厂商不挣钱很难生存。京东要发展，必须有新品类的加入，没有新品类，发展就是瓶颈。

在增加图书这一品类时，他也遭到激烈的反对，<u>刘强东就坚持，一定要让用户在京东上满足所有需求</u>。刘强东决策阻力最大的一次，就是来自扩张品类，投资人全部反对，管理层内部则是微弱多数通过，有将近一半的管理层反对。11个部门经理，6个人同意。但刘强东的战略眼光一再被证明，反对被证明是错的，所以刘强东说什么都不会再遭到反对了。但是，这也很危险，京东渐渐没有了反对的声音。

在京东董事会，要么你说服我，要么我说服你，如果谁也不能说服谁，就投票。9个席位，刘强东代表5席。这是游戏规则。我问刘强东，投资人给了你几十亿美元，有的没有投票权，为什么？他回答：

因为我股份少，如果你有投票权，他有投票权，这个公司就没有人做决策了。大家意见不一致，你提的意见他否决了，他提的意见你否决了，这家公司就乱成一团糟了。

风险投资家要懂这个行业，如果不懂，我也害怕。首先他不懂，他就不敢给控制权，他也不知道这样做是否正确，不知道你的未来方向能否符合他的预期。京东投资人敢给控制权，是因为他懂这个行业，知道京东战略走下去是对的。

高管投票的话，是少数服从多数，我的一票也只是一票而已。我曾经想经营大米，再扩充到黄豆、绿豆，大部分团队认为成功的概率很小，被否定了。如果一家公司的创始人永远都是正确的，从来没有错误，那这家公司就完蛋了。我不是神仙，我不可能百分之百正确，所以还是要服从集体的智慧。

绝大多数时候，刘强东在战略决策上是绝对的独裁者。京东不是刘强东一个人做出来的，但一定是他一个人的决策做出来的。刘强东有一句话是，战略是他一个人考虑的事情，乍一听很刺耳。但是，除了刘强东以外，其他人事务性繁忙偏重，越往下层走，这种事务性繁忙程度越来越高，就没有时间考虑战略的事，思维被细节给淹没了。有高管给上一级领导说，别老压着我，整天被柴米油盐酱醋茶的事给占满了，没法思考。只有跳出事务性工作，才有空间去思考更长远的战略。

刘强东管理强势，他更接近于诸葛亮的风格，什么都想好了，自己说出来，让下属去执行。他是源头，自上而下推动别人去做。这种自上而下的方式，在父权色彩浓厚的中国屡见不鲜，尤其是在20世纪八九十年代创业的那一拨企业家身上，他们是公司的大家长，说一不二，权威不容挑战。

刘强东认为，一家创业型高速发展的公司，在公司里必须有一个有绝对控制能力、可以驾驭公司的人，才能保证这家公司快速增长，否则如果谁说了都不算，那公司就完蛋了。民营公司一定是独裁的，民主的公司基本上都要完蛋。创始人在战略层面和用户体验上必须绝对独裁，确保这个公司所有人都不能在用户体验上糊弄，任何人做事情都不能违背用户体验，这是红线，不能碰。同时，公司战略必须清晰，所有人必须按照公司的战略目标和路径走。

他的观念，确保了京东过去10年的高速发展，他是最大的齿轮，带动一组大大小小的齿轮精密咬合，飞速转动。

博弈

用规模换话语权

京东 2005 年就定下了渠道上游化的策略，原来是在中关村各大电脑城的档口拿货，以后要从省级代理、全国总代理那儿拿货。2005 年京东销售额不过 3 000 万元，2006 年也只有 8 000 万元，虽然增长速度很快，但是体量太小，很多代理商不把京东放在眼里。采购人员找代理商，一次拿 10 个货，对方就说，你还好意思跟我说？还要账期？这不可能。

2007 年，姚彦中负责笔记本采购，通过拐弯抹角的熟人关系联系上宏碁，拉上自己的上级孙加明一块儿去，等了一个小时才见到人，向宏碁表达了希望定制产品的意愿。对方说，挺好的，我们一个定制产品每月要求出货 1 024 台。当时，京东整条笔记本产品线一个月也卖不了 1 024 台。两人赶紧灰溜溜地跑掉了。

那时候，姚彦中和他的同事们每天都要外出见代理商、厂商。为了说服供应商，采销需要准备 30~60 页的 PPT，从全球经济讲到全球电子商务讲到中国电子商务，讲到京东的发展模式、手机品类的发展和未来。采销讲得热血沸腾，唾沫横飞，把自己都感动了，供应商们却在下面打瞌睡。

　　刘强东告诉他们，未来不用四处跑，坐在办公室里打电话让对方送过来。姚彦中心里想，这可能吗？我过去拿，人家还不愿意给呢。2011年，宏碁负责与京东对接的人，办理了京东临时胸卡，一周有三天时间在京东办公。

　　刘强东的观点是："早期想跟厂商直接合作，对方不愿意，甚至有的品牌连代理商都不愿意，都是经销商跟我们合作。我还是强调规模效益，做零售没有规模，什么都没有。有了规模，不代表什么都有，但是没有规模，一定什么都没有。我们也不着急，没关系，我努力做，比如量翻两倍再找人谈，如果还觉得我们太小，量上不去，没关系，再翻两倍，当我的量占在10%、20%的时候，你不谈也得谈，我不找你，你也得找我。"

　　刘强东干练、直爽，做事雷厉风行，跟他说话不能说废话，不能说不到点子上，否则他马上打断你。他领导的团队，有血性，不拖泥带水，做什么事情不会慢慢就没影了，必须一竿子插到底。当时签代理商，采销拜访10次都吃闭门羹，依然会去敲门，直到对方开门为止。

　　进价600元的显示器，用649元的价格卖出，一天能卖三五十台。刘强东让采销人员一次去要500台，成本价降低到550元，然后以599元的价格卖出，一下子销量就增长起来。这是早期京东惯常的打法。京东的成长为什么这么快？跟刘强东的魄力有关，跟京东的采购数量有绝对关系。有时候，员工看到好的产品，想采购两百个，刘强东直接说，拿一万个吧。规模小，拿的数量少，成本就高，拿得多，就能将成本降低，降低成本就能给消费者更低的价格，就有更多的人愿意来京东买。

　　采销部门是刘强东盯得最紧的部门，他每天在采销那里转悠，跟人沟通，了解每天的销售情况，有无遇到问题。有时候还会亲自指挥战斗，要求把某款产品价格打下去，员工告诉他已经接近成本价了，不挣钱了。他也说没关系。

　　2008年"6·18"店庆，刘强东自己掏出几十万元让大家做"老刘专场"活动，说：兄弟们，把这些钱赔给客户。他直接安排"6·18"店庆日的时候拿什么产品什么型号促销。"6·18"店庆日，用直接击穿用户心理底线的价格刺激销售，不考虑赚钱赔钱，不计成本、不惜代价，就是想方设法地把活动做得燃起来。例如京东11周年庆的时候，推出11元的CPU、11元的内存、111元的相机、1 111元的笔记本，刘强东用敢死队的做法，在市场上打出了名声，所有人都知道京东便宜。

早年每逢年会，刘强东自己端着酒杯，秘书跟随在旁拿着录音笔，一桌一桌地依次碰杯，挨个问采销员工：你明年的任务计划是多少？刚加入京东的员工不了解刘强东的路数，老老实实地说：1 000 万元。刘强东接着问，如果努力一把能做到多少？员工回答：估计 1 300 万元。刘强东就举起酒杯：如果你能做到 1 300 万元，那奖励你多少钱；做到 1 500 万元，又奖励多少。新员工觉得不可思议，这是京东的惯例，只要完成了，到年底，该承诺你的，都会到位。

猛冲猛打的采销团队

2007 年 4 月，崔琳玮加入京东，工号是 166。当时采销部门只做 IT 产品，共有 40 多人。办公室在银丰大厦，一个阔达的空间里，共 8 排工位，每排 10 个座位。前两排是客服，最后两排是售后，中间四排就是采销。采销要打电话，客服也要打电话，客服主管时不时站起来提醒采销部门，你们声音小一点儿，客户会听见。

那时候找供应商是靠两条腿，去中关村大大小小电脑城的柜台、办公室收集名片，崔琳玮负责的产品线是显示器，就把所有卖显示器的供应商名片收集起来，整理好档案：各家是做什么品牌、有哪些型号、价格是多少。他每天打电话给这些供应商要货，当时京东的低价策略伤害到很多厂家在线下的利益，遭到他们的抵制，不给京东货。那些小代理商，希望通过京东出货，减轻销售压力，另一方面又不希望被厂家惩罚，取消代理授权。崔琳玮他们的做法就是，这个月找甲要一批货，下个月就找乙要一批货，分散代理商的压力。结果，这导致一个品牌至少有四五家代理商，为了追逐最低的价格成本，京东在北京、上海、广州、青岛、成都等地方都有供应商。

2008 年，京东开始提升供应商等级，以前有很多档口做供应商，不能完全保证产品质量，按照公司规定，必须要求正品，就剔除了很多可能有水货、假货的供应商。按照公司规定，采销必须跟总代谈，崔琳玮跟某个显示器品牌的北京总代谈，大概一个月是两三千台的量，总代嫌单量小，规定了每单的最少提货量，发货得加运费，还要求现款结算。

为了突破这家总代，崔琳玮先开口提出，你那里不是有滞销的高端显示器吗，我帮你消化库存。这些高端显示器可能北京需求就几台，但京东是面向全国销售，转手就卖光了。这家总代意识到，京东是可以帮他们做一些事的，这才愿意坐下来谈一谈京东想要什么样的货，偶尔也会给一点畅销型号，再给返点。当时显示器大概 1 500元一台，返点是一台 20 元。京东的售价基本不赚钱，甚至把返点的钱都搭进去。这是为了追求量，只有出足够大的量才能得到更多的支持。这家北京总代一个月的任务是 4 万台，卖得好的时候，京东一个月能出 1 万台。

在完成 A 轮融资后，京东开始引进第一批职业经理人。王笑松就是在这一阶段加入京东的，刘强东面试他，20 分钟后就直接告诉他，你挺适合我们公司的。这样做，会让人力资源经理谈薪水时处于被动。王笑松愣了一下，马上觉得刘强东真实、坦率。

2008 年 1 月，王笑松从沃尔玛辞职，离开深圳来到北京，很多朋友觉得他傻了，为什么去一家名不见经传的公司？他觉得刘强东正直、有魄力、思路清晰，能把团队带起来，也乐意将财富与人分享。当年底，他就得到了出乎意料的年终奖，本来他以为不会有的。"来的时候没谈待遇问题，来了以后发现我所得到的远远超出我的预期。"

加入京东第一天，王笑松就领略了京东的执行力。他还在办入职手续，就被人叫去做面试官。公司缺人，来了就得马上干活儿，跟行军打仗一样。第二天，他又遇上爆仓，全体员工去大鲁店搬仓，干了整整一个通宵，这次搬仓让他有种强烈的感触，商品信息可以通过互联网传递给用户，商品本身则需要手提肩扛地送到客户手里，这是一个线上线下并重的公司。

海淀区苏州街银丰大厦京东办公室的柱子上贴着的口号是："战斗！战斗！"就像战场一样。办公区位置紧张，有时候供应商来了，也没有座位坐，大家都站着谈事。采销像打了鸡血一样，电话响个不停。一旦订单量太多周转不过来，爆仓了，大家就赶紧到库房连夜加班。所有人都没有考虑加班有没有加班费，或者去库房工作是不是我应该干的事情。

当时采销在岗位设计上不规范，采销员工一个人从头管到尾，上午给供应商打电话或者见面沟通，谈价格，下订单，提交结算单，下午是收货、点货、打包，用保鲜膜缠裹在外包装箱上防止货物损坏。经销商不愿意送货到京东位于城郊的仓库，运输成本高，都一律拉货到银丰大厦楼下，由采销员收货。京东仓库会派车一天跑两趟，拉货到仓库。不只这样，采销员还要每天做规划，明天要定什么货，做什么促销，晚上还得在办公室回答用户评论，维护产品页面。

京东体量小，向供应商要账期不容易，开始是现金结算，后来变成一个星期结一次款。有时候，供应商的业务员担心京东的付款能力，下午喝了酒，就跑到京东这里要钱，在前台撒野，讲京东不给钱了，不要在京东订货了。王笑松得把他拉进办公室，把他哄好。结果过一阵子，故态复萌。

就算是音箱、耳机这样的小品类，都很难拿到货，为了取得突破，不得不和代理商吃饭喝酒，王笑松酒量不好，吐得一塌糊涂，不知道自己是怎么回家的，第二天还得上班，又整整吐了一个上午，喝口水都会吐。在京东采销人员的讲述里，我常常听到类似的故事，例如喝酒喝得断片了，眼睛充血了，在京东尚属于弱势渠道的时候，这些采销人员靠自己的毅力、诚意和身体拼下了一个又一个的供应商，对方认可他们的为人、认可他们的能力，认为他们是未来有发展的人，能将供应商的支持转为销量。他们就跟游击队一样，单兵作战能力很强，打伏击是一把好手，用原始的方式，做出了亮丽的业绩。

渠道上游化

起初，京东的采销人员对采购的理解比较肤浅，更接近于中关村卖场柜台的思维，我有7家供应商，就挨个儿打电话问价，谁的报价最低，就从他那里拿货。然后看看其他网站卖多少，就以更低的价格卖出去。这样的方式是有问题的，导致供应链不固定，缺乏战略合作的供应商，销售仅靠价格也是有问题的，还得考虑到后续的服务。采销应该有全局的概念，提供整体解决方案，而不单是针对价格这一个点。在加入公司之后，王笑松他们做了很多场培训，讲品类管理、定价策略、库存管理、谈判技巧等。

能在小经销商那儿以100元拿下的货，在北京总代那里是103元，对方还爱理不理的。尽管如此，小经销商还是没法给予京东足够的货源支持，京东采销哪怕热脸贴冷屁股，都必须忍耐着，把渠道上游化推进下去，快速建立起联系，未来才能在货源和价格上得到支持，否则后期的发展乏力。北京总代的价格就算不好，还是要先建立联系，做起来了，到时候量占了举足轻重的份额，价格不信谈不下来。

当时诺基亚在京东手机品牌中销售份额很高，但是京东能够找到的最大的供应商，是其省级代理的下线。这家供应商邀请王笑松参加2008年年会，给他安排的席位左边是金立的促销员，右边是步步高的促销员，京东在这些经销商心目中的地位可见一斑。

诺基亚是当年手机厂商中的老大，害怕影响线下渠道，希望控制京东这样快速发展的渠道。诺基亚（微软）手机中国区销售负责人陈婷记得，京东仅仅是诺基亚网销客户之一，到2008年底一个月也才两三百万元的销量。京东不是诺基亚网销客户中量最大的，但是，他们有职业操守，操作规范。诺基亚送样机给京东采销，京东采销写好使用体验，按照流程规范还给诺基亚。

一次，京东在北京采购诺基亚，面向全国售卖，结果被诺基亚罚款几百万元，当时整个京东一个月的利润也不过几百万元。王笑松想方设法用诚意打动对方，当时的诺基亚北京、天津区域总经理出面抹掉了绝大多数罚款，并为京东申请到全国第一张免死金牌——允许京东面向全国售货。

因为智能手机的兴起，诺基亚成了帝国的余晖，而京东是旭日初升。"诺基亚份额不断往下跌的时候，京东还是一视同仁。"陈婷说。2014年，京东销售额占微软移动（诺基亚已被微软收购）的20%~25%。

得渠道者得天下。像联想等厂商在线下渠道的铺设上都有过人之处，通过分销体系层层铺货，将自己的品牌触角深入到中国的市、县、镇、乡、村，产品也依照分销体系层层加价，养活了大大小小的分销商。京东逆势而为，删繁就简，将流通环节的数量降到最低，以最低的价格把产品卖给消费者，将分销体系打破，将厂家稳固的价格体系打破。2008年，明基曾经发出措辞强烈的声明，声称"个别网站"卖的明基产品不保证是正品，虽然没有明说，但大家都知道它指的是京东，京东也态度强硬地回应了明基。

这套从 80 年代开始建起、逐渐成熟的分销体系，看似庞大、根深蒂固，却在短短几年内，品尝到了火烧眉毛的滋味。京东商城一改吃闭门羹的冷遇，摧枯拉朽，高奏凯歌。2010 年，情势已经演变成，IT 品牌总代一边向厂家投诉京东以价格战扰乱市场价格，一边又在给京东供货。整个 IT 行业的量在缩减，总代不得不给京东供货，否则解决不了它的业绩问题。同时，也要给厂商交代，不是我不努力，是因为京东打价格战，所以让我卖不动货。

但是京东坚定不移地推进渠道上游化的策略，找上门来谈厂商直供。崔琳玮找的第一家是明基，对方直接给了一批滞销货。崔琳玮提货后，以 1 200 元的价格售出，市场价格是 1 400 元，一两天时间就卖掉了 1 500 台，向明基证明了京东出量的能力。他再跟厂家协调，我来帮你维护价格体系，帮你处理滞销品，你给我更好的资源。

2011 年初，崔琳玮感受到了力量的扭转，原来是京东采销主动扑过去说，给我，给我；现在是厂家主动找上门来，要不要做一个促销？你们打算怎么去推广？我该怎么支持你？

战斗！

干翻新蛋

2009 年第一季度，艾瑞B2C电商企业排名，当当第一，卓越亚马逊第二，京东第三，新蛋第四。京东管理层在会上讨论，什么时候京东可以成为行业第一？按照销售额和增速计算，发现 2009 年底就能成为第一，算出来的结果让大家都愣了一下，有点儿不相信。

被嘲笑为"乡镇企业"的京东，2005 年在学习新蛋，2006 年就开始跟新蛋打仗，在年会上提出目标超过新蛋。这一年，新蛋中国的体量是京东的 1.5 倍。双方价格战打得厉害，例如一款耳麦，新蛋卖 39 元，京东立即将价格降到 38 元，新蛋继续把价格降到 37 元，京东又降到 36 元，成本价是 35.5 元。卖到 36 元的时候，京东采销就发现对方没有动静了，因为对方的成本价比京东的高，跟不起了。

京东决策链短，做事没什么规则，就是赔钱。一看新蛋在卖，就打价格战，以小博大，尽量自己少赔点，对方多赔点，新蛋销量更大，一款产品赔 10 元，京东卖 10 个赔 100 元，新蛋卖 100 个赔 1 000 元。京东员工对新蛋那边的降价反应特别迅速，没日没夜地维护网站，一个人一天的产出可能是很多人一天的产出。而新蛋决策链长，降价没那么迅速。

2009 年，新蛋还跟京东咬得很紧，5、6 月份做了一次价格战，把京东打压得厉害，这两家网站对品类和用户的重合度都很高。京东有着清晰的战略判断，埋头苦干，用户需求走到哪里就做到哪里，快速扩张品类，满足用户的一站式消费需求。思路是拿到更低的成本价，用更低的价格卖给消费者，看重规模，对利润指标看得不是那么重。但是新蛋有些品类不能做，管理层是职业经理人，关注短期内公司整体的各项指标，市场份额和客户中的口碑不是最重要的。他们在中国区一两年就换个负责人，很多政策不能完全落实，也没法保证延续性。美国老板又不了解中国，不喜欢价格战，不愿意花广告费。2009 年之后，京东就再也没关注新蛋了。

图书凶猛

到了 2010 年，刘强东推进图书品类上线，目标直指当当。

刘强东坚定地推进他的全品类战略，在京东历史上，有两个品类的扩张遭到了董事会的反对，一个是大家电，另一个就是图书。大家电是因为供应链复杂，又有苏宁、国美，对 2010 年的京东来说是高山仰止的对象。而图书，线上销售当当和亚马逊中国占有半壁江山，无论董事会还是管理层，都认为如果是京东必须翻过的大山也罢了，但图书不是，硬要去做一个被双寡头垄断的市场，得不偿失。

但刘强东一意孤行，在 2010 年初的董事会上表态说，只投 1 000 万元，如果亏损 1 000 万元，就不做了。事实上，一旦开了头，怎么可能中止？

2010 年 5 月，石涛加入京东，成为负责图书品类的副总裁。他问刘强东做图书的决心有多大。当当和亚马逊中国已经做了 10 年，积累了大量用户和品牌知名度，京东的挑战很大，需要很多资源来支持。刘强东痛快地向石涛许诺，他完全可以得到足够的资源支持。

留给石涛的时间并不多，2010 年 11 月 1 日图书品类就要上线。在半年内，石涛需要搭建起团队，完成后台系统研发、与仓储配送系统的对接以及供应商的签约。京东 ERP 的后台只针对 3C，图书必须重新开发。库房也是空的，物料得在三个月内赶出来。

亚马逊中国是个成熟的公司，做事按严格的流程，一层一层地审批。而 2010 年的京东正在向正规军转化的过程中，流程不完善，好处是留下了很多让人不受束缚、全力冲刺的空间，尤其是在刘强东投入了极大关注的领域，爆发出的执行力可谓横扫千军如卷席。

那时候，刘强东每周都要听取图书部门的汇报，如果有问题当场提出来，立刻拍板。图书几十万个品种的商品，没有页面怎么办？当时后台系统要上传这么多品种的页面有困难，也不是说研发不支持，研发部门也满负荷运转，而且做事有排序。刘强东马上打电话给研发部门，研发的人匆匆赶来，他直接问：为什么图书采销的要求还没拿出结果来？对方给了一些简单解释。刘强东说，不管有什么问题，立刻给我解决。

2006 年石涛加入亚马逊中国的时候，公司要求市面上有多少出版商就签下多少，从 2006 年到 2007 年总共签下了 200 多家，当时觉得是一个奇迹，过去从来没有人能够这么大规模地快速签约。到了京东，三个月里签了 500 家出版商，采购团队共有 8 个人，每人每天平均拜访四五个出版商。

2010 年 8 月，高燕从亚马逊中国跳槽至京东做图书。为了保密，京东在某家广告公司办公区腾了一块地给图书部门，京东内部大多数人不知道在做图书这个品类。高燕与研发部门对接，搭建后台系统，与她配合的研发部同事只有两三人，大家坐在一起讨论需求，做出来就现场操作，哪里有问题赶紧改。每天大家匆匆忙忙吃完晚饭，捋起袖子干个通宵。刚来的时候，高燕习惯性地说当当、亚马逊中国是怎么做的，研发部门的同事有点反感，那你用它们的系统好了，到京东就得做京东的，后来大家也接受了，将其他公司的新鲜东西，加入到京东的系统里。三个月，仓储、后台系统全部搭好，20 万个图书品种上线。

图书是海量品种，对京东的仓储、IT 系统都是天翻地覆的改造。

当时在仓储拣货设计上，京东在其他品类上是按照"类"把产品排列在货架上。但是图书不可以，图书的"类"太多了，三级分类有几千个，二级分类也有 600 多个。图书实行的是随机，由系统来规划尽量短的拣货路线。为了解决图书这个特殊商品的上架，京东系统的挑战很大，得重新改造系统。一开始仓储部门不怎么愿意，刘强东觉得这是正确决策，必须支持。

仓储系统还得为图书单独开辟新仓，因为图书是标准品，能承重，可以用高的货架堆积很多的货。图书也对仓储的大品种管理能力有要求，在图书品类上线前，京东的SKU（产品统一编号，每种产品均对应唯一的SKU号）是几万个，图书上线就是20万个，半年内冲到100多万。

早期京东所有的分类和导航，都必须经由刘强东批准才能修改。但是图书分类跟其他产品分类不一样，其他产品分类矿泉水就是矿泉水，电脑就是电脑，图书按照内容分类，小说和文学的分界没有那么清晰，还要分青春文学、儿童文学等等，彼此交叉、重叠，设计分类结构的时候，需要多次修订。

改一次就得找刘强东审批一次。次数一多，他就问为什么，图书部门做解释之后，他就直接授权给副总裁审批。如果刘强东了解清楚了，他会很快根据实际情况更改现有的规则制度。

2010年10月下旬，图书上线之前，横向支持还存在问题，石涛向刘强东建议，我们开一次会，将相关体系运营、配送、仓储、IT、财务等等的人都召集在一起，做上线前的决策会。很多事情，凭石涛个人的力量推不动，因为没有数据支持，如果要先找数据进行分析再决策，那根本无法完成预期目标。

例如采购下订单一次不能超过1 000个商品，图书是海量品种，一家出版社能一次给京东一万个商品，得下10个订单。图书部门希望打开限制，研发部门就说只能下1 000。单独为图书打开行不行？不行。这必须经过刘强东的同意。

刘强东在他的办公室召开几百人的视频大会，关于收货、上架、发货等细节问题三四十个，刘强东在两小时内全给解决了。会议有备忘录，谁是负责人，在什么时间内完成，都一目了然。

按照石涛在亚马逊的经验，这些事情得讨论很久，2007年卓越亚马逊做运营系统的迁移，花了半年时间才让运营系统从卓越切入到亚马逊的系统上。而刘强东对京东的系统和架构非常了解，不需要再问其他人。

2010年11月1日，京东图书品类如期上线。

奇袭当当

在京东这里，图书是战略品类，要给消费者提供全方位的服务。虽然3C卖得很好，但要买图书的消费者在京东这儿满足不了需求，自然到又卖图书又卖3C的亚马逊中国去。京东必须让消费者在这里买到他所有想买的东西。京东的图书战略，确定为做大品种，而非走精品路线，将当当和亚马逊中国当作主要的竞争对手。

并且，图书产品标准化程度非常高，在搜索、浏览的效率上高于其他产品，在谷歌、百度上的搜索优化有特别好的作用，能吸引新用户。来京东商城买书的、初次注册的用户会在接下来的三个月到半年的时间段里买手机、买电脑，然后买电脑外围设备，接着买日用百货和服装。

京东图书上线的时候，还是当当和亚马逊中国两足鼎立，整个图书的大众市场是320亿元左右，当当是20亿元左右，亚马逊中国大概是15亿元，加上淘宝等零散的商家，整个线上规模不超过60亿元，剩下的基本是线下市场。

京东玩儿了一把漂亮的价格战，花样翻新，让做惯了出版业的杨海峰他们开了眼界。刚上线的时候，很多人包括京东用户不知道京东卖图书了，图书品类的流量很小。刘强东直接让人免费送书，这是杨海峰以前完全不敢想的，他一直认为图书只能卖掉，不能送掉。他们选了几本畅销书推送给钻石用户（按当时条件，在京东一年消费额在3万元以上），让用户自己选一本，无条件免费送给这些钻石用户，立竿见影，流量马上翻了十几倍。

刘强东又要求直接在会员体系上开发系统，铜牌以上的会员可以享受图书折上折，在当当上市的时候必须推出这个系统。命令下来之后，两天两晚就弄好了。系统一上线，冲击特别大，就算不是铜牌会员的用户，也想成为铜牌会员。

2011年初，京东挑起图书的价格战。当当图书一天订货量是12万至14万单，京东不过3 000到5 000单。李国庆是性情中人，当当内部也有很多声音说要打个你死我活。时任当当首席运营官的黄若不同意正面冲突。他让员工挑了京东销售最好的50款3C产品，无条件比对方便宜100元。

"两军对垒，你派小分队到我后方烧一把火，我再怎么救火，都烧在我自己的地盘上。我就让火这么烧着，也派一队人马到你后方放一把火，看谁烧得过谁？一本书20元，你便宜5%，不过1元钱；一个笔记本电脑我便宜100元，我看谁赔得起？京东三天就撤了。"

"价格战的原则就是，不要拿自己的主力部队与对方的小分队作战。图书不是京东的主业，打得对方不痛不痒，要打就打他命根子，直刺心窝。"

京东图书的思路跟黄若一样，以小博大，图书卖得便宜，但是体量小，总体亏得不多。

2011年5月，京东做少儿图书促销，四折封顶。这次价格战，站在京东的角度来看，是勇敢而不鲁莽——少儿图书虽然亏损了，但带动了整个图书品类销量涨了四五倍。这狠狠触动了当当的核心利益。当当联络了24家少儿出版社集体抵制，当当的少儿图书销售占整个市场的一半，也是当当图书销售额的三分之一。顶尖级别的少儿出版社是当当排他性的供应商，京东和亚马逊中国一样，只能从经销商处拿货。这些少儿出版社跟当当全是排他性合作，网上只给当当，地面店没有这个规矩，都是普发的。反正京东要让出版社知道，你的做法更破坏行业规则，除非你直接给我供货。

这次价格战之后，京东图书特别难过，因为竞争对手投诉，国家工商总局、北京市工商局等频频来查进货折扣，每隔一两天就把京东员工叫过去，查京东是否扰乱市场。出版社也开大会，集合媒体声讨。

京东不断向政府解释，这不是跟出版社直接拿货，这是短期促销行为，因为有垄断行为，所以才有价格战。图书部门的人觉得简直做不下去了，这里被管，那里被管，一直到7月底，这事才彻底解决。后来不少少儿社直接跟京东合作，发限价函，京东就得执行。

在图书价格战上，当当的态度是做得久，垄断上游产品资源，做独家合作，保持品种上的优势、保证利润。亚马逊的态度则是，谁卖低价，我就跟进。它的长期策略是让用户感到这是一家天天低价的公司，不会主动做大型降价活动，也不会在宣传推广上有很大动作。京东则认为，竞争市场上定价权是最重要的资源和力量，作为新来者，得以激进的方式做。对手5折封顶，京东就4.8折封顶，必须压过他们。

在新闻出版总署登记的出版社共572家，另有民营出版公司的5 000家，其中绝大部分做教辅、渠道书，真正做大众市场的民营公司大概有1 000家。京东定下的目标是400家出版社、600家民营公司。开始签约的时候，供应商有疑虑，一是觉得京东的主业是3C产品，图书业务能否快速成长？二是来自当当的压力。2012年与京东图书签约的共1 100家供应商。

出版社则是针锋相对的两派，一派是全力支持，图书产业一直在下滑，读书的人越来越少了，出版社日子越来越难过，如果有人通过灵活的竞争策略把市场扩大，当然愿意支持。

另外一派是大的出版社，维持市场秩序，维持丰厚的利润，不能够随便支持你打价格战。一方面京东争取他们的支持，另一方面遵守他们的要求，像科技类图书是刚性需求，就不能降价，文学类、励志类则采取灵活的策略。

三足鼎立的局面，对出版行业也是好事。原来只有亚马逊中国和当当，要么支持亚马逊中国，要么支持当当，得罪了谁都不好。有京东的话，如果为了当当放弃亚马逊中国还可以，但是放弃京东和亚马逊中国，那当当能不能把两家的损失弥补回来？

京东图书品类的上线和后来的一系列价格战，正好发生在当当上市前后。当当上市之后，开始向母婴、3C等品类扩张。这家老牌电商公司是卖图书起家的，图书是当当的大本营。京东一做图书，竞争对手的人员全被扯回来聚焦在图书领域的价格战，若是保不住图书就不行了。

就像官渡之战，曹军一把火烧掉了袁军的粮草大本营——乌巢，重创袁军。黄若说："我很佩服老刘，他就是一个战士，敢冲敢打。"他2011年6月离开当当，当时当当股价19美元，毛利率20%，费用率17.5%，净利率2.5%。之后，当当不顾一切地做规模，与京东正面打价格战，毛利率降为14%、费用率升为24.2%，股价曾下跌至5美元。

不过，对当当、亚马逊中国的战略牵制，不是图书品类给京东带来的最大价值。图书极大地降低了新用户尝试京东的门槛，在京东购买图书的新用户占比在30%~40%，图书刚上线的时候占比甚至更高。和当当、亚马逊中国的价格战，也抄了这两家老牌电商的老底：它们的用户正好是互联网最早的一批网购用户，伴随网站成长起来，已经有10年了，正好30多岁，是经济基础非常好的用户，图书价格战成功地让他们关注了自己，成为京东 3C 类用户。电商的竞争，无非是两条：一是供应链，二是用户。

京东图书规模大了之后，竞争策略就变了，更重视用户体验。原来京东把主要竞争对手定位当当，到 2012 年再跟它打已没有意义。图书在完成公司毛利指标的情况下保持价格最优，就可以了。2014 年 6 月，京东图书超过亚马逊中国，成为市场第二。

物流

10 亿美元豪赌

对照京东和亚马逊的发展史，两家公司相似的地方很多，同样是全品类销售，提供一站式消费的平台，同样是自采自销，控制供应链，同样是开放平台给第三方卖家。京东曾经是中国的新蛋，当它只卖IT产品的时候（2008年超过了新蛋）；京东也曾经是线上的苏宁，在它只卖3C产品，还未将品类扩张至图书、日用百货的时候。在很长很长的时间里，京东还会继续被人视作中国的亚马逊。

不得不说，贝佐斯和刘强东的思路很相似，或者说刘强东从贝佐斯那里也得到了启发：零售用大量的投入来换取规模，做出来的人是不会给中型电商机会的，他们的逻辑就是，融资做规模，在现金流为正的情况下，玩命增长，不要利润。

京东是什么时候发生蜕变的，变成"谁也不是，我就是我"？ 2007年，刘强东考虑自建物流，仓配一体。这是亚马逊没有做的事情，亚马逊的物流建设重在仓储，"最后一公里"的配送交给了联邦快递和UPS。不像美国有完善、规范的物流体系，中国的快递公司很长时间里是以乱著称，就像诸侯混战，割据一方，没有哪家公司（除了中国邮政）能够建成覆盖中国全境的网络。快递公司多以加盟店的方式扩张地盘，这导致了服务质量极其不稳定，充斥着各种暴力卸货的手段，甚至丢货的事故不少，很多是监守自盗，偏偏因为缺乏监管而没法追溯。

刘强东在董事会上提出了自建物流的战略规划，投资人表示，你先做做预算吧，不直接否掉的原因是不好意思。刘强东做出了预算：需要花10亿美元。投资人一看这个数字，都要哭了，你连2 000万美元都没有融到，现在说要花10亿美元，这还让不让人活啊？

徐新计算过，京东投资仓配一体的物流，一个城市一天送20单肯定亏钱，一天送2 000单才能盈亏平衡，但是从20单到2000单，需要很长时间，有的城市可能要9个月，有的可能需要两年。长时间亏损，京东受得了吗？

刘强东坚持要做。投资人虽然没有彻底想通，也没有特别激烈地反对，刘强东的决策到底对不对，在那个阶段是没有答案的。但他们相信，刘强东对商业有着特别强烈、敏锐的嗅觉。

2007年8月，刘强东开始在北京小范围试点，招聘北京配送部负责人。2008年5月，北京配送部开设了5个站点，每个站点负责的配送面积相当大，例如亚运村站覆盖了北京北部大部分地区，北到天通苑，南到北二环，西到八达岭高速，东到望京，亚运村的5名配送员负责大概100平方公里的地区，一天送货三四百单。2009年上半年，亚运村分裂为三个站点，将天通苑和望京划拨出去，另设站点，公司开设配送站的速度也加快了，到2010年，京东自有配送已经覆盖北京五环内。

促成刘强东决定自建物流的原因，第一是客户投诉超过一半是到货慢，或者货摔坏了，都是跟物流相关。当时物流行业野蛮卸货、装货的现象很严重，直接把货往车上、地上扔，硬盘经不起震动，外观看着是好的，实际内里已经坏了。第二是因为第三方快递公司不能做代收货款的业务，就算是能做这块业务的，也总是压款，15天返给京东算是快的了，而且风险高，因为快递公司加盟店居多，有些老板干脆卷款跑掉，公司也没有办法。

当时的物流行业就是这样，你不可能指望行业改变，那就自己做。当时，京东并没有详细的成本测算，也不知道怎么算，就是一条理由：这么干，客户投诉就少了，可以让更多的人来京东消费。

2008 年春节，刘强东回老家宿迁，与老同学聚会，在酒桌上说：物流是企业发展的瓶颈。他告诉当地一位做摩托车配件的同学，你要做大，就得将这个区域的物流做好，做到最细致，你的规模就会更上一层。

这家电商公司做了最苦、最累、最重的活儿。2009 年新蛋网在中国的首席执行官嘲笑京东，说我们永远不做物流，应该和第三方合作。但是，新蛋在中国几乎销声匿迹，物流却成了京东的核心竞争力。没有配送，京东也没有理由成为电商 B2C 行业第一。如果一件事每个人都觉得可能做成，那做成的价值就很低。只有做成别人认为不可能做成的事情，那才真正有价值。

把韵达配送站"一锅端"

2007 年 4 月，京东设立华南区，覆盖福建、江西、湖南、广西、广东、海南 6 个省，易文杰担任京东华南区第一任总经理（现任华中区总经理）。分公司成立的时候，刘强东来到广州，当他在白云机场与易文杰告别的时候，他握着易文杰的手说："老易，广州就交给你了。"

华南区域一开始只有 13 名员工，在广州天河区石牌街的民居租了一套三室一厅的房子作为临时指挥部，员工穿着睡衣睡裤抱着电脑在那里办公，刚加入的新人还以为这家公司是做传销的。这 13 名员工，在短短一个月里，完成了位于海珠区海联路48 号的办公室装修，建起了 2 000 多平方米的库房，完成了 2 000 多个订单的发货，配送全由第三方快递承担。

2007 年，华南区刚成立不久，就在广州市荔湾区建立了华南第一个配送站——康王站，并逐渐组建自己的配送队伍，6 个配送员需要完成荔湾区和越秀区的配送。2008 年，华南第二个站点设在深圳，覆盖罗湖、南山、蛇口、盐田港等区域。3 个月后，就满足不了需求了，需要在关外宝安区开设站点。宝安区有 12 000 名本土居民、150 万外来人口，治安混乱，有著名的"砍手党"。易文杰不得不从其他区域抽调站长和骨干配送员前往宝安开设站点。

深圳配送范围大，配送员效率降低，必须加密网点布局，自己建立速度就慢了，易文杰让深圳片区经理找韵达快递配送站的站长和配送员，等他们送完货，请他们喝酒，将京东前景和配送员在京东的待遇一一讲清楚。韵达的站长说，没说的，我明天就过来。回头，他立马跟房东谈，我找到新东家了，你跟新东家重新签合约。这些从韵达过来的站长和配送员们，做了前期培训就立马上岗运作起来，将门头的招牌一换，一夜之间变成了京东配送站。

能够一锅端的原因是，这些配送员多为老乡，会在私下交流各家公司的管理和待遇。京东尊重配送员，按时发工资，每个配送站装有空调和热水器。南方潮湿火热，华南区刚开设站点的时候，有配送员住在站点里，刘强东到站点一看，马上决定所有站点装空调和热水器，他和易文杰吃饭的时候又再次强调，老易，你什么时候能办到？给个时间。

而配送员的要求也就这么简单，以前在韵达，站点连电风扇都没有。

在京东，如果有人完成不了今天的任务，大家会共同解决剩下的货。在其他快递公司，快递员送完货只求拿到当天的100元提成，其他同事没送完货，他们不会帮忙。同样是辛苦，京东收入更高，团队氛围更好，所以，其他快递公司的配送员一夜之间就过来了。

有意思的是，华南区域最早的13个老员工，还有10个在京东。原因有四，第一，对公司有信心；第二，有好的平台，能提升自己；第三，有值得期望的收入；第四，有个能关心人、体谅人、给人正能量的老板。

无爆仓不电商

2008年11月，京东库房面积不够，订单超过了生产能力，这是历史上最严重的一次爆仓，京东不得不在网站发出公告，劝阻用户在京东下订单，建议他们到别处去消费。如果用户继续下订单的话，会因为严重延误的送货时效造成极大的口碑损失，这损失远远大于因关闭下订单功能而暂时损失的销售额。

每天晚上6点，在银丰大厦上班的员工都坐车赶到库房，收货、打包、上架，中途只能匆匆忙忙地吃盒饭，盒饭不好吃，又买来很多老干妈拌饭。忙到晚上一两点钟，公司安排车把员工送回城里，第二天依旧上班。这些坐在办公室里的员工，深深体验了一把仓储人员的辛苦，负责打包的员工手上缠着刀片，唰唰地割开胶带，手上都有冻伤、割伤。仓库冬天比室外冷，负责上架的人，跑来跑去，反倒出汗发热，有员工凌晨 3 点出门才发现羽绒服都被汗水浸透了。而打印快递单这些站在那里不动的活儿，员工一晚上下来，哪怕脚边有电暖扇，回家也要用热水泡上好长时间才能暖得回来。

这次爆仓也促使刘强东在物流上加大投入。2009 年，他决定自建第一个库房（此前的库房都是租的）。陈生强一算，一个库房需要花 1 亿到 1.5 亿美元。他问刘强东，你确定吗？刘回答：确定。他再问：你真确定？刘再回答：确定，一定要弄。

当时没有政府关系部，没有市场部，陈生强开始跟各地政府谈拿地的事，第一轮就喝趴了。在上海嘉定，对接的政府官员说，我们这里有新蛋，是国际公司，对京东爱答不理的。结果上海嘉定管委会主任从美国出差回来，赶紧叫人联系陈生强，因为他在美国的时候，拜访新蛋，对方总说京东如何不好。他一琢磨，你骂人家，肯定是被打了。

2010 年开始，京东增加了食品仓、图书仓。京东业务快速发展，但是仓储网络的建设很多时候跟不上公司业务发展的步伐。由于持续融资，资金上的问题并不大，在那几年，京东在仓储建设上最大的痛点就是找不到符合京东需求的大面积的单体仓库。尤其是 2010 年，电商爆发式增长，需求井喷，政府对物流设施规划比较落后，物流地产短缺，狼多肉少，要找到现成的、符合要求的仓库很难，往往是到了时间点要开仓，未必能找到仓。京东每年有 40% 的仓库在搬家，仓储系统从高管到基层员工，都练成了搬仓的好本事，能够在不影响日常订单生产的情况下，在有限时间内搬仓完毕，这比拼的是技术含量和运营管理能力。

令人头痛的，除了找仓库以外，还有找人。管理层缺人，有经验的电商从业人员并不多，只能内部提拔，以及到物流行业挖人。基层员工也缺人，为了招聘员工，京东人力资源部想尽办法，报名参加招聘会，联系当地劳保部门搜集闲散人员资料，四处贴小广告、刷墙，也和开设物流、电商专业的学校合作，给学生实习机会。每次过来一两百人，都是十八九岁的中专生、大专生，第二天到库房一看，呼啦啦地走了一二十人。

2008 年到 2009 年库房缺口太大，一个月恨不得入职几百上千人，京东品牌号召力有限，加上库房偏远，仓储工作的接受度很低，所以大量采用了派遣员工。但是，京东自己的员工，福利、工资、保险都是齐全的，第三方派遣就这个费用扣一点，那个费用扣一点，员工抱怨声音比较大，结果京东内部分成了京东系和派遣系。直到 2010 年，刘强东决定，所有员工都自己招聘，不要派遣员工，福利待遇统一，不会同工不同酬，又便于管理，想安排培训就安排培训。

当初当当在 7 个城市有仓库，京东仅在 5 个城市有仓库。后来，两者不再是一个数量级的对比。2014 年 3 月、9 月，我曾两次到成都市西北、郫县普洛斯物流园区去观察，2012 年京东、当当、亚马逊中国、凡客诚品同在一个园区，过了两年，当当、亚马逊中国将仓库撤掉，搬到了离成都约 100 公里的眉山，凡客诚品的仓库也不见了，这个物流园的大部分仓库现在成了京东的库房，与京东毗邻的仓库，是小米的库房，2013、2014 年风头很劲的另一家明星公司。

仅仅是一个仓库地址的变迁，就令人唏嘘，让我触摸到商业竞争的残酷。有京东员工平淡又骄傲地说："我们跑得很快，我们一路看着竞争对手一个个地倒在我们脚下。"如果你比竞争对手慢了一步，可能就要落后。当当在品类扩张上的速度慢了，在融资的速度上慢了，而京东密集地融资，投入大，利用规模扩大投入，又反过来用投入带动规模增长。持续保持 10 年的高速增长，并且在达到百亿规模之后还能连续 4 年保持高度增长的公司，寥寥无几，京东是其中一个。

211 限时达树立新标杆

2009 年，京东配送部的考核指标主要看总妥投率——能完成投送的订单在订单总量中的占比，没有时效管理体系。2010 年，京东推出"211 限时达"，即用户在晚上 11 点前下订单，就能在第二天下午 3 点前收到货；用户在中午 11 点前下订单，就能在当天收到货。这件事是京东当时负责配送的副总裁张立民做起来的。张立民 2010 年 2 月加入京东，他在中国邮政做了 16 年，也在顺丰、宅急送做过。他来的第一个要求就是，建立"211"的雏形，至少有 8 个城市得一天两送。

仓储生产出来的订单，需要集中在一个时间点发货送到配送站，需要安排发车波次，讨论这个问题的时候，大家觉得应该在晚上 11 点送到站，有人提出来是不是太晚了。经过讨论，干脆在中午 11 点增加一个波次，凑上两个 11。这就是"211"的来源。

211 限时达的难度在于，仓库现场清查，要找出哪些是 11 点前下的订单，属于 211 限时达配送范围的，得优先生产，这在当时的技术管理体系里是比较难的。员工作业方式也要发生新变化，虽然订单总量没变，但每天中午 11 点、晚上 11 点要清查一次，这影响作业，需要员工理解、接受新方式。

京东是一个快速决策的公司，张立民若要做什么，先内部研讨草案征求意见，再跟公司其他部门横向征求意见，十几分钟、二十分钟就开完会，在区域进行试行，试行有了结果再正式推广。他有足够的权限去落实自己的设想，遇到困难，就直接跟刘强东说，不隐瞒，得到他在资源上的支持。和刘强东交流，说什么也不用超过 10 分钟，他对公司很熟悉，一说问题，就知道该怎么弄。

萝卜快了不洗泥，决策快了肯定有考虑不周的地方。面临全新的陌生的领域，谁能说百分百没错？用哪些数据和事实证明你能够行？或者绝对不行？怎么办？只有试。京东允许犯错，并快速试错。身在历史潮流中，不允许犹豫，快速决策比决策正确与否更重要。

管理层里有人认为实行 211 限时达成本要增加很多，根本无法实现，最后成一纸空文，反而会激发更多用户投诉。刘强东力挺 211 限时达，他认为京东要在各方面超越同行，建立起很好的口碑，就必须树立行业标杆。

从仓储到分拣到运输到最后一公里，京东将几十公斤，甚至上百公斤的包裹做成 211 时效，建立起一定的竞争门槛，别人要竞争的话需要付出更大的代价。

211 限时达的亮相是惊艳的，这是京东标杆性的创新产品，推出之后，将电商行业用户体验的门槛提升到一个新的高度。

团队

很长时间里，刘强东的生活很单调，除了工作就是应酬，应酬也是跟下属们，他特别专注，社会关系很单纯，在京东高速发展的时候没有任何人能打扰他。他脾气急躁，说话简练，有时候别人跟不上他的思维，他就生气：这么简单的事情你们怎么就不明白呢？

刘强东要求优惠券必须在 15 天内作废，不能延时。可优惠券的安排经常违背他的意思，他就发脾气，又不耐烦说原因。后来，缪晓虹问他，他才解释：如果用户每月平均购买次数是 1 次，优惠券没有期限的话，会一直搁着不用。有期限，就催促他在短期内把优惠券用掉，平均购买次数就变成两次。但是，当时团队实在太草根了，在很多时候跟不上刘强东的思维，他就着急，缪晓虹不得不在一旁提醒他，你得好好说。

2007 年，这家公司引进了第一批职业经理人，开始土枪换洋炮。

执行决定成败

完成 A 轮融资后，徐新向刘强东推荐了徐雷做京东的市场营销顾问。

徐雷建议刘强东将京东从二级域名更换为一级域名，两人憋了两个多小时，没有想出什么好域名来。域名也不是想要什么就能有什么的，得去买。刘强东想起自己手上有个域名——www.360buy.com，决定先用这个域名。一周之后，徐雷接到电话，刘强东告诉他，域名已经弄完了，可以上线了，这让他突然意识到这家公司的执行力太可怕了。按照徐雷的预计，更换域名没有一个月时间，没戏。

刘强东在公司里是一言九鼎，2007 年他召开更换京东 logo 的会议，总监以上的管理层都参加了，差不多有十来个人，摆在大家面前的有十几个设计图案。刘强东问，你们觉得哪个不错？没有人吭声。刘强东说，我觉得那个还行。他指的是，蓝色光环围绕着蓝色地球的图案——早年中国公司的广告风格，寓意着誉满全球，没有互联网的感觉，也不时尚。他一表态，大家就纷纷表态认可。

1996 年到 1998 年，刘强东在一家日企工作，做过计算机维护、仓库管理、专管员（管理经销商）。他性格外向，做事踏实，注重细节，开经销商的培训会，社旗、标语该挂在什么地方都一一盯着，用北方话来说，他做事"不惜力"。在这家日企，他积累了仓库管理、经销商管理的经验，对他日后创业有帮助。日企每天早晨 8 点半举行早会，讲当天的工作安排。早会制度，被刘强东带到了京东。

京东早会有事说事，抓取公司运营、管理细节，短则 5 分钟、10 分钟，长则一个多小时。公司运营有问题的地方，能第一时间快速传递给全公司管理者；早会上明确的指示，当天上午就能传递到基层员工。早会快节奏带来的压迫感，始终让所有管理者心里有根弦儿，潜意识里要注意执行力，将执行力融入自己的血液里。早会是京东执行力文化的起点。员工去吸烟室抽烟放松，跟同事在一起都是聊工作，几乎不闲谈说笑，他们说，京东的 8 小时跟别人的 8 小时是不一样的。

2007 年，京东运营研发部高级总监肖军加入京东，当时研发部门只有 5 个人，他花了两个月做了一份系统标准规划给刘强东，刘强东当天下午就告诉他，赶紧做，给你一年时间，给你几个人名额。于是，肖军便一个人做起人事系统，一个人负责推广。

2009 年上半年，京东拣货需要三四个小时，因为系统处理不行，需要员工在一堆货里慢慢翻找。刘强东有半年时间坐在肖军旁边，上午给肖军讲后台系统的需求，下午就做开发，第二天就上线测试，做出雏形后，再找团队扩大。刘强东对系统了如指掌，因为早期的系统架构全是他自己搭建起来的，采销、仓储、配送、售后四大系统的逻辑全在他的脑子里。肖军写代码写得发晕的时候，他就急了：我来帮你写。

2008年，李大学来了，成为京东负责技术的副总裁，京东研发部门开始分为研发体系和运维体系。李大学着手进行京东商城的整体改版，带着10多位工程师，在北京城郊租了一幢别墅，封闭开发三个月。每天早晨五六点钟起来写代码，晚上一两点钟睡觉。公司雇了一名保姆照顾他们的日常生活，周日才能回家休息半天，当晚又赶回别墅。

这是京东商城第一次巨大改版，定下了京东网站现今的红色基调、品类分层架构等，后台设计容量扩张成10万单，当时京东一天才5 000单销量，10万单是一个了不起的数字。2008年11月1日，新系统上线，立即突破1万单。

有一次管理层例会，所有业务部门负责人和大区负责人一起看数据，与去年同比，与预算比，与竞争对手比，大区与大区之间互相比，没有时间表扬先进，圈出来的数据都是业绩不怎么样的，负责人必须解释为什么不行，明年下一步怎么弄。刘强东的提问非常尖锐，他要求严格，若是两三个季度表现不行，就直接换岗。一次，他要求200%的增速，该业务的负责人说有难度，开始陈述理由，刘强东立马打断他：对不起，你没听懂我的问题，我问的是怎么增长，不是问怎么不能增长。后来，徐新在管理层例会上再也没有见到此人的身影。

创业者要有死磕的精神，从某种程度上说，执行比战略更重要，持之以恒地认准了，不断地干，坚持得久，付出得多，总会比别人走得更远一点。

从游击队到正规军

2008年京东员工超过千人，有危机感的刘强东觉得京东需要有人一只眼睛看看外界是什么样的、未来行业的走向和竞争格局，另一只眼睛看看公司内部的问题。2009年春节后，刘爽（前京东总裁助理）加入京东，刘爽此前跟刘强东交流过，对他的印象是有大格局的人，跟那些中小企业老板明显不一样，没有想着每年要赚多少钱，想的是未来如何布局，要如何扩张品类，如何在物流上增大投入。

京东是个务实的公司，管理层崇尚埋头苦干，不看别人，只跟自己比。刘爽的职位"务虚"，高管们不大看得上：你有真本事就跟我们一起卖东西、打仗。刘爽做了一份人力配比合理性的报告，发给高管们整改，有人嫌他指手画脚。刘爽并未告诉刘强东，但刘强东知道了，在第二天的晨会上，对在座的20多名高管说：这个职位很重要，以后还要成立部门，大家不要对他有看法，要配合他的工作。当时刘爽入职不到一个月，很震惊，事后还写了一封邮件给刘强东：您找我来是帮您解决问题的，不是给您添麻烦的。我很感激您，但以后不要再这么做了，我自己和他们磨合。

刘强东不喜欢广告联盟，认为是截留流量，不喜欢市场部花钱在广告联盟上，打算叫停，这就有点意气用事，你做事不能凭自己喜好，你不花钱，别人花钱，就是抢你的用户。刘强东是很难被说服的人，但最后让步，说先停一个月，再看看数据如何。结果，那个月竞争对手新用户的增长速度超过了京东。面对确确实实的数据，刘强东终于被说服了，继续做广告联盟。很多人觉得刘强东听不进意见，也不完全是，你得让他瞧得起你，你说得必须有道理。他虽然犯错，但还是能很快去改正。

最早的一帮员工，没有显赫的背景，也没有闪耀的头衔，但执行力特别强，刘强东如臂指使，指哪儿打哪儿。在京东扩张的过程中，各种职业经理人加入进来，草根色彩鲜明的刘强东，在京东长大的时候，他本人的管理能力能否相应地成长起来，十分关键。从游击队做起来，慢慢做成正规军了，刘强东本人带军打仗的能力是不是跟正规军大规模作战匹配，这对他是个考验。

1998年到2003年，是京东创业积累期，2003年到2006年，京东转型为电商，快速度过原始积累时期，游击队有了规模，这一阶段京东保持微利状态。2007年开始，第一波职业经理人加入京东，填充了京东的中高层管理层，游击队开始像模像样，有了正规军的雏形。

职业经理人的引入，让管理流程更加正规了，他们大刀阔斧地对京东的部门规划、基础制度、信息系统进行升级改造，例如京东以前没有供应商预约系统，就按照前东家的规则照搬到京东来。

职业经理人的加入是必然趋势，以京东的体量、管理模式和管理难度，如果没有职业经理人进入，光靠京东原有的人才培养速度，远远不能完成这么大的组织的长久运作。也就是这一段期间，京东内部发生了老员工与职业经理人之间的碰撞。有些人来了，没法适应，走了，不代表这些人不优秀，只是在这个时间点他可能不适合。以前随便一名员工就能给刘强东打电话发邮件，现在是有管理层级了，该汇报给谁都有规定，有的人适应不了。可这是大趋势，手工业变成机器作业，磨合过程中有损耗，有疼痛，是正常的。

徐新向刘强东推荐了陈生强。当时刘强东很固执，坚持要求新进的员工工资不能高于老员工。刘强东自己的工资也只有1万元，如果比他低的话，那能开出的薪水只有几千元了。徐新妥协了，她说，要不工资两万元，今日资本付一半，京东付一半，先试用一下？三个月后，刘强东让徐新帮他多找几个这样的人。陈生强的工资也没让徐新付，全由京东支付。

一般公司招高管，砍价30%就行了，人家也有自己的生活方式，不可能将收入水平降低太多。刘强东就要砍一半，再给期权，这样招人慢一些，好处就是招来的人都是认同公司理念的人。

2007年4月，陈生强加入京东负责财务。虽然京东这家公司丝毫不起眼，但他看好行业，自己是中国电商最早一批用户之一，2000年就是卓越网的VIP了。他也看好刘强东，是做大事的人。这些年，陈生强为京东仓储拿过地，做过融资，等京东上市之后，他说："老刘给了我交代，我也给了老刘交代。"

陈生强认为自己对京东最大的贡献，是2010年10月，召开整个公司的经营分析会。由于京东频频爆仓，不断增加人手，陈生强意识到延续订单发不出去就单纯增加人手的方式，按照公司发展趋势来看，会搞死京东，运营效率上肯定有优化空间。这就不能凭感觉做事了，而是看数据分析。过去京东的数据是手工统计，陈生强带着团队从运营角度出发，搭好分析框架，整理出1 000多个指标（80%以上是业务指标）之后，将系统做了起来，让公司能够横向、纵向比较运营效率的差异，例如这个区域的打包人员人效30单，那个区域打包人员人效50单，这当中肯定有什么原因导致了人效差别这么大。如此，公司就能清晰知道哪里做好了，哪里没做好。

此后，经营分析会每月召开一次，是纯粹的数据分析，不说任何废话，在会议上做出几十个决策，到下个月又拿出来捋一捋，哪些决策落地了，哪些没落地，原因是什么，有的人还会为此下课。

2007年6月，严晓青加入京东，职位为总监，当时京东没有副总裁，只有6位总监，由刘强东直接管理。此前京东流程很不规范，举一个细节来说，出差就没有什么明细要求，严晓青来了之后写详细的出差申请，讲清楚出差目的是什么，日程详细安排是什么，刘强东还特意发邮件推广，以后出差都要按这个标准来。

2008年1月，严晓青升职为副总裁，成为京东第一位副总裁，负责客服、仓储等。4月，李大学加入京东，成为京东第二位副总裁，负责研发部门。2009年1月，徐雷成为京东第三位副总裁，负责市场营销。

在撒开脚丫狂奔的时代，京东没有太多管理规定，从传统企业过来的员工就觉得没有规矩，做事到底要往哪个方向做，不清楚。电商本身就是新兴行业，日新月异，在限定大方向的前提下，没有太多细小的束缚，公司能跑得更快。

2009年，京东飞速发展，随时都会冒出新部门、新业务需求，管理层的人常常毫无预知地，突然接到砸下来的业务部门。徐雷负责市场营销，3月份开早会的时候，刘强东一句"我忙不过来，企业销售这块你来负责吧"，就这么一句话，占公司销售份额10%的业务就丢到了徐雷怀里。4月份，突然发现京东还是有跟政府打交道的需求，徐雷就接了政府公关的任务，那两年政府公关没有聘请过专职人员，全由公关部负责人去兼任。

当时，京东还未得到任何政府关注。刘强东想，什么时候让北京市市长参观一下京东呢？2009年，中国电商的势头很好，北京市委书记刘淇带队去参观阿里，回来问北京商委主任，北京有没有比较好的电商企业。于是，京东和凡客诚品被推荐给了刘淇。11月，刘淇参观京东，说："你们这买卖好，库房是租的，货是供应商的，什么都是别人提供的。"而刘强东有一句话是："京东的库房是租的，商品是供应商的，京东靠什么做起来的？靠的是人！"

士为知己者死

2008年5月12日，汶川大地震，震动中国。中国汽车网的编辑了解到了红十字会的需求，需要有越野能力的车队，并在论坛上发起了号召。刘强东有一辆悍马越野车，他赶紧报名参加，没有跟公司的任何人商量，对投资人也只打了个招呼。徐新拦不住刘强东，只好说："你很勇敢，我们也很感动，我要提醒你，你对灾区人民有责任，对员工、股东也有责任，你要保证安全回来，这么多人指望着你呢。"

缪晓虹也劝阻他，他说："对方的招募要求是，一要有越野车，二要有时间，三要自己承担来回费用。我条条都符合，你说我能不去吗？"

为了以防万一，临走前刘强东给京东全体同事发邮件说：如果中间出了什么事，我相信我的同事们会把这家公司继续运作下去。他也没有事先跟当时的公司副总严晓青沟通，直接就在邮件里说，所有公司事务委托给严晓青。京东企业文化部摄影师孔轶申请跟刘强东一起去，给自己的妻子留了纸条，匆匆告别，吓得妻子抱着孩子哭。

5月14日，车队在北京集合，开了两天一夜，抵达绵阳。抵达绵阳的时候，发生了一段不愉快的插曲，那位中国汽车网的编辑自个儿撤了，他纯属作秀来的。车队的人觉得刘强东有管理能力，推举他做了车队队长，紧接着他们进入了平武县南坝镇，在那里待了足足半个月，拉伤员、运送物资、带着医疗队四处跑以防止疫情发生，吃的是夹生米饭，连洗脚的地方都没有，刘强东平时随便找个土堆一坐就睡着了，一有任务就马上起来干活儿。最危险的一次，刘强东和孔轶的车被堵在了路上，一面是山，一面是悬崖，山上石头滚落下来，只能眼睁睁地看着。

回京时，越野车全是泥水，脏兮兮的。又黑又瘦的刘强东，满脸胡茬子，一下车就和孙加明来了个拥抱。

刘强东为人耿直。那位半途溜掉的中国汽车网编辑后来接受媒体采访，吹嘘自己跑完了全程。这激怒了刘强东和他的队友们，返回北京聚餐的时候，他们叫上了这位编辑，刘强东告诉他：别的我就不说了，南坝镇的小学被地震震塌了，对不起，要你们汽车网和你个人出资建立起来。大家一片叫好，那位编辑灰溜溜的。

刘强东有一种特别的领袖魅力，富有感染力，这也许是天赋。有次在京东战略会上，大家讨论公司的难点，士气有点消沉，刘强东突然说："没有什么是我们做不了的，也没有什么他们就比我们做得好的，我们一定有京东自己成功的方式，我们一定要找出自己的路来，你们说的困难都不是困难，没有什么了不起的。"话虽朴实，却振聋发聩，他那股勇往直前的劲头一下子爆发了，士气得以提振。

很多优秀公司的创始人，并不是传统意义上的"好人"，他们往往颇具个性，棱角分明，对下属要求苛刻，没有达到他的期望值时，会用尖锐的话语刺痛你，用粗暴的态度伤害你，与他打交道未必觉得舒服，不像很多职业经理人，被一套职场规范培训得温和、有风度，与他相处如沐春风。矛盾的是，这些或多或少身上有着独裁者特性的创始人，又是富有领导魅力的人，很多人心甘情愿地跟随他，被他的光芒吸引。为什么？

他有远见，能够洞察商业趋势，能够快速反应做出一个接一个的正确决策，带着团队打胜仗，凝聚力是在一场又一场的胜仗里强化的。如果不能打胜仗，他对员工再好也没用，员工跟着他干，没劲，没有成就感。他能够给员工越来越大的舞台，能够让员工自我价值得到满足。

并且，他能够与员工一起，在打胜仗的过程中，分享成长带来的财富。刘强东说："员工跟着我，第一，他要信任我，如果他不相信我肯定不敢跟着我干；第二，要相信这个公司肯定能够成功；第三，要相信这个公司成功之后能够跟他分享成功结果。缺一不可。"2007 年第一次融资，今日资本进来之前，刘强东把手上 13% 的股份分给了员工，当时公司只有百来号人，估值 4 500 万美元。

刘强东说过，早年他就抓两件事，第一个就是用户体验，每天会花很长一段时间研究，看用户想什么，京东有哪些不足。第二件事就是关注自己的员工，要知道团队在想什么，他们在公司过得好不好。"你只要真心对待你的下属——十几年来，员工都知道我是诚心的，他自然会跟你说实话，你不糊弄别人，别人也不糊弄你。"

他去上海出差回来，就开高管会议，说员工宿舍空调不够，要求采购空调，没空调的就安排到有空调的宾馆去住。员工不是傻瓜，清楚老板把他当成是挣钱的工具，还是当他是兄弟。如果老板当员工是兄弟，员工肯定会当老板是兄弟。

2010 年年会有 200 桌，刘强东给每桌都敬酒。王笑松怕他喝多了，要他少喝一点，说可以把这个酒换成水。刘强东说你放心，我跟弟兄们在一起喝酒一定不会喝水。有一次吃饭的时候他忍不住问：刘总，您酒量真好，我看您喝酒从来没有喝多过。刘强东笑着说，你哪儿懂啊，我人前人后两个样，在你们面前我肯定不能醉，我得撑着，你们走了之后，你都不知道我醉成什么样了。

每次不管喝到多晚，喝了多少——刘强东往往是喝得最多的人，第二天早晨，他必然准时出现在公司开早会，到公司的前10名员工必然有他。这是无形的压力，老员工说，我喝多了难受、想赖床的时候，想到老板喝得比我还多，就会坚持不迟到。

1997年腊月二十八到大年初一，刘强东身上只有一块四毛钱，大年初一北京朋友请吃饺子，他从人民大学步行到体育大学，下着雪，吃了两顿饭，又走回家，坐公交车的钱都没有。他没有找父母要钱，因为在上大学之前他就决定了，大学时候不要父母给生活费。他说："已经决定的事不可以改变，如果你随随便便就屈服了，就会不断给自己找理由，没钱吃饭的时候会问父母要，没钱买书本的时候也会问父母要。"

刘强东在高压下喜欢上了沙漠越野，穿越沙漠既充满挑战的乐趣，又能让他释放压力，沙漠清静，没有手机信号，没有互联网，没有任何杂音；天是蓝的，满目黄沙，没有别的色彩，容易把心静下来。投资人担心他出事，他回答："我把握着方向盘，风险在我手中掌握。"

在这穿越沙漠的10多天里，他接不到来自高管的电话。"公司有清晰的授权模式，只要他们有足够的人事权和财务权，就能全权处理业务。"刘强东说。

他第一次穿越沙漠是在2008年5月1日，他的车陷入了沙子里，队友们硬生生地把车从沙里挖出来，所有人都累得不行，但没有人说什么，也不需要说什么。这让他体悟到，关键时刻还是要靠互助，人与人之间没有互助的话，很多时候是寸步难行。

有一次跟某个小家电厂商合作，对方要求预付款500万元，付款之后如果对方不按期给你货的话，就有损失了。王笑松有点忐忑不安，觉得一定要请示一下。拿着自己签字的付款申请单，去老刘办公室告诉刘强东。刘强东看了他一眼，不解地问他，付款单为什么让我签字呢？王笑松解释说，金额比较大。刘强东说，我有告诉过你，你的签字权限是多少吗？王笑松回答，没有。他说，那就行了，你可以走了。王笑松在那里发呆，刘强东有点不耐烦了：你签字，财务就给钱，不用问我。出门那一瞬间，王笑松觉得，士为知己者死，今后一定要更加努力地去把公司做好。"因为我觉得老板真的是把你当成自己人，就跟兄弟一样。那我就不能把自己当成职业经理人。我也真的是把这个企业当成自己的企业。我应该用尽自己所有的能力，无论是经验、精力，都要奉献给这个公司，把这个事业做到最好。”

管培生

‖ 贴地而行才能走得更好 ‖

2007 年第一次融资成功之后，京东招聘了第一届管培生。由于管培生培养成本高，刘强东花钱谨慎，只招了两名，第二年才招了八名。他认为管培生前两年基本是培训，成本很高，公司小，没法承担太多。后来，他吃到了节省人才培养成本的苦头，这导致京东高速扩张的时候没有足够的中坚力量，中层 70% 是招聘的，30% 是内部提拔的。刘强东不得不在 2013 年提出，要求未来 70% 内部提拔。他也不能容忍 100% 是全部内部培养，同质化的团队很可怕。

2008 年这届管培生的轮岗是最严苛的，冬天在仓库里做了三个月。京东人力资源部高级经理王珊那时每天早晨 5 点起来，赶第一趟班车到丰台百利威库房，坐车要两个多小时。晚上在仓库吃加班餐，忙到十一二点，再搭上库房的货车回苏州街，凌晨一两点回到家，和衣倒头睡下。北京冬天寒冷，零下十几度，站在库房里，寒气从水泥地升起，钻进脚底，渗进膝盖。哪怕穿着几双袜子、厚厚的雪地靴，也不管用。他们想出了一个法子，把废弃的泡沫板丢在地上，人踩在上面，算是保温层。

有一句话是“在京东，只有兄弟，没有姐妹”，这句话的意思是，在很多时候你自己会忽视，别人也会忽视你的性别。王珊是个女生，在来京东之前，她也没有想过自己会拉动地牛（手动液压车），将货物拖到指定好的货架处；也没想过自己会上蹿下跳，像猴子一样地上货。她以为自己绝对不能拉动地牛，事实上，到了现场不得不做，也做到了。

每个岗位都有考核项目，一次，王珊轮到了发票打印岗位，当时发票还需要手工输入、打印，指标是一天要完成 1 000 张，从早晨 8 点到晚上 12 点，王珊噼里啪啦地敲打着，还要核对信息，避免输入错误，她眼前全是文字在飘，思维已经麻木了，只剩下机械的动作。当天支援仓库的高管王笑松一直鼓励她，说你可以完成的。她回答，我连喘气的力气都没有了。

当时管理层也好，管培生自己也好，对"管培生"是没有概念的。仓库经理觉得管培生是临时可以用的劳动力，使用得特别充分，没有另眼相看，该怎么做就怎么做，还要求他们做得更好。这些管培生每天的烦恼就是，怎么把经理安排的事情做好。很多人问，你们是干吗的？他们不得不一遍又一遍地解释，是管培生。那些人又问，一来就当管理者吗？实际上，他们没有特权，可能比普通员工还要苦。

库房可能是这些管培生轮岗过程中印象最深的一段经历，这段经历之后，很多人对运营有了特殊情结。轮岗到后来，这些刚出校园的年轻人，都有点麻木机械了。每个人都知道不可能放弃，不知道未来还会遇到什么，如果你连这种都承受不了，未来怎么办？你刚爬到 3 000 米就放弃了，一定看不到以后的风景。

2009 年 4 月，为了筹备宿迁呼叫中心，已经定岗在人力资源部的王珊，跟着总监卓婕去武汉招聘员工，她第一次领略京东的出差风格：天亮的时候抵达武汉，把东西放在宾馆，就开始一天的面试工作，晚上才吃第一顿饭，白天靠饼干垫肚子。完成招聘之后，她被派到宿迁，借用经济开发区管委会 512 室做临时办公室，负责宿迁呼叫中心的装修。

这是她第一次独立做项目，每天一睁眼就发现有 100 件没有做过的事情要完成，压力大的时候恨不得躲在角落里哭。她根本不会看装修图纸，要现学现卖，当场拍板，卫生间要用蹲式的还是马桶？玻璃窗要怎么安装？所有的报价和落地工作都是她来做，她还要负责政府接待工作，当地喝酒是用分酒器一壶一壶地干，把她吓着了。为了不丢公司的脸，硬撑着，一晚上吐七八次。

王珊刚加入京东的时候，问过刘强东一句话：刚入职场有什么可教的？刘强东说："落地。你要从天上飘的状态，落到地上来，才能走得很好。"

刘强东说过，2008 年的管培生是成材率最高的一届，因为这一届是轮岗最扎实的一届，一线操作岗位全都干过。京东集团副总裁、华东区总经理余睿记得，他当初在仓库里轮岗，每天下班就开始骂骂咧咧的，"这个鬼地方，打死我再也不会来了，什么玩意儿，再忍忍吧。"

‖ 扛出火箭般升职 ‖

余睿是个胖小伙子，戴着斯文的黑框眼镜，其实行事风格彪悍，说话带着"匪气"，语速很快，连珠炮似的。你完全感受不到这是一位在香港中产阶级家庭出生、读过研究生的人。他出生于1982年，2010年12月，就升职为华中区总经理，年仅28岁，刚加入京东两年多，现担任华东区总经理。他是现有管培生中职位最高的，有管培生告诉我，余睿是管培生中的榜样。

熬过轮岗之后，定岗的时候，好多部门都私下联系余睿，邀请他到本部门工作，唯独物流部门不要他，明确地说，你读过大学，又是学法律的，还是香港人，不适合我们这个部门。余睿偏偏向刘强东申请，我还是想去物流部。

他心里也不清楚自己为什么这么想去物流部门，过了半年才明白，物流是京东唯一有机会带大团队的部门，自己最大的成就感不是来自职位高低、收入多少，而是来自努力工作，改变团队的生存环境。

2009年春节后，上海分拣中心乱了，刘强东找到余睿。

刘强东：能不能出差？

余睿：能。去哪儿？

刘强东：上海。什么时候能走？

余睿：明天。

刘强东：那你明天一早就去。

这段对话颇有京东风格：干脆利落，毫不拖泥带水，说走就走，说干就干。

余睿跟随京东行政管理中心营运采购部高级经理梁曼一起赶到上海，过几天，梁曼告诉刘强东，你让我回北京吧，余睿一个人就够了。临危受命，余睿一周工作7天，每天14个小时以上，一连几个月，有时连轴转，连续工作30多个小时。

当时团队人心涣散，余睿轮过岗，理解这些员工的心思，他每顿饭跟大家一起吃，创造跟大家沟通协调的机会，对员工一视同仁，不因受教育水平或者素质高低而区别对待。花费了一两个月时间理顺团队之后，就开始做排班，分早晚班。当时分拣中心已经从乱序恢复到正常，余睿不希望员工加班，只要到点就让员工去好好休息。

有位女员工是开发票的，当天轮到她早班，下午 5 点就可以下班，她过了安检出了仓库大门之后，又跑进来对余睿说："谢谢，我来京东半年了，今天是我第一次下班的时候还能见到太阳，天没有黑。"那一刻，余睿觉得自己的工作是有意义的，不是钱能够给自己带来的。

2009 年 6 月，北京仓库混乱，一个月里换了 4 个经理未搞定，眼看就要到"6·18"店庆了，仓库已经积压了不少货，6 月 3 日，余睿从上海调至北京，原来的经理变成了副经理，余睿担任经理。人事经理卓婕带着他去仓库，他在台上还未做完介绍，员工走了一半，你一个实习生凭什么领导我们？还有一群刺头在团队里捣乱。当时上面也有顾虑，如果把前任经理直接调走的话，怕出现团队不稳定的问题，若是余睿接下来搞不定的话，库房就会瘫痪。

等平稳度过店庆之后，余睿先找到有潜力的、愿意好好干的聊，将任务分配下去，接着召开会议，直接宣布大换血，将那些刺头的职权全都撸掉。"你别逼着公司做选择题，做选择题的话，你与我相比，连 1% 赢的机会也没有。"换血之后，团队基本稳定了。"你要赢，最为关键的是团队，两百来人的团队，各级管理人员各司其职，大家有凝聚力，愿意一起把事情干好，这是第一位的。同样人数的团队，成员积极和不积极，效果是两样。"

余睿认为自己做到了赏罚分明，也能为员工争取利益。为了让北京仓库平稳度过"6·18"店庆，刘强东问余睿需要什么支持。余睿希望刘强东到时候请大家吃饭。刘强东允诺了，并且提出按照 500 元一人的标准，给予激励，是发奖金，还是做团建活动，由余睿自行安排。

当时京东流程也没有那么严密，余睿直接拿着单子去找陈生强要钱，带回一包现金。他按照工作量分为三个等级发放，最好的能拿 500 元，一般的拿 100 元，分为 3 次发放完毕。"我从来不干简单粗暴的事情，你只要好好干，你的利益我就争取，你的后勤我来保障。"仓库通宵盘点，有些人就直接准备方便面、咖啡，钱也不少花，但吃的效果不好。余睿跟仓库附近卖早点的商量好，让他晚上 11 点带着工具到食堂做烧饼，员工可以吃到热乎的。这种事情多了，员工为什么不跟着你干？

2010 年初，上海测试库房自动化，为未来的亚洲一号做准备，如果自动化系统不经测试直接用在亚洲一号上，万一玩脱线了怎么办？结果一测试，瘫痪了，一单货都发不出去。华东地区已经占了全国 40% 的单量。领导找到余睿，余睿让上海的订单全转到北京来。领导问他，你行不行？余睿说，我保证这活儿我给干了。余睿回头对仓库团队说："兄弟们，平时看不出咱们有多牛，现在，露脸的时候到了。"接下来的一个星期，京东超过 75% 的订单从余睿负责的一个库房里出去。每天晚上，发往上海的货从北京仓库里拉走，再经由一天时间到上海分配至各个配送站。如果不这样做，华东就要瘫了，一个星期发不出货是什么概念？消费者会怨气冲天，当时京东体量也没那么大，要是 7 天发不出货来，口碑怎么跟人竞争？那时候在华东，京东与易迅竞争激烈。

2010 年 12 月，京东成立华中区。刘强东问余睿，华中给你行不行？余睿说，你只要相信我，我觉得没什么问题。刘又问，你在武汉长期生活行不行？余回答，那肯定行。

从华北大区将河南湖北划过来，从华南大区将江西湖南划过来，这四个省就成立了华中区。余睿开玩笑说，那地方肯定不好干，四个省里有三个是闹革命的。华中区最大的问题是，管理人员匮乏，有能力的会选择北上广以及沿海地区，留在当地的，就是希望干活儿能轻松点儿，这又和京东风格相反。郑州新开分拣中心，余睿凌晨 4 点钟就等在分拣中心门口，第一班货车按规定是 4 点半到，他来查看货车能否准时抵达。分拣中心的经理们，最早的一位是 6 点到，第二位是 8 点到。

‖ 在京东要学会沉浮 ‖

前三届管培生是幸运的，那时候的京东公司规模没那么大，刘强东将一部分精力投注在这些人身上，把自己早年创业失败的经历、现在管理过程中的思考跟管培生交流，但这些年轻人还未走上管理岗位，可能只能听懂三四分，后来再回味的时候才发现确实不一样。

那时候他们每周写周报给刘强东，有时候会得到刘强东的回复，年底也要写年终总结。当时有一句话是，防火防盗防管培，因为管培生有直接跟刘强东沟通的权力，会在周报上写出自己觉得是问题的地方，告诉刘强东。刘强东又会拿着这些问题，在早会上直接说出来，追责下去。这让部门领导难受，也让管培生得罪人，日子不好过。有些部门的管理者，对部门来的管培生有抵触心理，认为他们会打小报告，会给他们穿小鞋。

这跟管培生自己的心态也有关系，有些管培生把自己的身份当作特殊的光环，走路是扬着头的，根本不看人。有的管培生没办好事情，被领导叫去训话，"你牛是不是？瞧你办的事儿！"吃过亏的人，再也不趾高气扬，变成脚踏实地。不过也有管培生一直那么傲慢着，几年没有进步。

从 2010 年起，京东的管培生体系用制度规范、固化下来。前三届管培生没有淘汰制度，从 2010 年起，增加了淘汰环节，入职两个月之后进行考试，主管评分，管培生也互相打分。当时招了 80 名管培生，分成 10 个小组，军训 18 天，又在仓库轮岗 14 天，每个小组始终在一起，组员知根知底。淘汰的时候，既可以选择成为普通员工，也可以选择离职。

公司也给管培生制订了三年培养计划，一年一个阶段，按照主管、副经理、经理来，比普通员工有更多培训机会和更大的晋升空间。如果管培生没有达到既定目标，会有专人来跟他沟通，点出问题。后来，还从副总裁和总监层级选择出优秀管理者做管培生的精神导师，每个人带一到三个管培生，定期和他们吃饭，指导他们。管培生的绩效评估考核也放在了整个大体系里。2010 年的 80 位管培生，现今剩下 40 多位，有些人转成了普通员工，有些人离开了。

日用百货事业部个护化妆业务部高级经理刘培是 2010 年的管培生，一进来就加入 IT 采销部门——京东的 38 军。他的考核指标是现货率，如果 100 个产品里有 90 个是现货，就是 90% 的现货率。当时他负责的产品线，只有 35% 现货率，一个月后提升到 70% 以上，刚进公司一个月就得了夸奖。

2010 年 5 月到 2011 年底，刘培一直做助理，是部门里 7 个管培生中最后一个升为产品经理的。他个性内向，第一次和品牌方开会，特别紧张，光是领导和品牌方谈，自己一句话没说，会后领导批评他，开会你不说话，是你操盘还是我操盘？接下来的半年，知耻而后勇的刘培四处找人沟通，尝试跟着大家出去玩儿。2012 年，刘培飞速成长起来，同事都开玩笑说他没节操。他说，不豁出去的话如何养家糊口？

刘培执行力强，品牌商有时候提出活动方案，希望网站配合，有些人可能觉得方案要通过市场部、仓储部共同合作，沟通起来费劲，就会推掉。但刘培属于那种不惜力的人，该找市场部的就找市场部，该找仓储部的就找仓储部，他的管培生身份也帮了不少忙。品牌方就觉得京东反应快速，后期也愿意配合京东，给一些更好的资源。

2012 年，负责数码相机产品线的刘培，做卡西欧的自拍相机，拿了全国三分之一的货，为公司赚取净利润 5 000 万元，年底升职，开始带团队。

2013 年 11 月，刘培被调到京东日用百货。当时日用百货品类做得很差，洗护组月销售额 4 000 万元，在行业里排名第四，前四依次是 1 号店、聚美、乐蜂、京东（天猫未计入在内）。洗护组只有 5 个人，如何才能让销量翻两倍呢？他向领导要人，拿到了 11 个人的名额。

经他研究，洗护组的销售门槛实际很低，为什么在京东卖不好？因为曝光量不够，京东每月有活跃用户 4 000 万人，一个月在京东买三次东西，只要有 1% 的人买洗护组的产品，就有 40 万人，按客单价 80 元算，销售额也有 3 000 万元了。只要有曝光，销量立马就涨起来。他开始拜访各大品牌商，说服了宝洁先投 10 万元广告，效果不错，再投 100 万元，2014 年宝洁在京东投入 2 000 万元的广告。京东做"京东校园之星海飞丝"，就是刘培找宝洁拉来的赞助——600 万元。对于这些品牌商来说，只要广告投放的价值高于在传统媒体投放的价值，就愿意投。

2014 年 6 月，洗护品类的月销售额成为行业第一。刘培升职为高级经理。

这 4 年成长，刘培记得孙加明说的话："在京东，你一定要学会沉浮。该沉下来的时候一定要沉，该浮的时候一定要浮，不能让自己的心一直浮着，要忘记自己的身份。所以，我一直都忘记自己的身份。"

价值观

秦朔写《大变局》，提出一连串问题："中国有多少企业真正建立并实践了自己的核心价值观？有多少企业的员工具有持续奋斗的激情？为什么激情消失得那么快，敬业精神培育得那么难？为什么无力感、牢骚抱怨就像感冒一样容易传染？为什么大企业有官僚病，小企业也有小富即安、习惯经验思维的小企业病？为什么企业内部、总部和地方总是充满政治和人事斗争，导致企业内部沟通成本比外部更高？"

这书写于 2002 年，10 多年过去了，中国企业的管理水平已经上了一个台阶，但是对于企业文化的重视，很多公司还是停留在口号上，或者漫不经心。我曾经见过有家创业公司鼓动员工，要不择手段完成任务，创始人的想法是，快速完成业绩是第一位的，企业文化可以等到公司大一点，需要管理规范的时候再强调。

可是，这家公司忽视了一点，企业文化是从公司根子里长出来的，是最难凭空嫁接的。新系统的引进、新技术的吸收、新管理制度的确立，难不？难。但再难也难不过企业文化的修正。要让一个习惯不择手段的人，突然讲起诚信来，难于登天。要让一家从来没有"狼性"的公司突然从上到下充满狼性，除非把公司推倒重来一遍。企业文化可以升级、可以拓展，但它从来不会脱离原点。那就是，公司只有一个创始人或者三五人创始团队的时候为公司注入的灵魂。

价值观是生长出来的，不是规定出来的。很多公司的价值观只落实在纸面、贴在墙上的原因，因为老板说一套，做一套，高管看着老板如何做，中层看着高管如何做，基层员工看着中层如何做，上行下效。对于公司来说，给员工洗脑，洗出新的一套价值观是不可能的，那只能是表面的，嘴巴上认可的，没法触及内心深处。一个价值观能够保持一致的公司，是因为加入进来的员工本身就拥有相似的价值观，公司需要做的是创造出一个环境，一个让员工与公司价值观互相有共鸣的环境，一个让员工能将价值观坚持下去的环境。

价值观是建立团队的基础，共同的价值观能够使整个团队在讨论很多事情的时候变得简单，以价值观为判断的准绳，能够清晰战略方向，也让大家知道力量往哪儿使，在资源有限的情况下，把主要力量往哪儿投，哪些环节必须加速，哪些环节可以慢下来。

企业的价值观发生变形、扭曲、断层的话，团队扩张就会失控。

京东最早的企业文化，是刘强东自己编写的，包括诚信、合作、交友。2007 年到 2010 年，是京东的快速发展期，2007 年京东员工只有 200 多人，之后就是十几倍、数十倍地扩张。刘强东在创业初期就想到了，"最重要的是两件事，一是带好这个团队，企业文化不能变质。一是建立管理系统，管理系统跟人多少没有关系，30 人需要管理系统，3 000 人也需要管理系统，有了管理系统之后，你做到 500 亿，也不会出现大的问题"。

2009 年年会上，刘强东提出了五星管理法：拼搏、价值、欲望、诚信、感恩、坚持。这是京东人的个人成功哲学，或者说刘强东本人的成功哲学，他创业的时候，没后台、没背景，怎么做起来的？靠自我约束、自我提升，吸引团队，大家有着共同的理想去做一件事。

2009 年以前，京东的绩效考核主要是看业绩，刘强东意识到这种考核是片面的，需要引入价值观考核，他自己借鉴了通用电气的人才评价模型，搭建了框架：纵轴是业绩能力，横轴是价值观。价值观很好，业绩也很好的人，是金子；大部分员工是能力不错、价值观也不错，属于钢；价值观不错，但是能力差一点的，则是铁。有一种是能力很强，但是价值观不过关的，是铁锈。能力不行，价值观也不行的是废铁。

五星管理法

客户需求逼出极致用户体验

刘强东在两件事上有着非一般的偏执，一件是用户体验，另一件是诚信。京东价值观的核心是客户为先。在早期，客户主要指终端消费者，后来范围逐渐囊括了供应商等。

不同于纯粹的互联网公司，京东的用户体验链条很长，包括页面访问速度是否快，下单流程是否流畅，仓储出货速度是否快捷，如果遇到了问题售后能否快速响应等等。刘强东在这一块盯得特别紧，一直没有放松。京东的信息系统能从京东网站、外界的微博、论坛等抓取大量的评论，有问题的就分析是哪个环节出了问题，直接发送到相关总监，抄送给副总裁，一竿子插到底。

就像有总监给管培生做培训的时候，问的第一个问题是："你们觉得现在生意好不好做？"

生意机会始终存在，但客户需求不断发生转变。90年代的时候看录像带，2000年流行VCD，后来是DVD、蓝光，网络也从下载看到在线看。每一步转变都是新生意的诞生，也是旧生意的淘汰。如果跟不上市场的转变，那么公司就面临着被淘汰的结局。能不能跟上市场的转变，就看公司是否将客户需求的转变视作公司发展的动力。公司真正的竞争对手就是，能否跟上客户的转变，不断致力于提升客户的感受，在他想到之前先一步满足他想要的。

虽然京东一路成长，超越了新蛋、当当、亚马逊中国，与苏宁、国美作战，与天猫竞争，但是京东真正在乎的只有一个，那就是客户。

尽管现今京东是B2C电商领头羊，依旧要如履薄冰地对待订单，要有敬畏之心，考虑未来的发展方向。因为科技的变化，很多公司倒闭了，直接一击致命。如果京东脱离了敬畏之心，也会站在悬崖边缘。管理层必须有危机感，企业的长久发展要有自己的竞争力，这不是嘴巴说出来的，是大家一起坚守客户体验为先的原则，用每一份订单做出来的。满足客户体验和降低运营成本相辅相成，绝对不能少了哪一方。

运营部门是京东的优势领域，对采销起到了很强的支持作用。买手机的时候，需要从盒子里拿出保修卡，盖上保修章才可以保修，这在线下很好办理，但是在线上就麻烦了，京东和厂家合作也不深入，没法从厂家源头解决，又不可能让配送员随身携带保修章，运营部门想出来的办法就是，用不干胶做成质保专用贴，在收货的时候当着客户拆开包装盒，将质保专用贴贴在保修卡上，就行了。这个服务推出一年之后，同行才跟进。

有一次我在刘强东办公室等他，他穿着红色的配送员工服回来，解释说他刚刚去体验配送来着。他每年有一天亲自去送货，体验配送员装备、信息系统、操作流程上是否有什么不顺畅、不合理的地方。他也借此提醒自己不要忘记员工的辛苦，配送员骑着电动车，车上放着三个包裹，每个包裹十几斤。为了防止偷盗，配送员得背着包裹，左手拎一个，右手拎一个，带着四五十斤重的东西去爬楼梯。大部分时间，刘强东通过互联网看客户留言，直接跟客户沟通的情况比较少。他做配送员送货的时候，会问问客户的感受，对到货速度是否满意，对包装是否满意。

你必须把价值观落实到自己的日常行为中，用身体力行来标明哪些是正确的，哪些是错误的，如果你做到了，员工就会觉得价值观不是虚无的，而是坚守的底线。

例如，用户先付款后收货，可能货还没送到手又降价了。京东决定给用户做价格保护，用户没收到货的时候可以在网页上提交差价补偿，或者当面收货的时候致电客服要求差价补偿。一次，京东售卖iPad，结果遇到降价，和苹果协商能否给予补偿，没达成一致。如果京东自己进行差价补偿，就得赔300万元，那时候京东做苹果产品一年也就赚几百万元。管理层投票表决，只有一个人反对，因为国家法律没有规定必须做价格保护，从法律角度来说，京东完全可以拒绝。

早年，京东组织核心用户体验活动，邀请20位核心用户参观京东本部，再参观京东在丰台的仓库。这些核心用户是京东的铁杆，电脑DIY水平也很高，消费能力强，有很好的口碑传播能力。刘强东亲自带队，在京东办公室，他当面拍板，买笔记本打八折，用户非常激动，马上用办公室电脑下单。

他又向大家示范京东的操作系统是怎样的，在大巴上跟大家聊网站首页改版的问题，京东是如何花钱买服务器、提升访问速度、改善用户体验的。有位用户当场告诉他，京东架构有问题，没必要花费这么高的成本做，他马上记下联系方式，回头让技术部门的人联系他。

在一家公司发展前期，价值观往往有着特别鲜明的创始人色彩，的确，刘强东的价值观就是京东的价值观。

京东通信事业部移动业务部高级经理杨啓焜加入京东的第一个部门是产品管理部，京东以前对电商的理解是，把商品放在网上，挂上价格就行了。后来，意识到电商要跟客户进行充分的交互，如何让客户在看不到摸不着的情况下购买商品，因此有了产品管理部。杨啓焜的直接领导就安排他，你先注册京东会员，再买一件商品，对比一下中国所有主流电商网站，京东还有什么提升空间。

他发现，京东的商品详情体验不好，只有名称和一段简单枯燥的文字，没有办法让客户获得足够充分的信息，这样购买就会犹豫。杨啓焜就提出了第一版改版意见，优化商品详情。接下来几个月，他的工作就围绕着这个来做，负责所有商品的图片美化。商品介绍最齐全的地方是厂家官网，为了快速把官网信息用到京东上来，就直接截图，黏贴到京东网站上。结果，接到刘强东的问询，这是谁主导的？杨啓焜给他解释，他说：你没考虑一个问题，截图页面内容过大，用户打开过慢，怎么办？很多用户一打开，就看到多个红叉，体验很糟糕。用户几十万次、上百万次调用商品页面，也给京东带宽和服务器带来巨大压力。

本来这种事情可以通过技术部的人跟副总沟通，但是刘强东对这种细节性工作的高度关注，也让员工体味到，用户体验第一是什么概念。刘强东会直接转发网上的投诉帖子问，这是什么情况？售后人员常常晚上12点接到他的邮件，他直接下命令要求员工怎么去解决，售后部门员工被搞得很紧张，变成自己主动去网上搜索，先把问题解决了，不要等着老板催。哪怕是客户无理取闹，那也得按照"客户是对的"原则处理。最为核心的价值观就在这种一次又一次的敲打里融入基层员工的血液。

华北区售后服务部高级经理王党辉脾气不好，公司要求他做售后客服，他说自己的脾气不太合适。刘强东说，你做吧。有一次，客户要求退货，实际是不合理的要求，说话很难听，气得他浑身发麻，电话都拿不住，摔掉了。刘强东问他，什么事情能让人生这么大的气？他安慰王党辉，如果沟通不下去的话，就委婉地把客户电话挂掉，换一个人回电话。

2007年京东举办第一次网友见面会，高管都去了。结果，售后部只有两个人，这时客户跑到前台来闹，要求退货，可他不符合退货政策，王党辉跟他沟通，他就打砸东西。王党辉气得冒出一句脏话，话刚出口，就后悔了。客户说什么都不走，要他道歉。最后，赔了两三百元。

就是在售后部门里，王党辉把自己的棱角磨平了，后来有客户来闹事，把他西装给撕扯了，他也只是淡定地拍照片，直接报警，客户没脾气地走了。"京东现在的日子，跟原来相比，很幸福了。现在的问题，都不是问题。"

"用户第一"藏在细节中

对于电商来说，只有两个与客户发生现实接触的环节，一是配送，另一是客服。对于那些非自建物流的电商来说，客服是唯一的环节。

2007年，京东已经有华北、华东、华南三区，在北京、上海、广州三地都设有客服团队，人也不多，像北京就只有十几个人，办公条件简陋，跟采销部门在同一办公空间，电话此起彼伏，互相影响。由于业务急剧扩张，京东在宿迁建立呼叫中心，将北京、上海、广州三地的客服团队全搬迁至宿迁。

宿迁呼叫中心是2009年11月20日正式成立的，李绪勇是京东宿迁呼叫中心第一任负责人，2009年9月底有80人的团队赶赴到宿迁，先在上海培训一个月。刚开始的时候，京东利用宿迁开发区管委会办公楼做客服中心，来的时候就有员工想离开，一间宿舍有六张床，上下铺，只有光秃秃的床板，其他东西一概没有。这怎么睡觉呢？经理和主管与员工们同吃同住，不断安抚这些年轻人，员工才坚持了下来。公司到底好不好，不是看外面的宣传，而是从这些直接跟基层打交道的经理、主管们身上体会到的。

管委会办公楼周边吃饭的地方都没有，不通车，没有暖气，李绪勇第一年在宿迁呼叫中心过冬，把脚都冻坏了。原来京东客服总体接听率在50%左右，宿迁呼叫中心成立之后，刘强东给李绪勇设定目标，接听率达到96%，就全员涨工资。呼叫中心的100多位员工，个个像小老虎一样往前冲，吃饭都是急忙忙地跑着去，跑着回。12月，接听率达到98%。第二年，新的指标又给出，在"6·18"店庆之前将来电在订单总量里的占比降到28%。最高的时候，来电占比达到56%，也就是说，100个订单，会接到56个电话来咨询各种问题，客户打不通电话的时候会重新拨打，只要拨打就计算入内。最后，呼叫中心在期限前降低至27%。团队欢呼雀跃。

京东有一股"使命必达"的精神。刘强东曾经因为有业务部门的实际业绩只完成了预期目标的99.7%，而大发脾气。

呼叫中心新员工的第一堂培训课是，让他们闭上眼睛，听培训师用不同语调说：您好，京东很高兴为您服务。培训师问：听到微笑了么？员工回答：听到了。

我在宿迁呼叫中心见到京东全国客服中心宿迁分中心客服丁康。这个1990年出生的大男孩负责接听钻石客户打进来的电话，钻石客户一年在京东消费3万元以上，一般不会打电话，一旦打来就是比较难处理的事。

一位宿迁地区的客户，在京东上购买进口奶粉，第三方卖家通过韵达快递发货，7天未送到家，结果孩子两天没吃到奶粉。客户也知道京东没有办法处理这种第三方的快递积压问题，打电话来抱怨一通，就挂掉了。丁康自己通过快递单号找到韵达客服，事实是快递的确积压了，但管理上也有漏洞，客户催得比较急，直接向韵达总部投诉，结果配送员一看自己已经被扣分，就破罐子破摔，更不愿意早点送到，韵达快递员告诉丁康，你要让我自己送的话，至少三天以后，除非你让他自己来拿。丁康打电话给客户，提出建议：如果你信任我，我帮你取货。客户半信半疑，同意了。

韵达配送站距离宿迁呼叫中心 15 公里，呼叫中心 6 点下班，丁康骑着电动车于 7 点 10 分赶到配送站，找了 20 分钟才找到客户的奶粉包裹。8 点钟，赶到客户所在小区，她们一家人都在小区门口等着。天下着毛毛雨，回家的路才走了一半，电动车就没电了，丁康推着车步行回家。晚上 12 点，他到家的时候，接到客户短信：谢谢你，38794。

38794 是丁康的客服号。

什么是用户体验第一？这就是用户体验第一。

在呼叫中心，这样的故事比比皆是。

京东全国客服中心成都分中心在线客服庄菁菁 20 岁入职，一开始是高中毕业过来面试，呼叫中心人手缺口很大，就录取了她。上班之后，她的大学录取通知书也下来了。庄菁菁去大学待了一个月，发现学校生活跟她想象的不一样，又跑到呼叫中心上班，她觉得这边压力虽然大，但主管、经理人都很好，把她当作小妹妹看，客户可能会把她骂哭，但主管会给她温暖。

庄菁菁内心特别柔软，感性，她跟客户之间的联系特别有温度。央视有次播出问题奶粉的报道，很多人打电话来咨询这事，她就特别代入到妈妈角色，着急，天啊，人家吃了奶粉有问题怎么办呢？

有位亚马逊中国的忠实粉丝，有一套书在亚马逊中国上买不到，经百度搜索，看到京东华东区有卖的，但他本人所在地是华中区的武汉，当地无货。当时京东还是核心仓模式，不能跨区域发货，客户又非常想要这套书，就打电话给京东客服。按照公司流程，客服安抚客户，让其耐心等待华中区补货。可客户坚持要求客服解决问题，最后，这个电话转到了客户关怀。客户关怀部是京东的最后一道防火线，所有客户投诉、客户的疑难杂症都在客户关怀部截止。

庄菁菁接到了这个电话。她先告诉客户，我也是爱书的人，我能体会到你此时此刻失落的心情，我会尽可能地帮助你，客户就把电话挂了。然后，她用自己的账户下单，买了那套书。第二天，本来是庄菁菁的休息日，她 8 点就赶到公司，到自提点把书取了，又用 EMS 发给客户，每天用短信通知客户，书已经到哪里了。第四天中午，客户收到了这套书，发来短信说："也许京东的销售系统并不完美，但是你的完美服务弥补了这个缺陷，我想我没有理由不成为京东的忠实用户。"

庄菁菁的做法已经超过正常的服务流程，公司不支持跨区域调货，但她从自己角度出发给客户解决了这个问题。而很多客服觉得客服工作本身不能解决实际问题，只能找采销，催促着让华中区补货。庄菁菁的故事说明，通过主动服务，是可以给客户解决实际问题的。

在呼叫中心，你会遇到各种匪夷所思的客户。庄菁菁曾接到一个电话，上来就说我要投诉你们。客服接到投诉那是要死定了，她心里拔凉拔凉的。这位客户说，我们家小孩出生到现在4个月了，所有东西都在京东上买，孩子正在哭，不给解决这个问题，就投诉你们。

这实在是一个非常蛮横不讲理的要求，但庄菁菁却想，客户不到万不得已的地步，不会用这种方式找客服。原来这是位新生儿父亲，孩子由妻子全职带，结果周末在家，他把妻子和母亲都气得去逛街，孩子丢给他带，他才打这个电话。她就设想，是不是饿了？建议喂奶粉。

庄菁菁提醒他奶粉罐上有如何泡奶粉的说明，水要注意水温，不能烫了也不能凉了。喂奶粉需要抱孩子，他不敢抱，庄菁菁又安抚他说，没关系，你是孩子爸爸，你爱他。客户抱起来喂了奶粉之后，小孩儿不哭了，一放在摇篮里又哭。庄菁菁又分析可能是困了，让爸爸哄哄睡觉，但还是哭。最后她想，是不是该换尿不湿了？结果，客户找不到尿不湿，她又猜测尿不湿一般会放在床附近或者摇篮下面的储物空间，找到尿不湿之后她接着教客户，怎么换尿不湿。这通电话打了两个多小时。

两个小时足够接很多通电话了，很多客服没有如此好的耐心。庄菁菁却说："你们不觉得我很了不起吗？让一个不会带小孩儿的爸爸，学会怎么去带小孩儿，这就是客服最大的成就感。"很多事情看起来是平常的，就在于你赋予它什么样的意义，在什么样的心态下完成这个事情。这就是优秀客服和普通客服的差别。

付出必有回报

剪着短发、穿着一身绿色运动衫的京东集团副总裁兼IT数码事业部总经理杜爽看起来干脆利落，现任IT数码采销部副总裁的她2008年10月加入京东，从普通业务员做起来，开始做U盘、键鼠、路由器等产品的采销。键鼠价格低，几十元的客单价，杜爽是五毛钱、五毛钱地把价格降下来，就跟买葱一样，过几天抹掉0.5元的零头。她嘴皮利索，跟人沟通起来爽快干脆，中关村卖鼠标的柜台老板以采购金额在5 000元以下的理由拒绝送货，杜爽就跟他磨：大小也是生意，别限制金额了，中关村离苏州街这么近，给我送过来吧。供应商就骑着三轮车把货送来。

她负责的品类，在8个月时间里，月销售额从一两百万增长到2 000万元，因此她当上了部门经理。杜爽原在线下商超工作，擅长收堆头费，她的上级孙加明就安排她负责品牌管理，跟厂商谈广告合作，IT部门第一个不和销售额挂钩的纯广告投入就是杜爽谈的，50万元一年，不管产品卖得好坏，都得给50万元，当时厂商在京东一年销售额是200万元。

她没请过年假，也没请过病假，跟供应商喝酒，喝得颅内压太高，眼球毛细血管破裂，白眼球都红了。2010年10月到2011年10月，杜爽离开京东一年，也没有去哪里，就在家里待着，琢磨如何更好地做事、更好地做人。过去太拼了，忽视了很多细节，与身边人的交际有很多困扰。这一年，有厂家邀请她去工作，她拒绝了，也没有投过一份简历，她总觉得自己会是京东人。京东的同事也说，你早晚还要回来。在家待了一年，她回来了。

杜爽原来在商超的时候，是白纸一张，人情世故什么都不懂，公司内部竞争压力很大，没有人帮你，也没有人教你，得偷偷摸摸学习，不太敢问问题。在京东，刚来没多久，杜爽收到消费者对厂商产品质量的投诉，她让厂商直接联系用户。在一旁的同事听到了，告诉杜爽，公司不允许这样，你得先跟厂商沟通，再跟用户沟通。她犯了错，同事不会害她，还会帮她。

张奇原先是她的上级，他向孙加明推荐了杜爽，后来杜爽升职越过他，他也勤勤恳恳地帮助杜爽管理好团队，"你的本事，可以直接展现在业绩数字上，达到优秀了，就给你机会升级，跟直接上司平级，甚至升到更高级别。这种开放的胸怀，特别让我感动"。回到京东的杜爽，负责外设办公，这个部门已经连续半年没有完成业绩，团队士气低落，鸦雀无声。杜爽观察了三天，找到了解决方案，告诉大家我们将拿到激励包，京东对每个采销部门都有规定，销售超额多少就给予奖励，金额 100 万元、200 万元不等。当时连既定任务都完成不了，还能拿到激励包？但在杜爽眼里，没有什么不可能的事情，关键是能不能找到方法，给一个支点就能撬动地球，关键是把支点找到。

外设办公的团队底子不错，就是意志被消磨了，部门内部分为几个小团队，有的做得好，有的做得不好，做得好的觉得做得不好的拖了后腿。杜爽不允许团队内有负面情绪的传递，首先向大家强调，团队是一个整体，所有人目标保持一致，如果你有能力，就多做一点，以后得到的奖金多一些；遇到困难的同事，也不要放弃，你的努力和付出我都看在了眼里，绝不会亏待你。激发了士气之后，再从目标出发，倒推需要做的步骤，得和厂商要什么资源，内部该如何调整。杜爽斗志旺盛，感染了团队骨干，骨干的信心起来了，又感染身边的基层员工，就像涟漪一样，一层层地往外扩散。

刘强东在采销办公区溜达，问她：杜爽，做什么呢？最近生意怎么样？杜爽告诉他，准备进一款产品，价格给力，就是不知道进 2 000 台，还是更多一点。刘强东就说，没关系，你进一万台，我给你支持。她做得好坏，在业绩上反映出来，直接与实际回报挂钩。

过去在传统商超，杜爽工作上受到的最大伤害就是，没有透明的业绩衡量，老板说你行就行，说你不行就不行。杜爽尽心尽力地做，给公司创造的收入越来越多，老板反而不满意她的工作。后来她意识到，自己是得罪人了。在京东就没有这样的情况，她深深认同公司价值观里的激情、诚信。杜爽骨子里是好斗的人，喜欢带兵打仗，积极进取，永不放弃，若是指挥得当，取得胜利，会产生极大的满足感。

原来没有这样的外部环境把她骨子里的好斗激发出来，如果激发出来，那也是异类，与周围环境格格不入。就是因为干得不开心，她才寻求新生活。在京东，她发现自己天生就是吃这碗饭的，也越来越自信。刘强东是永不满足的人，杜爽告诉他自己做了 200 万元销售额，他就说，为什么不能做 400 万元？他永远会提出更高的要求，而杜爽会尽力想办法去实现他的要求，自我鞭策，赶着自己往前走。

2008 年 4 月，后来成为京东通信采销部高级总监的唐诣深加入京东。此前他在一家大型零售连锁店工作，没有人教他做任何事情，坐在那里也没有人帮他安排工作，他想学东西，看别人是如何下采购单、结算的，对方就把他支走，小唐，你去财务那里看看，款结出来没有？等他回来，人家的操作也完成了。在京东，就有同事一直给他讲，把自己手上的工作放在一边，先教他怎么用系统，如果不明白，还可以继续问。

唐诣深的前东家，白天不怎么干活儿，领导喜欢半夜开会，也不是严肃的会议，开开玩笑、聊聊天，在那里玩游戏的人不少。第二天就很多人找人代打卡。会议也很多，跟自己有关系没关系的会都要坐在那里听，什么事情都没法干，本来身为采销，不大可能总是坐在办公室里，需要出门去跟供应商谈事。文书工作也很多，每个部门都需要专人来做报表。

他在前公司做采销的时候，一个月3 000多元，每天晚上干到12点，公司不给培训，也不给予精神、物质的激励，干长了就觉得自己没有任何价值，不被人认可。他想通过升迁提高收入，可升迁需要送礼，总部领导不像分公司的人与厂家直接对接，能拿到实际利益，就用手里的人事权控制分公司采购人员的升迁调动来获得利益。在这家公司里，喊口号喊得嗷嗷叫，难道大家真的想着工作吗？想着怎么吃回扣都是摆在台面上的问题了。

刚刚加入京东的时候，他感觉自己来对了，电话不停地响，大家忙忙碌碌的，气氛热烈。如果都是没精打采的话，一看就是做不成事情。那时候，采销部门每天早晨8点半做到晚上十一二点才走，由于仓储系统落后，没法做好物料管理，每周采销部门还组织人到库房帮忙盘货。四五个人在仓库里手工盘点几十万张储存卡，点1 000张才记一次数。但这些年轻人充满激情，似乎永不疲倦。

唐诣深说："京东创业初期，为什么效率这么高？为什么在没有严格的监管机制下，员工能够合作得这么好？因为他们把京东当成自己的企业。京东大了之后，靠更合理的制度、更完善的体系来规范工作中的事，以前没有制度，就靠一腔热血、一颗雄心。从那个年代走过来的京东人，保持着初心，不光要考虑你自己，还要考虑到公司。判断自己在一个企业里是否有用，就看你是否为企业创造价值，你创造不了，换谁干都行，那你就没有任何意义。

"什么样的企业才会受人尊敬？要创造价值，要对社会创造价值，京东走到今天，没有利用法律、社会的漏洞，偷税漏税，也没有什么红二代、富二代的关系。电商的运营效率比传统渠道要高，以前买东西，需要 100 个人出行采购的，现在一个配送员就拉来了。提升社会运营效率，是为社会创造价值的，能带来就业，解决 7 万人的岗位，让他们学到技能，提高行业地位，还为其提供不同培训让他们继续进步，这是给员工的价值。

"从 22 岁的小伙子，到现在快 30 岁了，我最好的一段青春奉献给了京东。我对得起公司，每个行为每个想法都站在公司利益角度考虑，也觉得公司对得起我，无论是收入、股票回报，还是工作环境。我认识的人里，有在其他公司从管培生做起的，到现在 30 岁了，付出了近 10 年，工资也就那么一回事，没有股票回报，工作经验也就那样，自己都哭了。"

京东平台最大的好处，就是认可坚持和认真做事的人。京东图书音像事业部总经理杨海峰在出版社工作 7 年，兢兢业业，连升职都没有。来京东 4 年，是他成长最快的 4 年，他把以前的行业经验带到京东，获得了业绩，又在京东学到了很多，比如如何做运营、电子书。刚开始他只是图书部门下面的营销部门的经理，现在是图书音像业务部的负责人，他觉得京东不会让你白干，白吃苦，它很公正。

有人说，在京东干活儿是身在地狱，心在天堂。身体特别苦，特别累，但是心里舒畅，是为了自己的意愿而工作，就算熬夜到凌晨，也不是被谁逼着的。这是京东管理的精髓，跟京东的授权有关，公司充分信任员工，员工要为结果负责，员工的能力不会因为复杂的人际关系而被埋没。你有能力，愿意多做事，那京东肯定让你多做事。有成效之后，也会给你匹配的福利和平台，激发你的潜能。

京东的团队很年轻，都想做事，理念一致，个人很容易被团队里的激情感染，哪怕是有人想混日子、想捞好处也会被排除。如果是一潭死水的团队，就算个人有激情也会熄灭。京东一直在快速发展，速度很快，不断有新挑战、新刺激，激发人的潜力，热情很难衰减下去，员工会逼迫自己更快提升，抢占滩头阵地。如果业务停滞不前，一直做重复性劳动，激情也会减退。

京东发展的时候，这些年轻人也看到自己的专业技能提高了，能谈个好的价格，能刺激销量增长，成就感得到满足；发现自己跟原来不一样了，视野开阔了，接触的层次、创造的价值也跟原来不一样了，这让他愿意投入更多的精力去做。

人的本性是向善的，总愿意往好的方向发展，就看企业给不给他这样的土壤。如果给他良好的平台，人会有积极、正向的行动；如果平台糟糕，做出来的绩效不被认可，就有劣币驱逐良币的风险。

对腐败零容忍

在京东通信部门，有个故事说了 7 年：有位同事和供应商谈事的时候，手边摆放着一瓶水，是供应商买的。王笑松特意在这位员工身边路过，看他到底喝不喝这瓶水。第三次路过的时候，这位员工实在忍不住打开了那瓶水，喝了一口。事后，王笑松把这件事拿到会上说，批评了他。通信部门不止一个员工在接受采访的时候，又将这个故事转述给我。

严苛。这是我的第一反应。继续深入了解下去，我意识到，京东打击腐败的力度，已不能用"执着"来形容了，应该是"偏执"。这种偏执，源于刘强东对腐败的憎恨，而刘强东对腐败的憎恨，又源于他少年时代在农村里目睹的种种丑恶现象。

上初中的时候，刘强东遭遇了自己人生中最大的一次转变，他读小学的时候是班上最瘦小的男孩，到了初中个子像白杨树一样蹿得很快。初中是在镇上读，他借住在一位姓周的会计的办公室里，办公室里有《人民日报》、《新华日报》、《中国青年报》。

他最喜欢的是《中国青年报》，这份报纸在 1989 年前是中国思想先锋，报道了大量国外的生活。刘强东第一次知道国外的父母没有说要给孩子尽义务帮他买新房、娶媳妇的，孩子 18 岁以后要自己打工赚钱去读书。报纸上还讲了很多国外大发明家的故事、个人独立发展的故事，让他感触到崇尚知识、独立自主的精神。原本刘强东在农村里接受的教育是，美国人民还生活在水深火热中，需要去解救。从报纸上看到的故事，给他展示了另一个世界，让他觉得自己是井底之蛙。

但他在政府大院里看到的又是另一种景象：当时基层腐败非常厉害，完全在光天化日之下，没有法律来管。中秋节，全镇的村长都要开着拖拉机给镇政府的官员送礼，猪、鸭、鸡、鹅、鸡蛋、螃蟹、黄鳝、甲鱼等等，所有官员家属免费去领。每逢过年，镇政府的屋檐下都挂着肉。"朱门酒肉臭，路有冻死骨"，少年刘强东对这句诗第一次深有体味。村里的人是刚刚吃饱肚子，也就能吃点大米饭，连电都没有，也没有几件遮体的衣服。那时候从上海寄来的衣服是最好的，可以让孩子兴奋得三天睡不好觉。

他记得在某些政府官员眼里，人连畜生都不如。抗美援朝的老兵回村，有的只剩下一条腿，每个月5元的抚恤金，可连这些钱都没有下发。这些伤残老兵就蹲在政府门口讨要抚恤金，有位官员嗓门特别大，看到这些老兵就一脚踹过去，直接踹在脸上。这位官员如果晚上喝了酒，就会没事找事，哪怕你在家里打麻将，桌子上放了一毛钱也算你聚赌，叫联防队员抓到他房间里打，打得村民哭着喊着，亲爹爹，饶了我吧。

在刘强东的少年时代，高中的戚老师对他的影响很大。刘强东的同学也谈起，这位戚老师深刻影响了他们的人生观。戚老师人很正直，在走关系、送礼很常见的社会上是个"刺头"，因此被人排挤。戚老师的观点是，我没有能力反对你，抗争你，但我可以拒绝成为你的一员，尽管他的岳父曾经在教育部门，也是当地的实权人物，但他一直安静地教书，把孩子教好是他唯一的工作。在这些少年的眼里，戚老师个性洒脱，品格高尚，不论成绩好坏，对学生一视同仁。后来到了而立之年，他们喝酒聚会，又谈起戚老师，意识到在自己人生观形成的最重要阶段，遇到这样一位正直、优秀的老师是多么幸运的事，他教育了学生，人生而平等，老师和学生是平等的，每个学生也是平等的。

戚老师也鼓励他们考大学，以后从政。刘强东后来读中国人民大学社会系，也有这方面的因素，初中三年让他重新认识了农村基层露骨的腐败，村民为了当村长跑官，直接给镇里官员送现金，都是当着人面数钱。中央财政拨款，给五保户发棉衣，都要求拿钱来买，公开发卖国家救济品。

人大社会学系是最不好找工作的，可以跟人口学系相比。刘强东宿舍里的老大追求女孩子，对方说，你们社会学系的找工作都难，连房子都买不起，凭什么嫁你？刘强东也受到了打击，没钱连女朋友都找不到，自己得学技术。当时计算机是最先进的技术，他买了中国工业出版社、清华大学出版社的书自学。学会编程之后，他就给人做系统软件赚钱。在大学时期，他挣了20多万元，想投资自己的未来，决定创业。海淀图书城和人大西门之间正好有一家四川餐馆转让，这家餐馆饭菜做得好吃，人气很旺，利润不错。他跟老板谈了三分钟就谈妥了，第二天和女朋友用书包背着现金去交易。他不知道什么是产权证，也没有咨询律师，以为自己在北京有了落脚的地儿。

结果过了4个月，房东来催缴房租，他才傻眼了。难怪当时谈价格的时候，对方会报那么便宜的价格。

刘强东秉持着我对人好、人对我好的想法，提高这些员工待遇。餐馆20多名员工都留下来了，工资翻倍，每人送了一块一百来元的表。原来的餐馆老板让员工吃剩菜，他要求剩菜必须扔掉，员工伙食标准是两荤两素，每周还能喝几瓶啤酒。过了两个月，他觉得不对劲，原来一天三万多元、最低也有一万元的流水，变成了最高一万、最低2 000。餐馆采购的人要钱越来越多，他把自己赚的钱贴出去了，还向父母、小姨借了钱。有位40岁的工人实在看不下去了，提醒他，收钱的小姑娘跟大厨谈恋爱，把钱贪污了。

6元一斤的牛肉，能报账12元一斤，0.2元一斤的豆芽，报账是0.8元。刘强东规定肉类三天没用完就不能用了，本来一天能卖8斤牛肉，偏要进12斤牛肉，3天之后还能贪4斤牛肉。这简直是无底洞，刘强东最后不得不多发一个月工资，遣散员工，关掉餐馆，亏损几十万，欠债近20万。他非常伤心，我没有善待你们吗？没有尊重你们吗？

失败的时候，刘强东开始怀疑人性，媒体上也在讨论，到底是性本善还是性本恶，有人认为人生而性本恶，因为受到法律、道德的约束变好了；有人认为性本善，是社会的恶习把人带坏了。

1996年，他带着对人性的怀疑加入了日企：我没有做错，让你吃好了，睡好了，不查账，没有安插亲戚控制，为什么要这么对待我？你们也是农民，我也是农民的孩子，那是我连续几个月每天只睡两三个小时，编程赚来的血汗钱。

在外企，他先管理信息系统，通过信息系统研究公司管理结构，慢慢沉进去，他看到钱与物是怎么一一对应的，支出是怎么控制的，经销商是如何组织的。接着，他又被调去做库管，公司规定必须做过库管才能被提拔，没有把库房管理好，是不能升职加薪的。他管理床垫，三分之一的时间是住在库房里，干活儿干到凌晨一两点。经销商喜欢晚上来拉货，他需要先点好货，把货送上货车，再录入电脑。因为没有加班费，派遣工晚上不乐意来，他就自己干，一个人当 6 个人使。

管理库房的时候，他深切感受到外企的精细达到什么程度。给经销商发货的时候，要附送宣传单，有些型号送 5 张，有些则送 3 张，都是有规定的。每个月能发三四万张宣传单，盘点的时候，误差不能超过 3~5 张。日本人说，只有你们中国人才有误差，我们叫错误，不对就是不对，哪里来的误差呢？

刘强东才彻底明白，第一次创业失败是自己的错误，通过系统流程的管理是可以解决员工贪腐问题的。他对餐馆员工没有任何管理，单据没有编码，如果有编码，就不敢扔掉，否则对不上号。

这个思想指导了他在京东的管理，也搞得当年大家很痛苦。一般公司的首席执行官在管理上有想法，就变成制度，通过宣传让大家知道，再执行。刘强东是有想法，直接找技术部门的人说，做成流程中的环节，直接嵌入到系统里，让员工只能按照系统规定去做。2007 年，京东员工 200 多人，像这样体量的公司，很多公司还没有系统，纯粹靠人来管理、执行，也能撑起规模。刘强东想干什么就一定要固化到系统里，把想法通过系统传递下去。例如，拣货环节有人会偷东西，那就在系统里加上扫描环节。

这样弄得管理成本很高，虽然从长远来看，迟早要走到这一步。可在当时，成本高，下面的人用着也不痛快。系统的能力没法设置各种复杂的环境，无法考虑周全，为了解决一个问题，就生硬加上一个环节，如果是通过行政手段去推广，没考虑到的地方可以变通，但在系统里就不行。

如果能够通过正当工作获得收入，有足够的晋升空间，收入递增，同时公司管理严格，没有宽松的土壤让贪腐滋生，有正道不走，谁愿意走歪道？公司也能把腐败控制在最小的范围里——毕竟，没有哪家公司可以完全杜绝腐败。

刘强东说："如果公司怀疑你贪了 10 万元钱，就算花 1 000 万元调查取证，也要把你查出来，把你开除，有人说这是报复心态。不是我狠，因为你做的事情完全违背了我的价值观，颠覆了我的梦想。我小时候看到贪污腐败对人性的不尊重、对人们的不平等，令我震撼，让我一辈子都不能容忍腐败。我不能做，也不允许你们做，除非你们离开公司。"

采销历来是贪腐的重灾区。京东采销有定价权、采购权、结算权，定价权很大，在系统里改个数据就行了，交给公司的是销售和毛利两项指标。当时不觉得有什么，现在想起来，估计京东管理层背后会冒冷汗。幸亏京东企业文化做得不错，没出大问题。刘强东每个月开会都传播自己的理念，大家相信跟着刘强东是有前途的，不需要通过歪门邪道去获得收益，踏实工作创造价值就有更美好的明天。

刘强东也确实愿意跟人分享，老员工都有公司的干股，那时候大家没有任何概念，觉得都是废纸，但至少觉得这是值得跟随的老板。京东的发展初期是信念支撑着这些人前进，公司前途会怎么样，谁能说得好？

现在采销流程严密多了，所有的环节都监控起来，采购价格会做审核，必须厂家公函确认，销售价格，也需要对方确认，中间的利润空间是透明公开的。如果要调价的话，需要让厂商发函，提交到系统里，部门经理审核。

以前对账结账，是采销直接提交订单，财务看到订单就结账，没有备案信息，结账完毕如果有问题，没法查找。后来梳理对账流程，要厂家发送确认函，做好对账单，盖上公章，京东收到后再做结算。京东系统更完善之后，就将合同录入系统，通过系统进行结算，走审批流程。

完善流程、建立监督机制都是皮肉，真正的骨架是文化建设。刘强东认为，一是要树立合法致富的共同价值观。二是要建立和员工分享财富的机制。在京东工作5年，员工回老家在县城能买到房子。三是人为的权力或多或少会产生腐败，因此要让系统、技术来解决问题：例如排名、榜单等。不要让员工变成裁判员，员工是捡球的服务员。最重要的是，上梁不正下梁歪，管理层要以身作则，洁身自好。

团队里得警钟长鸣，工作中也要有警惕性，管理层的人做采购做了十几年，从部门走一圈，看看大家的工作状态，就能感觉出来是否有问题。公司也得建立好培养体系，京东很多采销的骨干人员毕业就加入京东，白纸一张，京东给了他们很多机会，不需要走捷径就能光明正大地买房子、车子，光明正大地活在世界上。吃人嘴软，拿人手短，拿了供应商的钱，采销就无法公正公平地判断产品、价格的好坏，心里会有莫名其妙的压力。供应商能给多少钱呢？几万元、几十万元？为了这些钱毁掉自己的职业生涯，投入产出比太差了。因为第一份工作就在京东，所以养成了这样的价值观，但在一家睁一眼闭一眼的公司里，可能就不这么想了。

在京东，再小的贪腐，也是红线，踩了就意味着在京东的结束。京东有过为 10 元钱开除人的案例。在刘强东那里，所有的欺骗行为都不允许，找人代打卡，或者打完卡后外出办私事都算诚信问题，有一个开除一个。

吃回扣是社会的普遍现象，但刘强东绝不容许。大家电部门曾经出过严重的腐败问题，他不管不顾，不去考虑开除人之后，业绩受影响怎么办，宁可业绩受损，调动其他部门去支援，都要清理整个部门的问题。

京东和所有合作伙伴签订反腐协议，发放反腐手册，留下举报的联系方式。按照京东规定，员工可以跟供应商吃饭，但是必须跟行政部门、直接上级备案。有大家电供应商向京东举报，当地某位大家电仓储管理人员，跟另一家供应商吃饭，查实之后，发现的确吃了大排档——几十元的螃蟹粥，照样开除了。部门被罚款 5 万元，作为举报人的奖励。

2007 年，京东就招聘专门的监察人员，养人反腐。给公司造成重大损失、行为恶劣的，就直接报警，该送哪里去就送哪里去。有的甚至是离职之后，被发现，被抓捕。刘强东在这方面是赶尽杀绝，绝不容情。够不上立案标准的，就辞退，公司有内控合规网站，一直将黑记录保留，犯罪成本很高。有段时间，内部提到监察部是谈虎色变。

京东集团内控合规部副总裁李娅云直接向刘强东汇报。这个部门人员很少，也就 10 个人，其中有两个是专门做培训、宣讲的，对于高风险部门（行政采购、商品采购、配送部、备件库等），每年要做两次培训，讲清楚《刑法》的规定。他们还需要去每个大区，给供应商做培训，很多供应商并非乐意行贿，而是因为社会风气如此，不得不行贿，如果不送礼，是不是就不会照顾我的生意了？有人给业务员充了 100 元的话费，这可把刚加入京东的员工吓着了，赶紧跟领导聊，领导建议返回去。每逢节日，供应商都会送礼，所有礼物都要上交给行政部门。有总监遇到过，供应商向他暗示，如果生意顺利做下去，就给他30万元，他明确地说："老哥，该怎么正常合作就怎么推进，如果再这样说，我们就别合作了。"监察部给供应商做培训，供应商是通过评估价格、服务质量挑选出来的，送礼没用，反而会被拉入黑名单。

若是审计部门内审发现疑问，监察部就配合调查。因为京东授权力度很大，有的采购金额高达一亿元，也不用刘强东签字。

最震慑京东员工的，就是警察上门带走涉案员工，每年大概有三五起案子。最轰动的一次是2013年，涉案金额300多万元。那是IT部门的经理周某，他做笔记本，附送散热器。散热器一般采购价格是20多元，他进价57元。有人匿名投诉，未指名道姓，监察部根据信息调查记录，查到了周某头上。一切调查都秘密进行，只有刘强东知道进展，不到一个月破案，警察上门的时候，监察部直接指派一人去指认。周某本来是重点培养的员工，当时部门上级交接，有部分员工调去其他部门，团队有些动荡，这才让周某钻了空子。本来部门有机会完成年度任务，组织员工周末一起去看电影，消息传来，大家一下子都傻眼了。供应商那边也抓了两人。最后，周某被判刑5年5个月。

按照公司的ABC原则，C违规被开除，B（C的上级）和A（B的上级）都要记过，如果记过两次就要降级。如果上级发现异常，主动报告，可以免责。有次做促销活动送iPhone，有员工将中奖名单换成自己妻子和朋友的名字，他的领导感觉不太正常，让监察部查一查，最后把iPhone追回来，人则开除。

近年来，京东的反腐力度大，举报的数量越来越少，主要通过数据分析主动调查。例如有些品牌广告植入价值500万元，你才收了200万元，肯定要给予合理解释。

这个部门挺考验人的心理素质的，也有人身安全的威胁。2014年，京东报警抓捕的有三人，其中两人的妻子怀孕，跑来下跪求情，虽然李娅云她们没有做错，但是面对这种情况，内心也很煎熬。李娅云还收到过来自电话、短信的人身威胁，京东安排了特警出身的员工给李娅云，李娅云则希望把他培养成调查高手。有被开除的员工直接找到李娅云家，哭着求情，狠狠吓了她一跳。对方哭得可怜，但也得秉公办事，她说："他还很年轻，人生还长，摔一个跟头未必是坏事。"

第三部分

....

2011~2015

到 2010 年底，京东已经拥有员工近 8 000 人。此时，中国网民规模已经达到 4.57 亿人，其中手机网民规模达 3.03 亿人[①]。

也是这一年，京东将公司办公地点从银丰大厦搬到了北辰世纪中心，位于北京北四环，与鸟巢和水立方毗邻。这在京东历史上是微不足道的事情，却让员工深切感受到，京东是家正规的大公司了。

当刘强东买下银丰大厦 1202 室时，他向孙加明他们炫耀，这里自来水可以直接喝，多好。京东在银丰大厦办公整整 8 年，这个地方被后来的员工疯狂吐槽：电梯是坏的，常有女员工被关在电梯里叫男员工帮忙扒开门；卫生间永远排队，需要踮着脚尖踩过满地的污水；电脑后贴着蟑螂贴，早晨得把杯子洗三遍才敢用。

银丰大厦见证了从京东多媒体到京东商城的历史。北辰世纪中心的物业一开始怀疑京东能否付得起房租，到 2014 年，京东租下北辰世纪中心整整 6 层楼，每层 6 742 平方米。每天，北辰世纪中心的星巴克、赛百味到处是挂着京东工牌的人，他们热烈讨论着问题，或者敲打电脑。20 多岁的年轻员工老练地跟三四十岁的供应商交流，半小时谈完一个，就换下一个。

2013 年 3 月 30 日，京东公布新的 logo——一只微笑的、泛着银色金属光泽的、名叫"Joy"的狗，域名也从 www.360buy.com 切换为 www.jd.com。"商城"两字被去掉，京东商城变成了京东：这意味着京东不再限于一家零售公司的定位，为未来做金

---

① 来自中国互联网络信息中心（CNNIC）统计数据。

融、物流、云计算留下了可想象的空间。公布新logo的时候，京东公开公司现有规模：100万平方米仓储面积、600亿元年交易额、3万名员工、数千万商品和数千万活跃用户。

京东扩张的速度令人惊讶，对手也跟着升级换代。此后，京东饱受诟病，资金链断裂的传闻一直没有断过，尤其是在2012年8月发起大家电价格战之后，传闻更是甚嚣尘上，有供应商找上门来要求结款，那段时间被投资人视作京东最危险的时刻。2013年1月15日，京东集团公关部副总裁李曦加入京东，她上网搜索相关信息，"京东资金链断裂"有614万个结果。

虽然京东负面新闻缠身，但是在融资的路上是一路狂奔，从2011年到2014年5月上市前，京东融资金额累计20.26亿美元，股东名单上有今日资本、雄牛资本、老虎基金、高瓴资本、DST、红杉基金、凯鹏华盈、加拿大安大略教师退休基金、腾讯等等。

上市，让刘强东给了投资人一个交代，也给了员工们一个交代。2012年3月，胡纯加入京东，担任华中区财务经理。最触动她的地方就是，加入之后，她就签了期权协议，当时觉得是废纸，签个字而已，结果IPO之后真的有收益。她原来在一家全国家电连锁零售公司工作，辛辛苦苦做了6年，什么都没有。华中区有位老员工来得早，大家都喊她"富婆"，"在京东体现了公平，你认真干活儿，努力付出了，就有回报。"

胡纯在以前的公司，总部随时派监察的人在卖场便衣巡查，高压之下避免不规范的东西，但是后来变味了，变成了在厕所里抱怨领导两句，都会被拎出来。在京东，做烦了，发发牢骚也没有人来打小报告。她说："武汉有句俗话，家鸡打得团团转，野鸡打得满天飞。家鸡养熟了，怎么打它，它都围绕着你家转，把这里当家了，斥责它，还是会回家。野鸡就是道不同不相为谋，你打它，就直接跟你拜拜了。"

京东上市路演主要是首席财务官黄宣德的事，除了需要刘强东签字以外。京东商城首席执行官沈皓瑜从2014年5月12号开始，全程参与路演。总共路演时间不到8天，资本市场反应不错。需求大大超过IPO募资额的数倍，最终定价每股19美元，高于路演前申报的16~18美元区间。

2013年9月，黄宣德加入京东，担任首席财务官一职。黄宣德风度翩翩，气质儒雅，有着IPO和管理上市公司经验，在他眼里，刘强东说话简单，不会绕弯，要做一个完全没有灰色地带的企业。

那时候刘强东认为上市还不着急，2015年更合适，京东现阶段策略还是以投入为主，而上市就要看财报了。黄宣德也认为，不如继续私募。但是2013年第三季度财报出来之后，大家发现这是一个增长靓丽又有盈利的季度，从业绩角度来说，京东已具备上市的条件了：有了盈利的历史，就足以证明你有能力盈利，尽管你给的预期还是不盈利。

当时，阿里巴巴寻求在香港上市受阻，京东不愿意跟阿里巴巴撞车，打算等其先上市再IPO，但阿里巴巴一再推迟上市日程，京东若是等着别人的节奏，则非常被动。2013年10月，黄宣德与华兴资本的包凡和美林的投行高层几度商议京东上市的时机，11月，黄宣德给刘强东做了一个启动IPO的利弊分析，刘强东决定提前启动上市。不过由于美国证券法的要求，对外始终不能提及IPO的启动事宜，只能低调行事。由于2012年为IPO做过一些准备，所以文件有较好的基础，团队在两个多月时间里完成了上市申请的各项准备工作，于2014年大年三十晚上向美国证券交易委员会提交了首次申报。

这个消息扔出来，真是重磅炸弹，出其不意。这个时间点的挑选，很有可能是防止竞争对手公关搞事，让对手措手不及。可以想象多少财经记者在当天晚上诅咒京东，手忙脚乱地准备稿件。

华兴资本是京东IPO的承销商之一，也是腾讯入股京东时京东一方的财务顾问。2008年，华兴资本董事长兼首席执行官包凡就认识了刘强东，当时京东在融资，但是华兴判断风险有点大，未促成合作。包凡觉得刘强东有强烈的信念，有霸气，能够做成大事，也讲义气。2010年，华兴再次与京东错失合作。直到2011年，华兴促成了俄罗斯投资公司DST投资京东。包凡花费了4年时间盯着一个人做买卖，"事实证明这是对的，找到靠谱的人，就能找到巨大的商业机会。你选对了人，就要不惜代价，哪怕花费四五年时间去盯着他。刘强东能力强，又讲义气，先做朋友再做生意。有的人能力强，但是利益当头，跟谁都只是做买卖，我也不会跟他深交。反过来说，一天到晚想着钱的人，也成不了大事。"

这些年，刘强东相当于挖坑，挖一个巨大的深坑，自己跳进去，做全世界最难做成的事情，也不知道自己能否干成，坑挖出来了，就开始往上爬。如果有人要来竞争，跳进坑里的话，他就再拿钱把坑挖得深一点。京东在不同阶段测算过，若是对手要超过京东得花多少钱，新蛋当初能够融5 000万美元，胜负就不好说了。2011年，京东融资10多亿美元，谁还敢对着烧10亿美元？但是，坑挖得深不算牛，爬出来才算牛。

对刘强东来说，最大的压力还是来自内部管理。4年时间，京东从1万人扩充到7万人，业务横跨电商、物流、金融等多个领域。过去30多年是中国高速发展时期，发展掩盖了所有矛盾，对公平的追求让位于对效率的追求。电商也一样，发展是第一位的，效率是第一位的，其他跟这个有冲突的问题都放下。像奇迹一样，京东短短几年成就了一家交易额2 602亿元①的零售巨头。奇迹的背后，是一团一团的问题。在增长取代一切的前提下，每年100%到200%的增速将很多矛盾掩盖了，这些矛盾早晚会呈现出来，必须去弥补。刘强东在这一阶段，必须补上落下的功课，两手都要抓，一手抓增长，一手补足短板。

站在2012年的时间点上，电商已经迅猛发展10年，占社会零售总额的5%，增速会放缓，变成常规化增长。过去10年，电商从生地做成了熟地，生态圈成熟了，要从拼命追求规模，转向追求运营效率。

草莽时代已经过去了，机会主义者必然被淘汰，接下来是精耕细作的时代，谁能够在精耕细作上做得更优秀，谁就能称王。

京东有三把刀，第一把刀，砍向"价格"，帮助用户将商品价格砍低。

第二把刀砍向"成本"，京东和传统零售企业相比，消除冗长、低效率的供应链环节来降低成本，而自身的成本管控也非常严格。京东的钱是按照分、厘来计算的，原来仓储作业拿着RF枪（数据采集器），还拿着面单。面单是指用纸将订单详细信息打印出来，最早用A4大小的纸，改成原有一半大小，就下降约43%的成本，等到直接取消面单，实现无纸化之后，每年节省成本近一亿元。

---

① 数据来自2014年财报。

第三把刀，砍向"思想"，凡是没有站在消费者角度考虑问题的思想都要砍掉。刘强东的逻辑是，以客户体验为起点，倒逼管理者改进内部流程，而不是以公司成本、利润为起点去思考问题。如果消费者需要，就必须解决，管理者烦恼的成本，那是你们的事情，你们自己想办法解决。

2012年，华北区和东北区配送负责人扯皮，华北区有一车货没有按照规定打标签，发到了东北区，东北区按照规定，退回华北区。刘强东在晨会上说，你们扯来扯去，有没有想过消费者的利益？东北区配送负责人当场下课。京东配送部车辆管理部总监原巍临危受命，中午就调到沈阳去担任东北区域配送总监，一直做到2013年5月。

为了保障客户体验，京东购买奔驰车头，100多万元一个，是普通车头价格的4倍，因为质量稳定，很少出问题。从北京到内蒙古的路上，一路多为拉煤车，奔驰车头拉着涂刷白色字母"JD"的红色车厢，奔驰而过，特别显眼，有的人还拍照放到网络上来。

研发部门在研究用户体验上的升级换代，正是京东土枪换洋炮的一个小小缩影。

2010年以前，京东研发部门去自提点做用户调研和访谈，以积累用户体验的第一手资料。京东最大的自提点在银丰大厦一楼，有些用户在那里操作电脑下单，产品经理悄悄站在他们身后，看用户怎么使用京东网站，在哪里停顿，在哪里出现操作错误，观测用户的反应和后续行为。

2011年初，京东研发部筹建京东用户体验室，由3个房间组成，分别是访谈间、测试间和观察间。访谈间用于焦点小组访谈，6到8位用户围坐在一起，由主持人引领进行讨论。测试间模仿家居环境，让用户在轻松氛围里完成在京东购物的一系列动作，通过电脑和瑞典TOBII公司生产的眼动仪X120记录用户鼠标操作和眼动数据。观察间则安装单面镜，产品经理通过单面镜观察用户操作，实时观测。

用户体验室的建立为2012年京东改版奠定了基础。2011年下半年，京东启动前台网页改版，目标是展现京东综合商城的形象，同时提升美观性，吸引更多女性用户的关注。

交锋

大家电是最能体现京东成长速度的。2011 年，大家电开始发力。原先大家电的运输归属配送部，这一年归属仓储部门，进行仓配一体化的物流建设，接下来每年建设8 到 10 个大家电仓，从 7 个城市扩张至 40 个城市。

此消彼长，京东大家电销售额的增长，是对苏宁、国美领域的侵袭。过去 10 年是中国连锁零售业的黄金 10 年，2005 年苏宁电器拥有 224 家连锁店，营收 159.36 亿元，净利润 3.51 亿元；2012 年，苏宁电器共拥有连锁店 1 705 家，营收 983 亿元，净利润 26.82 亿元。

连锁零售业的黄金 10 年，更是中国房地产的黄金 10 年。中国的商业地产绑架了连锁零售业，2005 年苏宁电器毛利率是 9.68%，2012 年则是 16.93%，但是净利润率却变化不大，中间很大一块被店面成本给吃掉了。连锁零售公司通过各种方式挤压上游厂商的利润空间来获得利润。连锁零售业沉重的成本一部分转嫁给上游厂商，消费者没受益，厂商没受益，包括连锁零售业自己也没受益。[①]

美国线下零售发展成熟之后，才出现了电商。中国电商是跟中国线下零售同步发

---

① 数据来自苏宁云商（原苏宁电器）2005 年及 2012 年财报。

展的，连锁零售业刚迎来自己的巅峰没有几年，就面临电商的挑战。2012 年 8 月 15 日，京东向国美、苏宁发起大家电价格战，这场闪电般的突袭，后来变成了线上线下零售商们对京东的群殴。群狼环伺，京东颇有一段狼狈的日子。从后来的发展来看，"8·15"价格战是中国电商史上值得书写的一笔。中国电商公司跨出了互联网圈内部的热闹，引起了社会广泛的关注，与中国连锁零售巨头的交锋，让中国零售业相关利益方感到了变革的利刃那森森寒气。

战争的逻辑

像萨拉热窝的枪声，刘强东的一条"京东大家电比苏宁、国美连锁店便宜 10% 以上"的微博，挑起了这三家之间的"世界大战"。

2012 年 8 月 14 日上午，京东会议室，20 多名高管如众星拱月般围坐于刘强东两旁。20 分钟之后，会议结束。京东分布于全国 18 个城市的大家电仓库开始紧锣密鼓地补货。当晚，按照刘强东的要求，除了尚在美国的首席运营官沈皓瑜，其他高管均停止休假，到岗。而刘强东开完股东电话会议，与大家电部门同事合影之后，10 点多钟就离开了公司。

15 日凌晨，沈皓瑜在首都国际机场落地。上午 9 点，京东、苏宁、国美之间的价格战打响。

16 日下午两点整，北京北辰世纪中心京东办公室，一间会议室的玻璃墙上依旧贴着"打苏宁指挥部"——成立指挥部、敢死队，本是实行半军事化管理的海尔的作风，后来被传统行业给学去了，刘强东从中关村站柜台卖光磁产品起家，身上保留了浓厚的传统行业作风。外界因价格战喧嚣一时，这里却像台风眼一样平静。

"8 年来，我们天天跟人打仗，没有战争，团队都要蔫了。"刘强东说。这位面容严肃、身姿挺拔、有着军人气质的创业者，从 2004 年转型电商开始，短短 8 年，将京东商城做成中国自营 B2C 老大，2011 年交易额超过 300 亿元。2012 年，他向在大家电行业耕耘 20 余年的中国线下零售霸主苏宁发起了冲击。

刘强东的办公室约 200 平方米，铺着浅黄地毯，摆着棕红屏风。在零售业，供应商最看重排场，它意味着实力。长约 3 米的老板桌上摆着儿子的照片，以及 "Wen Xin Ti Shi: English Only" 的告示。他在学英语，2012 年春节期间在哈佛商学院上了 40 多天的课。

"三年前就知道一定会跟苏宁打，只是什么时候打不知道。" 刘强东说，他声音厚实，中气十足，略带鼻音。8 月 15 日当天，开完 20 分钟的晨会后，整天没有人来找刘强东。他就发微博，一天发二三十条。"战争一开始，我发现所有事务都井井有条。"

京东的挑衅激怒了对方，苏宁易购团队平均年龄是 23 岁，恨不得拎着板砖上。战火立即蔓延，苏宁易购、国美、库巴网、当当都加入混战。史称 "8·15" 价格战——一场值得记入电商历史的价格战。这场价格战的时间点选得很微妙。8 月 8 日，苏宁易购召开新闻发布会，宣布 8 月 18 日将进行三周年店庆促销。

2010 年下半年到 2011 年下半年，赴美上市的中国电商公司当当、麦考林等表现不佳，加上欧债危机、中概股 VIE（可变利益实体）风波等问题，美国资本市场对以亏损换规模的中国电商企业犹疑，给出的估值比较低。从 2011 年下半年开始，风险投资对电商企业关闭。2012 年 6 月，涌入电商的新用户增速大幅下降。过去 10 年，电商以 100% 的速度增长，是中国经济增长与互联网人口红利的结果。在经济萎靡、人口红利消失的当下，因资本市场与互联网人口红利而高速发展的电商增速放缓，走向常规化发展，这意味着为了抢更多的市场份额，竞争加剧。怎么办？没有更好的办法，战争的逻辑就如此成立。

京东在上市之前需要追求成长性。投资人看销售额、市场份额、毛利率，但最看重成长性，要顺利 IPO 的话，京东必须保持高速增长。2012 年京东的目标是 450 亿元，压力很大。它赖以起家的 IT 品类已经做到了极致。图书整个市场本身的量太小，百货品类价格低。虽然京东平台业务在发力，但这是在和天猫竞争，并且销售额不能算在京东营收内，只能将扣点计入。必然地，大家电成为京东新的增长点。

整个 3C 产品分为大家电、数码通信、IT，大家电体量最大，一年总盘子七八千亿元。内在的增长需求，让京东不得不战。这一战京东打得太急躁了，未必做好了准备。京东本来想打一场有限度的局部战争，没想到变成全行业的混战。

这是一场进攻性防守。战争是苏宁先挑起来的。在网上，发烧友传京东在手机、数码上没有价格优势了，苏宁易购、国美网上的价格更低，这种声音已经持续半年以上，越来越多。事实上，京东是正常经营的价格，后两者是拿线下大家电的利润补贴线上手机数码的亏损。

2011 年，京东的大家电销售额占京东整体销售额的比重较低，IT、数码通信品类占的比重较高；苏宁恰好相反，大家电占了很大的比重。苏宁派出自己的小分队，在京东的主力后方放了一把火。京东岂能容忍？最好的防守是进攻，所以京东派出自己的小分队在苏宁主力后方放一把火，想把苏宁、国美的主要利润来源打没，将双方拉到同一水平线上竞争。这跟 2011 年在图书业务上打当当如出一辙。

在这次价格战里，京东想把战场范围限制在线下大家电上，苏宁与国美则声明不仅要在大家电上跟京东拼，还要在线上的IT、数码通信领域和京东打。两边都知道，不要把战场放在自家主业上。

但是，这场备受瞩目的价格战最终草草收场。2005 年，苏宁与同行在南京打价格战，一个店面从早晨 6 点到晚上创下 5 000 万元的销售额。而这个店面覆盖的人口充其量不过几百万人。"8·15"价格战，苏宁易购在理论上覆盖人口更多，销售时长更长，单日销售额也不过 3 亿元左右。"虽然创下历史最高峰，但也未强太多。这是一场名不副实的价格战。"苏宁云商副董事长孙为民告诉我，"价格竞争是永恒的，用儿戏的方式来做，我不欣赏。"

苏宁和京东的价格战必须在短期内结束。线上不是苏宁的主业，作为一家上市公司，投资人都看短期利益，不能容忍财报不好看。京东当时未上市，但线上是它的主业，不可能把遭遇战打成持久战、焦土战。可以预料，未来一段时间双方还会交火。不过，双方也没有意愿将遭遇战打成持久战。

派代网总裁邢孔育说："淘宝是电商体量最大的，占了 70%~80% 的份额。为什么大家都会认为京东是敌人呢？这是一个问题。这也许跟刘强东的个性、跟京东的核心团队有关。这对京东没有什么好处。"

和供应商的博弈

京东家电事业部黑电业务部总经理孙志涛 2011 年加入京东，他曾经在亚马逊中国工作过。美国公司很难想象，在中国做电商快速圈地到底有多重要。亚马逊中国这边申报，美国总部难以理解，他们认为电商是慢工作，稳打稳扎，2008 年到 2010 年，贝佐斯到中国了解中国市场，2011 年才终于决定投放广告，他认为在这么多国家没花广告费，全靠口碑，为什么要在中国投？然而中国正是电商爆发时期，不快速圈地的话，地就变成别人的了。当贝佐斯决定投放广告的时候，已经晚了。

亚马逊中国提出系统修改建议，流程需要走到贝佐斯层面报批，由英国、印度研发团队来开发，至少需要一年时间。孙志涛加入京东时，京东在全国有 39 个家电仓，如果依靠人工判断备货是否科学，很难。他希望通过系统解决问题，通过历史数据和现有库存，预测库存缺货风险、滞销风险。研发部门马上就根据他的需求开始行动并拿出解决方案，这与亚马逊的反应速度形成巨大的反差。

当时京东大家电部门专业度不够，年轻的采销经验少，没货了，就从厂家那里拿货，进价 3 000 元，加个 100 元卖出去，可能市场上卖 4 000 元他都不知道，完全没有成熟的想法，被动接受厂商政策，大家电销售规模一般，毛利率也低。从 2009 年到 2010 年，家电厂商里做电商的人还属于边缘人物，2011 年厂商开始重视电商渠道，但未到战略高度。

当时京东的大家电体量小，以小博大，孙志涛把产品拉出来打九折，一律比苏宁低。孙志涛要求员工盯着苏宁价格，若是苏宁价格有波动，就打电话要求厂商随时调整，对外的姿态是：我们打价格战是自卫。这是京东大家电以小博大最好的时机，苏宁易购的声势刚刚起来，京东一战就让消费者意识到线上线下的价格差异，这个影响是相当深远的。

2012 年 8 月 15 日 9 点到下午 1 点，京东网站的访问量比 2012 年 6 月 18 日增长 80%，同时支撑了两个多亿的访问量。京东仓促发起价格战，实际库存是健康库存，只有 4 亿元，一上午就卖光了货。厂商的生产计划已经确定好了，销量涨起来后生产也来不及。从 9 月到 10 月，海信针对京东的需求调整了 5 次生产计划。

这场价格战，京东付出了相当大的代价，有些品类在博弈中，与厂商关系恶化厉害，厂商认为京东是搅局者，对京东缩减供货量。没了库存，厂商又不供货，负面影响就出来了，《新闻联播》连续播报京东做假促销。

厂商既重视又害怕京东，同时苏宁、国美在线下渠道的统治力量也让厂商顾忌。像国产电视品牌早几年布局其他渠道，将苏宁、国美销售份额降低到30%，但合资彩电，通过苏宁、国美销售的量占了总销量的近50%，倒持干戈，授人以柄。

飞利浦电视机在中国转卖给冠捷，冠捷只和苏宁合作，结果利润支撑不了运营，品牌快做死了。2013年下半年，冠捷与京东签订战略合作协议，转向京东，停止和苏宁合作，在京东量起来得很快，超过了原来在苏宁的销量。本来面临倒闭危险的飞利浦电视机，被挽救回来了。

2011年，康佳总部开始跟京东合作，康佳集团多媒体事业部总经理曹士平认为电商模式在人员、产品、费用上的效率更高，开放协作的心态更好。

康佳是几家国产彩电中与京东合作意愿最强的，是第一家希望在线上获得突破的，这与希望在厂商战略合作中取得突破的京东一拍即合，在资源配置上，双方都很给力。2012年5月，京东主推康佳和海信彩电，月销售额五六百万元，9月就增长到1亿元，实现20倍的增长，向所有厂商展示了京东的力量。而康佳一度在京东8款热销产品里占了6款，在京东电视机市场占比22%。2014年，康佳电视在京东销售额10亿元，占康佳电视总销售额的10%，曹士平预计未来可能占到30%。农村市场占康佳销售总额50%以上，主要依靠经销商和专卖店。农村市场潜力巨大，曹士平看好京东在2014年底推出的"京东帮服务店"项目。

渠道业态演进中优胜劣汰，高效率的取代低效率的。

2012年"8·15"大战，京东在局部战役受挫，但从长远来看在战略上赢了。京东发动"8·15"价格大战的目的就是以小搏大，打掉苏宁、国美在大家电上的利润，大家在大家电上站在同一起步线上。目前苏宁、国美加起来占据大家电市场份额的30%。

生意从改善厂商关系开始

家电部门有过一段艰难的日子。王笑松曾经过渡性地负责过家电部门，他接手的时候，家电业绩只能完成 80%，没有奖金，而奖金在收入中占比 50%，因此员工收入很低，住地下室。王笑松不好意思对刘强东说把业绩目标降下来。在他的观念里，没有这样的做法，打不赢仗就向主帅求情。他原本负责的通信部门，以 120% 的完成率超额完成任务，王笑松取得通信部门员工的同意后，将通信部门 40% 的奖金拿到家电部门分配，解决员工温饱问题，大概持续了半年时间。

2011 年，京东大家电销售额 50 亿元。2012 年初，京东集团副总裁兼家电事业部总经理闫小兵加入京东。刘强东告诉闫小兵，所有的付款不需要自己审批。闫小兵觉得这一点特别难得，这需要直接的操盘者有很高的职业素养，刘强东做事不给人很多束缚。他能感受刘强东迫切希望家电迅速做起来。不过，销量短期增长容易，改变整个行业格局很难。他发现当时京东大家电有很多"炒货"，品牌战略合作几乎没有，只能从经销商那拿到边角余料，还时有时无。

大家电部门是新成立的团队，没有价格体系，没有厂商关系，操盘不成熟，唯一的规则是，想卖什么价格就是什么价格。拿到货，就卖出去，快进快出，不用维护价格体系。

闫小兵花费一年时间，给团队灌输一个观点，"所有生意的起点都是厂商关系"，有货源的保障才谈得上促销。而当时京东的状况完全相反，一切从价格出发，导致厂商关系恶劣，货源不稳定，促销厂商不给支持。

如果不这样建立新的体系，今天的京东大家电还在一团乱麻里转，所以要将价格回归到符合市场规律、大家都能持续发展的轨道上来。中国企业 500 强，家电厂商排名前列，他们有很强的价格市场意识，不希望出现价格屠夫，把整个市场打乱。闫小兵带着团队，一家一家地谈判，讲京东的经营理念，价格战不是扰乱厂商的价格体系，而确实是具备成本优势。

销售需要有产品组合，有些产品是现金奶牛，定价高一些，做利润；有些产品是战斗机，定价低，用来冲量。不能所有产品都是战斗机。闫小兵要求停止过去把所有产品价格打下去的无序做法，员工老是说，对手价格低了，京东为什么不跟呢？闫小兵告诉他们，你作为行业领导者，得有气度，先停止无序价格战的做法，让价格回归价值，低价是必要的，但也应该是合理的。

刘强东很少干涉过程，以结果为导向。闫小兵曾经告诉老东家，你们为什么搞不好，因为你们都不放权，谁都没有责任，可以层层推卸责任。京东大家电做不好，所有压力都是闫小兵的，因为领导放权，做不好没法抱怨别人。刘强东给闫小兵批过一笔款吗？没有。定过一个政策吗？没有。这样的信任使得闫小兵可以放开手脚实施自己的经营理念。

同时，刘强东给予闫小兵很多支持。大家电需要外推广告，他会要求市场部门划拨专项费用。他能体会到大家电的艰难，对开设仓储的成本保持了宽容的态度。为了在厂商那里取得突破，一般不跟厂商见面的刘强东破例接待美的、三星等厂商。

刘强东站在用户的角度去看京东，而不是经营者的角度。他发邮件给闫小兵问为什么美容仪器这么少。闫小兵赶紧查看，只有三款，其中两款没货。这么细小的品类刘强东也盯着。

家电价格区间段明显，因为信息不透明，在一线城市市区内卖99元的电饭煲，到郊区卖119元，到村里小店就卖139元。在家电价格体系里，大代理商可能两三个月周转一次，小的则是进一批货就卖一年，必须存在足够高的利润空间支撑其生存。京东从北京进货，卖到全国，完全冲击了价格体系。经销商就打电话给厂商，投诉京东。偷偷给京东货源的代理商，告诉京东采销，再给你的话，我就死定了。2012年厂商实施货源管控，让代理商对京东一度达到了谈虎色变的程度。

2011年，大家电厂商还很少谈到京东，会议上谈到电商，说起的是淘宝有串货。2012年，厂商对京东的看法还是相当负面的，用不合理的条款来约束京东，所有审核都是风险等级最高。闫小兵在线下从未签过的条约，在京东签了，照他的话形容是"屈辱的条约"。

厂商关系、货源、促销、价格，按照这个顺序去做，京东从无序经营回归到有序，厂商也能摸到京东的脉搏，开始信任京东。电商趋势起来了，家电三线品牌冲击二线品牌，二线品牌冲击一线品牌，厂商竞争加剧，就逐渐增大对京东的投入。

2012 年"8·15"价格战后，一些厂商受到国美、苏宁的压力，开始停止向京东供货，京东又开始新一轮跟厂商的沟通。厂商关系明显缓和是在 2012 年底，和京东合作的厂商能赚到钱，不用承担过多费用。闫小兵认为改善厂商关系的关键是："你要让厂商知道和你合作的价值，如果能满足他的需求——挣钱、突破销量等，那你对厂商就是有价值的，否则，为什么和你合作？"

就算做的事情是正确的，也不一定立即能看到结果，所以需要有等待结果的忍耐力。京东家电部门跟海尔谈合作，对方说，我们还没想好，你先拿我们的子品牌统帅操作一下吧。一年的时间，统帅在京东取得了超过 5 亿的销售，震动了海尔，到 2013 年底，海尔全产品线和京东合作。

2013 年，三洋、奥克斯等二线品牌集中在京东发力，鲇鱼效应出现，搅动了家电市场。很多厂商发现，跟京东合作，收款比较顺利，周转快（在 30 天以内），还可以盈利。他们开始正面拥抱京东，不过，线上线下的矛盾出来了，除了国美苏宁，还有来自三四线城市的经销商渠道。矛盾加剧之后，厂商和京东的合作，是跑一段，停一段，跑的时候觉得京东很有冲击力，停下来是因为线上线下的价格冲突太厉害了。后来，他们采取策略，把线上线下的型号分割，人为地让消费者无法对比。

这种型号分割，最早是笔记本在做。清华同方给当当的货卖 2 800 元，怎么给京东的卖 2 850 元呢？京东把同方销售经理叫过去批了一顿。为了应付强势的渠道商，厂商采取细分型号的对策，一开始是笔记本，后来手机、家电都这么做了。我给你京东带读卡器的，给苏宁易购不带读卡器的，给国美不带读卡器带操作系统的，给当当一个没有读卡器没有操作系统但有蓝牙的。产品标准化，小细节差异化，并不影响厂商的成本。用户没法比较，京东与苏宁也没法找厂商比较。

如果遇到热销产品，做不到型号细分的话，就硬碰硬，我挂低价，一天只卖两台。谁能知道呢？你没法看到一个客观、公正、全面的比价报告。

大家电市场规模大，把消费障碍打破之后，成长空间很大。京东大家电高速增长，厂商上升到战略对接的高度，由副总裁甚至总裁出面对接。2013 年，京东连续签下 10 亿元以上的大单：康佳、海信、美的、LG 等。京东借助资本的力量将规模扩大，产业链上下游位置发生逆转，京东的路子越走越宽。这时，再要起来一个相似的电商网站太难了，投资人都会问一个问题：刚开始的采购量比京东少那么多，凭什么卖得过京东？

永远不能打败的是趋势

2013 年 8 月，京东大家电销售已经覆盖 22 个省，但水平不均衡，广东、江苏、浙江做到地级县市全覆盖，但有的省主要覆盖省会城市。从销售网络来看，还有很大的提升空间。

2014 年，美的、海尔、西门子、三星等一线品牌开始在京东发力，高端型号也供应给京东，公司总裁主动到京东拜访。这一年电商家电销售份额越来越集中，京东占了 50% 以上，家电线上市场已经变成了京东和天猫的竞争。2013 年，除了与厂商的博弈以外，家电部门还做了很多服务的提升，将盈利都投进了服务里，让消费者感受到实惠。光打价格战，没有意义。

家电行业在未来三五年内面临洗牌，在大城市这一头，大卖场的购物便利失去了优势；在大卖场还没有覆盖的农村这一头，京东的物流也有优势。京东在北京、上海、广州三地大家电市场占比在 30%，每 10 台大家电，京东卖出 3 台以上。"我们顷刻之间把他们建立十几年的市场拿下，农村还不知道电商是什么，一旦普及了，冲击更大。"闫小兵的想法是，大家电的物流网络应最大限度地覆盖全国。闫小兵预计到 2020 年，电商能够占据整个家电销售的 40%，渠道之争会终结。

我问闫小兵，京东会不会成为下一个国美、苏宁？闫小兵说："操盘的人，头脑要清楚，作为渠道，你要知道什么是你该得的，该得的份额是多少。要永远保持先进渠道的特点，就得永远降低成本，获得可持续发展的毛利，不能把自己的利润最大化，把成本压缩到无可压缩的地步，你挣 5% 就够了，永远不要把自己的利润从 5% 扩张到 10%，做成那样就是落后的渠道了。无限扩张，无限扩大成本，把它全摊到厂家头上，把自己变成高费用的渠道，那就等着别人来颠覆你吧。"

刘强东对电商的理解是，渠道赚取自己应得的利润，追求利润最大化会把门槛降低，会有 100 个竞争对手来和公司竞争。尤其是，当渠道商为了追逐利润而用苛刻的政策来占有供应商的利润空间时，很容易诞生新的商业模式和新的竞争者。如果要把公司做成百年企业，必须保有独特的竞争优势，不是向上游要利润，而是通过降低成本和提高效率来提供价值，给上游厂商提供高效快速低成本的销售平台、消费者数据抓取平台，给消费者提供最快最优惠最便捷的购物方式。

很多厂商把农村市场当作聚宝盆，一线大城市是赔钱赚吆喝的地方，农村市场是利润来源。农村市场是属于互联网的，在分散居住的人群中，集中购买人流的方式是成本支撑不了的，国美、苏宁开过县级连锁店，结果失败了。从成本、效率的角度来看，厂商的经销商队伍会慢慢消失，因为京东库存周转快，不缺资金，这意味着依靠代理商来支撑厂商投入生产的资金平台已经不需要了。

厂商不是不接受互联网，而是不接受瞬间的颠覆，瞬间颠覆会带来线下的混乱，使得几十年经营起来的渠道网络被破坏。

要突破既有的利益集团，京东需要很多助力，要真正达到线上线下格局的颠覆，京东认为还需要5年时间。国美、苏宁加起来占整个家电市场的份额为30%，电商要颠覆渠道格局，至少要占30%。最后一公里的配售解决了，局就破了。

2014年，京东针对大家电的物流网络已经在河南省全省无缝覆盖，在河南省任何地方只要消费者下单，京东都可以配送到。易文杰说："无缝覆盖成本非常高，当时压力非常大，不光京东没做过，全行业都没人做过。半年过后，京东在河南的大家电单量增加了50%。"当时选择河南是因为河南是一马平川的平原地带，华中区其他省都多山。现在河南模式已经在全国推广。

闫小兵刚加入京东的时候，京东只剩下13个大家电仓，因为单量太低，有些仓被迫关掉。闫小兵的策略主线是开仓，没有覆盖，就没法满足消费者需求。虽然费用负担大，但必须做。2012年，京东开了15个大家电仓。大家电仓开设的地方，一年时间就从每天几十单增长至每天几百单、上千单。

京东华中区大家电物流经理朱峻2010年5月加入京东，当时华中没有独立的大家电仓，他在武汉做了独立的大家电仓，200多平方米，14名员工。一天订单量不到100单，只送南昌、长沙、武汉、郑州4个省会城市。而到了2014年，华中区域大家电日均订单达到3 000多单，"双11"单日一万多单，484个区县能送367个，60

个地级市全覆盖，河南省 100% 全境覆盖，绝大多数地级市次日达。仓储 6 万平方米，拥有 5 个运营中心（郑州、武汉、南昌、长沙、襄阳），仓配 100 多名员工。

大家电仓储前期投入很高，这是"先有鸡还是先有蛋的问题"，京东的做法是为客户考虑问题，把服务延伸下去，客户才会选择你。京东大家电在三四线城市的增长，高于核心城市，省会城市消费者买家电的选择比三四线城市更丰富。有些一线品牌的经销商体系没发展到三四线城市，当地经销商卖的多数都是二三线品牌。现在农村经济发展，农民有钱了，希望买一线品牌，但没有那么多的选择。并且，小经销商的价格比电商卖得贵多了，有时候差价达到一两千元。农民不会因为你卖得贵就不买了，他们更看重精神上的满足感。很多人在京东买过中小件之后，觉得京东便宜，可大家电送货送不到这个地方，就打电话投诉。只要京东服务能够延伸到的地方，订单量就增长，以前是零，一打开就是井喷。

从供应链的角度来看，京东必须渠道下沉到县城，大家电在县级城市的服务是缺失的。京东和当地有能力的经销商合作，建立授权店"京东帮服务店"，由京东帮提供大家电、家具等商品的配送、安装服务，如果后期获得认证的话，还可以提供维修服务。除此之外，"京东帮"能够开发营销功能，代客下单、推广促销。京东不用投入房租，投入的是管理、系统、SOP（标准作业程序）。"京东帮"业务来自京东，当地授权店则通过服务项目结算费用，获得收益。一直以来大家电厂商各做各的服务体系，浪费社会资源，京东将上游捏合在一起，依靠一家店来解决多家厂商在当地的服务。

永远不能被打败的是趋势。你能带来低成本、高效率就是变革的趋势。战争的胜利最终会属于电商。

京东 2014 年实现净收入人民币 1 150 亿元，超过苏宁 2014 年线上线下营业收入的 1 091.16 亿元，而且京东净收入保持同比增长 66% 的高增速，苏宁 2014 年净收入同比只增加了 3.63%。这是写入中国零售史的一次财报，中国零售业变天了。

管理升级

京东新logo——银色金属光泽的狗，很容易让人联想起比它早一年推出的黑猫。阿里巴巴旗下的淘宝商城更名为"天猫"，以一只黑猫作为新logo。京东终于面对自己最强大的对手——阿里巴巴，双方的竞争被戏称为"猫狗大战"。

电商不是短期的趋势，不是短时间内的竞争，是以10年甚至更长期限为单位的竞争，比拼的是各方面的综合能力——IT能力、订单管理能力、仓储管理能力、客户管理能力。2013年，阿里巴巴宣布联合若干机构共同打造菜鸟物流。菜鸟从天上往地下建设网络，优势是信息系统强大。而京东则是从地上往天上建设物流网络，基础设施强大。这两家公司，殊途同归。

双方的竞争已经到了集团化作战的层面。京东过去打游击战，比拼枪法好，一个人干掉三个，对方就输了。现在是十万人打十万人，枪法好还有用吗？集团化作战比拼的是，步炮兵协同是否好，陆军空军协同是否好，后勤保障是否好，比拼的竞争力是完全不同的。

这对刘强东是巨大的考验。

快速学习能力比经验更重要

2010 年 4 月，高瓴资本投资了京东 2.65 亿美元，这是当年中国互联网最大一笔投资。如果给公司打分，最终阶段是 100 分的话，张磊觉得 2010 年初的京东还是从 0 到 1 的阶段，到 2014 年做到了 50 分的阶段。刘强东真正突破自己的格局是在 2010 年以后。那时候，刘强东有很多草根的想法，这些想法很好，但要做到今天几千亿元的规模，那按照他的想法是不可能的。投资京东之后，张磊介绍刘强东去沃尔玛总部参观，与沃尔玛家族的人坐下来谈。刘强东从美国回来之后，跟张磊聊了很长时间，他非常兴奋，说：我要改造整个京东。张磊感觉到，刘强东原来是从泥坑里爬出来的，现在要把京东改成装甲车。

刘强东开放，学习能力强，不惧怕向各种各样的人学习。张磊比喻说："刘强东有吸星大法，星代表知识、理念，代表人才。"

2010 年，刚加入京东的第三届管培生李瑞玉（现京东集团投资者关系部总监），第一次陪同刘强东去美国出差，参加京东投资人老虎基金举办的活动，刘强东的英语还不灵光，需要李瑞玉做翻译。他自己随身携带英语书和字典，李瑞玉和他或者别人交流时，说了一个他不知道的新单词，刘强东就追问是什么意思。第二天，李瑞玉就能听到，他跟别人的对话里出现了这个词。

这是李瑞玉第一次与老板出差，慌慌张张的，结果把刘强东的包给弄丢了，里面装着证件和信用卡等。刘强东很生气，在吃早餐的时候教训李瑞玉，你先要做预算，要在执行中再三确认，要始终合规合法。他用磕磕巴巴的英语告诉李瑞玉，你不要讲中文，我要练习英文。幸好，包失而复得。

第二次安排李瑞玉跟刘强东出差，她的上司缪晓虹还特意问她，有没有心理负担？毕竟上次被老板狠狠骂了一通。李瑞玉想了想，还是硬着头皮上了。"他的做法是，如果你不知道你做错了，那我就告诉你，你要改正、提高，看到了改正、提高，他会很高兴。如果说了两次，还没有变化，那你就不是他想要找的人。"

京东旗下的拍拍网总裁蒉莺春原在美林投资银行，未负责具体业务，2012 年 6 月正式加入京东 2013 年 6 月，她在京东从负责融资转为负责运营，先负责 POP（开放平台业务），后负责拍拍网，这对她来说，是巨大的挑战。没有人敢将她放在这个位置，这就是刘强东的大胆。沈皓瑜也类似，以前没有物流经验，但让他分管物流等一揽子业务，先担任首席运营官，现担任京东商城首席执行官。在高速发展的公司里，决定一个人发展空间的是快速学习的能力，而非过往的经验。刘强东和他的团队亦如是。

2009 年的京东几乎没人使用 PPT 和 Excel 表，直接口头汇报。2013 年，很多人能做漂亮的 PPT 和 Excel 表。这家从中关村卖场起家的草根公司，越来越有大公司的范儿。在持续快速增长的公司，刘强东必须从低头干活儿改为抬头看路，思考京东未来在全球电商格局里的位置和发展方向。2013 年，京东去掉"商城"二字，从"京东商城"变成"京东"，公司的定位是依靠技术提供供应链服务，电商平台、金融平台、物流平台以及技术平台不可割裂。将来京东不再是纯粹的电商公司。

电商的边界远远不是今天的淘宝或者京东，这需要公司的领导人有高远的视野，看电商的未来方向。互联网发展到现在可能在颠覆绝大多数传统产业，过去的商业模式靠卖东西赚钱，未来卖东西未必赚钱，但可通过其他服务赚钱。刘强东举例子，冰箱按照成本价在网上销售，电商在征得消费者同意的前提下，于冰箱上安装侦测头，了解冰箱每年放入多少蛋禽肉、饮料、蔬果，挖掘消费数据，再卖给厂家赚钱。

京东本质上是家零售公司，讲究组织链条严丝合缝，带半军事化色彩，令行禁止。好处是执行力强，保证了京东 10 年以来的快速增长；弊端则是创新力、开放程度相对不高。刘强东主动在企业文化创新子目录下增加了一条"包容失败"，他说以前公司小，创新失败对公司是毁灭性打击，现在公司大了，京东创新能力的确不够，需要包容失败。

未来京东去哪儿是刘强东想得最多的问题。过去 10 年，京东就做成了一件事，电子商务。现在，京东有庞大的消费群体、有海量数据、有物流、有 IT 研发，刘强东觉得可以进行商业模式的创新。业务的创新是由高管做的，只有首席执行官才有资源与时间来做商业模式的创新。在国内电商整体增速放缓的时候，他把眼光投向了全球。内在生长需求的压力，逼迫京东改变。一家数万人、千亿规模的公司，需要一位更有远见、更有包容力的领导。这促使刘强东赴美学习，他上一次进修是 2009 年读中欧商学院。在中欧商学院，他学会了从他人的反馈里认识自己。2012 年春节，刘强东在哈佛商学院学习 40 多天；2013 年在哥伦比亚大学学习。

赴美回来，高管们感觉到刘强东的变化。2013 年 8 月初在九寨沟召开的半年经营会上，京东集团首席人力资源官兼首席法律总顾问（CHO&GC）隆雨发现刘强东一直等到大家说完才表达，而以前，他总是会很快地说出自己的观点。

徐雷感觉到刘强东说话更温和了，以前他是军人作风，不好听的话直接放在桌子上，回头喝个酒就过去了。现在他用含蓄的语言表达鲜明的观点。京东负责技术的副总裁李大学也有同感："他原来比较偏激，现在更宽容了。"刘强东和管理层分享他有关全球化战略以及精细化管理的思考，谈到企业要考虑投资人的利益，要考虑媒体对投资人的影响力，要有一位开明、公正、视野宽广的领导人。

中国教育让刘强东从小养成寻找唯一答案的思维方式：黑与白、好与坏、对与错。美国教育给刘强东最大的触动是，教授的问题 90% 没有标准答案，启发学生从不同视角思考。他意识到，要学习开放的思维和心态，不要老想着改变别人。我曾经在美国罗利遇到一位中学校长，该校有培养全球未来领袖的项目，校长说："对全球领袖最重要的是，学会倾听，包容不同的文化。"

从操盘手到教练

刘强东原来是事无巨细，事必躬亲，18 个副总裁向他汇报，他可以三个月不休息。刘强东觉得这事能做就能做，别人推不动，但是公司大了，不可能只让首席执行官来推了。徐新还在纠结这事呢，刘强东告诉她，自己要去哥伦比亚大学读书了。"哇塞！这是刘强东放权的唯一办法，我走了，你们看着办。这是最好的办法，再想不出比这更好的办法了。"

她参加管理例会，发现刘强东放权了，下面的高管也把事儿担起来了。其他投资人担心，打电话给徐新，这么长时间不在公司，公司会不会完蛋？徐新回答："要是 hold 不住了，刘强东肯定回来，肯定能 hold 住，他才敢在那儿待着。他多在乎京东呀，这是他的命，对不对？"

华东区行政负责人宋建辉，负责京东华东区域办公楼的装修、搬迁，为了节省50万元的装修设计费，他干脆自己来做设计。华东区总经理余睿说，老宋，我相信你，你去做吧。宋建辉过去做过大型土木工场的厂房，也负责过其他公司的办公室装修，但他说："只有京东这个办公室才是我真正的孩子，没有任何人来指导，是我一个人全身心做出来的。"

他以前在富士康工作，所有的动作都是规定好的，按照操作流程走就行了。富士康所有的人都是复制郭台铭，一切都是郭台铭自己想出来的，你只需要做第二个，甚至第一万个郭台铭，执行他的思维就行了。就像画画一样，富士康是给你范例，临摹就行了。京东是给你方向，我要山水画，但山水画画成什么样，你自己来决定。

刘强东用人大胆，敢于授权。负责建设上海自动化仓库"亚洲一号"的团队，与业内团队相比，年龄层次偏低，经验不充分，当时管理层存在争议，到底是请外部咨询方来设计，还是内部提拔团队来做？显然，前者比较稳妥，但刘强东坚持以在公司内部培养团队为目标来做，采购、决策都以京东内部团队为主，外面的咨询方和监理方辅助。1984年出生的年轻人，刚刚来京东十几天，就直接负责"亚洲一号"的采购，压力大到躲在外面哭，不过巨大的压力之下人成长得特别快，现在这个年轻人已是总监。

传统的组织结构是正金字塔，首席执行官在塔尖，中间层负责管理控制，底层负责执行。这种组织结构，是因为首席官行官最懂行业，经验丰富的人决策不容易出错。但是过去的世界比起互联网时代来说，几乎是静态不变的，信息传递慢一点也没关系。互联网时代，信息传递成本很低，快速决策的重要性凸显出来，若是层层汇报的话，等汇报完了机会也错过了。基于互联网构建企业结构，要基于信任，要对一线员工、总监层给予合理的授权，首席执行官更多转变为教练的角色、资源支持的角色。

2014年12月，京东持续10年高速增长之后，成为一家庞然大物：员工近7万人，自建物流遍布全国1 862个区县（全国共2 860个区县）。这意味着，刘强东仅靠个人英雄主义难以令公司再次攀上一个台阶，也意味着刘强东依靠个人的英明神武难以维系这家公司日常的健康运转。刘强东必须依靠组织的力量、系统的严密来管理京东。

他完成了CXO（即首席执行官、CFO、COO等、中间字母以X代替）层面的人才布局，学习从细节管理中抽身出来。这是刘强东的课题之一：放权。作为最熟知电商每一环节的电商公司老板，刘强东过去依靠对业务细节的熟悉，打造了京东一竿子捅到底的执行力。现在，他要改变长达15年的习惯。

在2013年7月29日的京东开放平台合作伙伴大会上，刘强东穿着浅蓝色衬衣、米色休闲裤登台。他明显黑了、瘦了，腰腹小了一圈。他笑容满面，精神勃勃，告诉在座卖家们，要把握自己的命运。从当年4月到8月，刘强东仅有5个星期在国内；8月18号又再次动身去美国，直至年底才回国。他跟高管们开玩笑说，你们要利用好我在公司这一个多月的现场办公时间。

他知道，放权需要管好自己的嘴，如果自己先说了，就把事情定性了，一定要最后才说话。他干脆一不做二不休，跑到美国去读书。这是他认为的最好的放权方式：离开公司，让自己和高管们养成你不找我、我不找你的习惯。他在办公室的时候，难免闲着没事干，想张嘴问问；下属也免不了主动找上门，老刘，过来帮我们看看。京东每年的"6·18"店庆活动，刘强东都是亲自盯着，看流量、看订单量。只有2013年是特例，刘强东完全没有过问，只在5月回国后，在会上顺嘴问了一句：今年"6·18"准备得怎么样了？徐雷简短地做了15分钟的汇报，刘强东提了一个建议：增加一个抽奖活动吧。为了这句话，京东市场营销团队搞了"iPhone4 1999、iPad2 1999"的抽奖活动，开支增加几千万元。徐雷说，6月的营销费用本身就很高了，这是只有老刘能提的建议。2010年"6·18"店庆时非常火爆，刘强东还嫌不爽，下午把徐雷和几个采销负责人叫到办公室，要求晚上临时增加抢购活动，投入100万。现在，一句话几千万出去了，可见京东体量已经变得多么庞大。

当年在银丰大厦，刘强东每天在办公室巡场，看看大家的工作状态，问问销售数据，每个采销战术的制定他都参与。他的高管感觉到，自从搬到北辰世纪中心之后，见面沟通的时间就越来越少了。在CXO逐一到位之后，他几乎不过问具体业务了。30人的公司，每个细节一目了然；300人的公司，事必躬亲、鞠躬尽瘁也很难控制每个细节；3 000人的公司，除了有关人的事，其他事情已经很难亲自处理了。更何况2013年京东已是一家超过3万人的公司。刘强东必须从业务细节中抽身出来，通过组织架构将各层级的责任和权利统一起来。他原来是要做一件事，先找合适的人来做，实在找不到就自己做；现在是先想找什么样的人，这些人会思考什么是对的事，如何把它做好。

刘强东早期的管理对细节关注很多，又是急性子，特别喜欢告诉下属该怎么做，管理层常常收到指令式邮件或批评意见，"马上把这个产品价格改了，改就行了，不用问为什么"。"页面设计的图不好看，吸引不了用户"。以前高管的电话经常半夜响，一看是刘强东的来电了，压力就很大。

刘强东意识到，这家公司他该放一放了。他反复强调，太细的东西我就不参与了，你们自己定。但是惯性强大，有时候他又会自然而然地插手具体业务。他还在逐步学习如何把握放权的度。京东的高管理解他需要一个过程，会提醒他，这是不是太细了？刘强东曾经事无巨细地管过，忽然有意识地控制自己不管，需要勇气和魄力。他几次开会说，权限范围内的事别请示他，也会说这个事情你们自己决定，他不管了。如果高管去请示他，他不会表扬，反而会劈头盖脸地批评对方一顿。

京东在推动ABC管理体系，分为人权ABC、财权ABC、事权ABC以及问责权ABC。这是京东原来就存在的，现在统一成同一种管理语言。对于刘强东来说，他需要做出更多的授权，体量这么大的公司，很多事情他不可能直接管理。按照科学的原则，听得见炮火声的前线人员应该有相应的决策权。企业大了，让大象跳舞是很难的，对下属得有充分授权，让每一部分都能够发挥作用，整体又能协同。

刘强东唯一担心的问题是授权不充分，如果授权不充分市场反应就不及时。例如四川地震，捐款要不要请示？跟哪些人授权多大的额度？他一直在研究这个，不断放大权限。通过每年的两次战略会议以及冬季的经营会，可以看出你的经营效果，计划的前瞻性也体现出来了。你在做什么、要做什么，他很清楚。

2014年4月，京东集团对架构进行拆分，下面设立两个子集团、一个子公司和一个事业部：京东商城集团、京东金融集团、拍拍网和海外事业部。此后不久，刘强东只参加京东集团CXO级别的早会。

依靠系统管理公司

远在美国的时候，刘强东依旧和京东近在咫尺。依靠京东的信息系统，刘强东在世界任何一个地方都可通过手机、iPad看到京东所有的数据，仓库在哪一环节有积压，他都能马上了解到。他还可以通过内部的监控系统，了解微博、论坛用户对京东的评价。

就算在国外读书，他对公司发生的事情也都清楚。2013年底回国的时候，他突然召集采销人员讲话，要求采销人员具备很好的服务意识，服务供应商，而不是颐指气使。当时，公司的确有点傲慢的苗头冒出来了，胜仗打得太多了，很多采销经理毕业不过三四年时间，可以不留情面地训斥年长他们几十岁的供应商。这场演讲效果不错，起到了震慑作用。

"你必须在他没有发现问题之前把问题给解决了，他打电话发邮件过来就完蛋了，可能一把刀就摆在桌子上。"负责技术的副总裁李大学说。刘强东在美国依旧保持了他关注用户体验的习惯，他时不时在京东网站上下订单送礼物给他在中国各地的朋友。很多产品在发布之前的关键节点，刘强东也会使用、体验。他有次把京东前移动研发部副总裁熊宇红叫到办公室，指出京东音乐客户端购买流程不顺的问题，让他们重新设计、修改、汇报。

他也在调整思考方式：不要沉湎于用户体验个案的细枝末节，而是顺藤摸瓜挖掘问题在系统中的根源。有位成都消费者直接给刘强东写信，投诉糟糕的购物体验。刘强东把邮件转给了高管，要求尽快处理。一天之后，成都大区相关人员回复邮件告知刘强东，他们如何找到消费者，高效地办理了退款换货的事。本来指望得到刘强东的表扬，却遭到更严厉的批评："系统地、有规模地把问题根源处理掉，让所有消费者不再遇上这种问题，而不是出一次问题就解决一次。你们纯粹是糊弄我，而不是为了改善用户体验。"下面的人都傻眼了，如果是过去，他很有可能是夸奖。现在，他明确地告知大家：个别的解决方案别再向我汇报，我要听的是系统的解决方案。

亚马逊就是这样，绝不看个例。如果遇到相似的事，正确的做法是：先回复首席执行官，我们马上进行各部门协调，跟进处理，再向首席执行官汇报；一星期之后，汇报流程的症结在哪里，如何梳理流程，如何实施；再过一个星期，告知首席执行官，事情已经解决，再也不会出现类似的问题了。

京东仓储物流部管理支持总监吴海英，于2011年5月加入京东，时任华东区仓储负责人，负责管理华东几个中小件，当时华东区仓储500多名员工，日均处理几万个订单。两年时间后，高峰期日均处理订单量增长超过7倍，而人员总数只增加两倍多，这缘于组织建设的完善、仓储流程的优化、设备设施的引进，以及更为合理的绩效制度的实施。

刚去华东的时候，吴海英一个人直接面对所有单仓，所有对外会议、部门交接也由他负责。他手里拿着两个手机，固定电话也在响，旁边还有几个人找他签名，等着跟他沟通。这时候，扁平化不合时宜了。仓储在分公司层面，开始搭建仓储运营部，按照业务职能划分部门，岗位协助，例如精细化管理经理负责培训等，综合管理经理负责行政、防损、安保等。通过健全的组织架构运作确保分工协作，原来的仓储负责人，从大而全、无事不做，调整为更关注计划、团队发展方向、KPI（关键业绩指标）的控制、员工的发展。吴海英有3个月时间每周工作7天，每天睡眠三四小时，半年之后才完成架构的健全。

架构的健全也意味着职能越分越细，部门数量不断增加，跨部门协作也越来越多。

过去刘强东雷厉风行，希望问题立刻解决，下属把问题反映到他那儿，他就直接给出指示，让下属按照指示解决问题。后来，刘强东发现很多复杂问题牵扯到方方面面的部门，一个简单的指令，有些部门能执行，有些部门执行不了，需要横向协调。他开始给大家提出引导性的建议：谁来牵头，哪些部门来协调，如何系统性地解决问题。

公司大了以后，跨部门的沟通效率降低。

2009年，京东和上海有关部门签订"亚洲一号"土地框架协议，到2012年8、9月份招拍挂结束，拿下土地，启动了物流设计方案和建筑设计方案。2013年4月第一批设备进场，2014年3月联合调试。2014年5月，第一次搬仓。2014年"双11"，突破10万单。

这仓库是京东第一个自动化仓库，在各个部门的磨合上花费时间更多。物流、建筑等部门又交叉施工，京东在扩大的过程里犯了大企业病。到底以谁的意见为准？某个部门提出的需求到底能不能满足？问题接连出现，责任划分不明晰，流程也没有。

例如仓储设备要进场，因为设备在海外生产、海外发货，政府事务部就提出一个时间点，要求物流部门到时候满足进场需求，所有设备的生产发货排期按照这个来。站在物流部门的角度来看，这是不可能完成的任务，两边就扯皮，到底能否以这个时间点算，进度考核两边都有。设备若是进不来，在海外会产生额外的仓储费用，又由谁承担？这也是必须扯皮的问题。

而且，部门的业绩指标不一样，还会有冲突，采销部门需要备货补货，可仓储部门又有面积利用率的考核，补货多了，周转不快，影响仓储的业绩。

公司成长太快，每个人承担的工作量达到饱和，主动承接更多工作的意识越来越少。以前京东人少，遇到事就碰头商量，不是我的事，也不是他的事，想起来是那谁的事，就一块儿去找那人，一起解决了。现在是，这是你的事吗？不是你的，也不是我的，那就算了。

在跨部门协调上，有时候需要搭上自己的人情。举例来说，京东研发部营销研发部副总裁马松靠首席营销官（CMO）给他打分，肖军则靠首席营销官给打分。有东西肖军需要马松改，马松回答，我有个东西蓝总（京东集团首席营销官蓝烨）让我改，你只能排期到三个月之后。肖军又想一个月内改完，怎么办？要是这事争议到刘强东那里，两边都挨板子。肖军只能说"哥儿几个辛苦了"，请客吃饭，占用对方的周末时间，缺人的话，调自己部门的人手过去。

京东在绩效评估里，增加了协同，员工需要举例说明做了哪些协同的事情。财务指标，在CXO绩效中占50%的比重，副总裁是30%，总监是20%，先要实现协同，才有公司的财务指标上的优化。不过，协同真正要解决的是精神层面的，根植到每个人心中。人的本位主义太强的话，协同是一定做不了的，这样的人不会管别的。公司要提拔更具有大局观的管理者，这样的管理者愿意帮助别人。

例如，京东有内配系统，北京进货多了，只需动一下鼠标，就能把货从北京配到上海，对于采销来说，这事特别简单，卖不掉，内配解决问题。有些领导就要求，每配一单货的时候要想清楚，你点一下鼠标，就意味着，库房的兄弟得从货架上拿下货，逐一盘点，出库，利用干线物流把货运到上海。上海的兄弟再从货车上搬下来，逐一盘点，入库。你为什么不能在采购的时候，把备货的数量弄准确一点？工作的时候要尽量考虑其他环节的同事的感受，从公司的角度去考虑，而不是说，我采销只需要对我的业绩负责。

从 2008 年到 2013 年，京东从两三百人扩张至 3 万多人。联想管理学院常务副院长高强说："这在中国企业界是罕见的管理学案例，是管理学难题。联想集团发展到 3 万多名员工，用了 28 年。"

业务与组织的膨胀，让刘强东必须建立起一个严密运转的系统来管理公司，2013 年第二季度，京东第一次使用KPI来结算绩效奖金。从 2009 年到 2010 年，京东是无拘无束奔跑的年代，年初把任务安排下来，大家撒丫子跑，玩命跑到年底，能干成什么样就是什么样，没有被业绩考核天天顶在脑门上，累是累，但主动性很强。当时市场部负责人的KPI 65%是销售额，35%是务虚的文化考核。现在组织绩效加了很多关联性指标，更严密了。

2010 年，京东主要看毛利率和销售额，2012 年开始注重毛利率、供应商管理、库存周转等指标。这与京东自身的战略变化有关：京东战略从 3C 采销向全品类采销转化，从转销模式向平台模式转化，从自营市场向大市场概念转化，从运营只支撑公司自身增长向为第三方商家服务、为社会需求服务转化。林林总总，这为京东运营效率提出了高要求。2012 年，京东大幅度提升了研发经费，快速做运营系统改善，人均处理单量、人均配送单量、客服答复来电的数量和效率都大幅度提升。"现在是大公司了，每天每月每季度都要看数据，知道自己的目标KPI是什么，压力特别大。"徐雷说。

京东流程的严密性更高了。这是个悖论，如果没有规范流程，公司容易被意志品质薄弱的人钻漏洞，流程严密又会降低沟通和执行效果。以前是"这事就这么定了"，大家就开始干，现在，超过一定范围内的权限就要申报。

从管理学角度来看，KPI是不是好东西不好说。没有KPI的时候，容易乱；有KPI又会限制员工的主观能动性。只是现在，京东到了不能靠个人英雄，而要靠系统、靠体制的阶段。世界上没有完美的管理文化，只有应运而生的管理文化。

京东早年有奖金文化，刘强东一吃饭就说，你好好干，实现既定目标，我就奖励你一辆车。这导致了大家爱和刘强东吃饭，人力资源部门给奖金顶多加几万元，和刘强东吃一顿饭，什么都来了。人力资源部门建立了公平的体系，刘强东却随便打破它：薪酬体系是四平八稳的，和老板吃个饭多激动人心啊。但是，刘强东不可能和每个人一起吃饭，钱花出去了，大家未必都高兴，高兴的，也未必有安全感。

2011、2012 那两年，人力资源部门总是向刘强东抗议，刘强东也招架不住，觉得自己被条条框框限制了，不爽，怎么这么憋屈呢？自己的钱还花不出去。后来，他承认人力资源部门是有道理的，公司大了，必须建立制度，这也意味着刘强东的自由空间越来越小。刘强东不自己发钱了，抽奖都找人力资源部门，设计特殊项目奖励。

在本书里，你也能看到采销部门的神话故事，在 2012 年前是很多的。一杯酒一口闷，超额完成任务了，年底就 30 万、40 万元地发奖金。这种神话故事，激励着采销部门亢奋的士气。现在不可能了，虽然还会有传奇故事出来，但那背后是有明确的管理理念支持的，有更公平的原则为基础。例如京东设立创新大奖，拿出 800 万元做奖励，如何评估案例，如何阶段性发放奖金，都是有机制的。

完善人才体系

过去刘强东读德鲁克的书，不认同其中的很多观点。现在重读，读得很细，颇受启发。德鲁克说，公司大了不能再依赖一个人来管理，需要有高管团队。2007 年，京东才有第一个副总裁严晓青，2008 年引入第二个副总裁李大学，2009 年引入第三个副总裁徐雷。在很长时间里，京东的管理重担大部分压在刘强东肩上。15 年来，刘强东 7 点抵达公司，主持 8 点的晨会，他的高管们围坐一圈，如众星拱月。但在 2013 年晨会上再难觅他的身影，换为首席运营官沈皓瑜主持晨会。若沈皓瑜不在，则改为首席营销官蓝烨主持。晨会通常 15 分钟结束，主要是六大区总经理和客服中心总经理汇报仓储、配送、客服等日常运营的问题，例如西南区雨水多，送货再投率增高；西北地区地震，对员工、配送站有何影响。

2011 年引入京东的沈皓瑜是公司第一位 CXO 级高管。他的引入代表着刘强东开始按照现代公司的首席执行官的行为方式管理公司，强调流程和授权，花费更多时间在思考战略上。沈皓瑜说："刘强东几乎没有给人打过工，很早就开始自己创业，他更多地在思考成熟公司的首席执行官，在不丢失创始人特色的前提下应该怎么做。"京东先后引入首席运营官沈皓瑜、首席营销官蓝烨、首席技术官王亚卿、首席人力资源官兼首席法律总顾问隆雨、首席财务官黄宣德等高管。王亚卿入职未满一年又离开京东。2014年3月京东和腾讯电商合并后，公司架构调整，京东商城成为京东集团的子集团公司，沈皓瑜担任京东商城首席执行官。

张磊认为，刘强东不惧怕优秀人才，很多民营企业家排斥优秀人才，害怕失去控制权。刘强东很开放，充满自信。他向刘强东先后介绍了沈皓瑜、姚乃胜（现京东金融集团战略研究部副总裁）。当时，京东招聘高管很难，因为京东太土了，做的是脏活儿、累活儿。

沈皓瑜发现刘强东在有意识地说，这不是我该管的，事情你们定吧，我不管了。"他有时想管一管，又觉得不对，便后退一步。"

按照京东体系，副总裁向CXO做常务汇报。刘强东直接安排负责图书音像以及国际业务的副总裁石涛引进国际品牌，石涛做了规划汇报，刘强东和他面谈之后说，这个业务虽然是我直接安排给你的，但以后还是向首席营销官蓝烨汇报，抄送给我就行了，不要越过蓝烨给我。"他不能让有些营销体系里的事游离到体系外，这是对首席营销官的不尊重。他不希望在授权上造成反复，给团队带来错误的认知。"石涛说。

京东的高速增长掩盖了很多问题，也暴露了很多问题。因为过去缺乏远见，目前京东面临着人才缺口。

京东已经在国内1 862个区县设置配送站，每个站必须配备一名站长。按照京东配送的扩张，未来每年能否提供足够数量的站长？在人员与业绩高速增长的时候，公司需要足够的基层干部支撑起这个组织。隆雨加入京东之后，开始大规模地梳理人才战略，从CXO到副总裁到总监到经理，一层一层地看人才储备是否能够支撑京东长期发展，每一层管理者有无足够的合格继任者。现在的情况是副总裁和总监一级比较成熟，总监以下有缺口，如何快速布局好这一级人才，在总监轮岗或者升职的时候顶上来，是巨大的挑战。

2010 年，刘梦（现京东人力资源副总裁）加入京东时，问公司用的是什么人力资源系统。得到的回答是，没有系统，靠手工填写 Excel 表。她觉得不可思议，京东发展这么快，来了多少人，走了多少人，居然靠手工完成人力资源管理。她建议购买系统，得到的回应是，京东可以自己开发系统。放着市面上那么多的成熟管理软件不用，刘梦觉得这家公司比较封闭。后来，领导安排她联系供应商，购买人力资源系统，给出的预算是 10 万元。刘梦快晕过去了，其他公司上人力资源系统都要花费一两千万元。

她开始着手建立整套人力资源制度，包括薪酬体系、绩效体系、岗位职级体系等等。刚做项目的时候，公司只有 5 000 人，等到项目结束，已经两万人了。项目刚刚出来一个方案，发现公司又有新变化，人员增加了，外面的成熟管理者加入京东，带着原有的管理理念，对人力资源制度有自己的想法，由此需要添加、调整项目方案。

这当中的冲突很厉害。领导力如何定义的问题上，大家吵得厉害。运营部门强调高效、标准化、成本，研发部门则强调创造性、技术权威、技术牵引业务，不该只强调高效执行。采销部门则要强调战略，要看明白未来的生意，否则不知道品类往哪里扩张，觉得研发只是工具。

薪酬结构也同样充满冲突。京东资历老的高管的想法是，我用 A 类的人拿着 B 级的基本工资，创造了 A 级别的业绩之后，再给你 A 级别的待遇。但是新来的高管则认为，京东平台足够大了，既然要用优秀的人，就该相信他。用 A 类的人拿 A 级别的工资，创造 A 级别的业绩，要不然，很难让别人和我们一起相信京东的梦想。老一派是花钱必须见得到，京东是捡钢镚儿挣钱，花一分钱都很心痛，有付出才能拿到自己该得的东西。新一派就认为，以京东现在的规模和管理成熟度，不可能让人才什么都不要就相信京东，一两个人可以，但需要吸引成千上万的人才加入，就不可能。双方激烈交锋，有人怒气勃发，拂袖而去。

刘梦的观点是，京东需要制定符合现在、对未来有包容性的制度。薪酬永远是后来者居上，但你要让现在的人知道，只要做得好，很快就跟后加入的人一样。

2013 年，领导力模型建立之后，京东开始做人才盘点。原来公司对人才的判断，是老板说了算，单线联系。不过，人是怎样的，必须有多维度的判断，他的上级如何看待他，他如何看自己，同事如何看待，要多维度地判断，就必须搭建共通的语言平台。否则，就变成了我拿标准 1、2、3 来判断，你拿标准 A、B、C 来判断，你不能说 123 是错的，也不能说 ABC 是错的。

京东按照九宫格来进行人才盘点，1 是业绩差，潜力差，百分百要淘汰的；2 是业绩差，潜力一般；3 是业绩一般，潜力一般；4 是业绩差，潜力好，要么是放错了位置，要么是刚进来；5 是公司中坚力量，业绩不错，潜力不错；6 是业绩好，潜力没了，是公司老黄牛；7 是潜力好，业绩表现中等；8 是业绩好，潜力中等，9 是业绩好，潜力也好。京东未来升职、加薪、分配期权都向 7、8、9 的人才倾斜。

人才盘点的第一场是 CXO 级会议，盘点副总裁们。刘梦挨个打电话给 CXO 们说明会议精神，最后一关是刘强东。翰威特咨询公司的人说，这是全公司第一场盘点，砸了就全部砸了。能不能让刘强东不到现场，只看视频？万一他在现场，CXO 们正在夸某位副总裁，刘强东来一句他哪里做得不对，那就砸了。隆雨写邮件给刘强东，言辞恳切，将会议精神传达给他。刘强东回了两个字：遵命。

2013 年 6 月 8 日，刘强东坐在一旁全程观摩，看京东首席财务官、首席营销官、首席人事官、首席运营官等盘点 30 多位副总裁的素质和潜能。大多数副总裁是他亲自带出来，他心里再清楚不过了。有好几次，他话到嘴边，赶紧喝一口水把话咽下去。长达 6 小时的盘点，刘强东始终保持沉默，直至最后才以观摩人的身份发言总结。

他唯一一次用否决权，是在盘点第八格中的人才时，人数多了。某位 CXO 就说，这样吧，把我的人给拉下来。但刘强东说，对不起，我要实行否决权，如果他真的是第八格中的人才，就应该让他待在这里，我不同意你做让步。人才盘点结束，观摩人才进行一一点评。

这次人才盘点也震动了刘强东，他没想到大家能这么客观全面坦诚地交流。翰威特高级顾问告诉隆雨，"真没想到会在京东成功落地"。他一直不觉得民营企业能够达到这样的开放程度。

隆雨在国外参加很多研讨会的时候，发现坐在角落里最不起眼的反而是领导。2012 年，隆雨第一次参加京东会议，发现大部分人不表达意见，只有刘强东一个人表达。这样是不行的，京东未来 10 年不能靠刘强东一个人说，要靠大家的智慧。

2013 年 8 月京东在九寨沟召开半年经营会时，刘强东已经有了大的改变，他等所有人都讲完之后，才表达自己的观点。

管理不失温度

2012 年 8 月 17 日晚上 6 点半，亚运村的渔公渔婆餐厅，6 张圆桌，每桌摆着一瓶宿迁出产的 52° 洋河蓝色经典，以及一小堆果冻。当天晚上，刘强东宴请在京东工作 5 年的老员工，超过 5 年或者不足 5 年的员工都没来。刘强东邀请我观摩这次宴会，我和员工闲聊，一位 40 岁左右的中年男子，名叫徐文义，2007 年 8 月 20 日加入京东配送部，最初在西城区马连道配送站，当时京东总共有三个配送部，每个站四五人，员工不足 20 人。2012 年他在新发区配送部，月收入 5 000 多元。包括他在内，最初一批的配送员还有 4 名在京东工作。

刘强东穿着白色棉短衫、蓝色长裤、黑色胶底鞋走进餐厅，挨个儿和在座的 80 多名员工握手、寒暄，清楚地说出每名员工的部门和名字。就座之后，每个人，吃掉果冻，留下果冻盒做酒杯。这是京东特有的传统。

刘强东端起果冻盒，说："5 年了，感谢大家。刚来时，每年我和大家喝几次酒。现在别说喝酒，连一年见一次面都难。我不多说了，5 年前，我们在苏州街，是一家小公司；5 年后的今天，我们已经在国内成了比较知名的企业。我相信，下一个 5 年，京东一定能成为一家了不起的、令人尊敬的企业。单身的同事，希望在下一个 5 年找到另一半。已经结婚的，希望下一个 5 年，要个孩子。"

他绕着圈和每位员工碰杯。他对一位老员工说："我们有两年没见面了吧？"那人说："三年了。"闲聊时，他提起："咱们都是三十好几的人了，得注意身体。我现在每天跑三到五公里，哪怕晚上 12 点到家，也会跑步。"

宴会进入尾声，开始抽奖，总共 10 部 iPad2、10 部 iPhone4s、1 个 5 万元的现金大奖。配送员刘小明是 2007 年 6 月加入京东的，喝得略微高了，他说："我来 5 年了，还没中过奖呢。"刘强东立即奖了他一部 iPhone。他激动得抱住了刘强东。

隆雨认为刘强东直率、简单、纯粹，现在她越来越觉得"他是个有温度的人"。

京东能者上，庸者下。在人才盘点会议上，有些副总被放到了123这一等级，就是说他的绩效是中等，但潜力没有了。在讨论这些人的安排时，刘强东说，京东足够大，能够找到适合他的位置，而不是说"对不起，你不适应我的组织了，请你走人"。某位副总来的时间很久了，但思路没有跟上公司发展，刘强东跟他沟通，调岗，负责的部门没有像过去那样重要了，但是他能力能胜任的，也做了大量安抚工作，在会上也积极肯定。这既保证公司的业务不受影响，同时也充分顾及这个老员工的颜面。

京东华南区仓储总监陈岩磊在京东8年，从物流经理做起，从懵懵懂懂、没有学历的年轻人做起，从管理两三千平方米的库房做起，变成今天管理二三十万平方米库房，两千多人团队的华南区域仓储总监。

2007年，京东成立华南分公司，陈岩磊加入京东，十几天时间将华南第一个仓库建起来，2 000多平方米。刘强东在广州天河临时租了一套三室一厅的房子，和大家一起吃饭，喝小糊涂仙酒。大约有一两个月的时间，刘强东一直待在广州，把广州当作京东的临时指挥部。刘强东脾气急，但决策也很果断，选仓库的时候把他叫来，当场就拍板，不像陈岩磊以前的老板，需要多方对比。

刘强东喝酒来者不拒，一张嘴就是"兄弟们"，他讲话富有感染力，听他说话，员工的心会热乎很久，嗷嗷叫着冲阵，盯着目标，把它干趴了。2009年以前，公司就是战斗、战斗，兄弟们一块打拼，讲江湖义气。从2010年开始，企业开始讲系统、管理、精细化了。这一年，刘强东去中欧商学院学习。

接下来的两年，大量职业经理人涌入京东，物流拆分为仓储和配送，陈岩磊的汇报对象总是换，他自己也有点困惑了，眼看着公司离成功越来越近，自己能不能继续做下去呢？他在这边干活儿，领导在那边招人。从2010年到2012年，陈岩磊每天逼着自己去适应京东，适应各种领导的管理风格。身边人频频换，给他带来很大压力。不过他坚信一点，从不怀疑自己把活儿干好了，谁还能把他干掉。

在京东这样高速发展的公司，个人的成长要跟上或者大于京东公司的发展，才能满足京东现在对个人的要求，从某种程度来说，这很残忍，也很现实。管理是理性的事，一定要有清晰的结果，该动刀子的时候，一定要动刀子。对过去为公司立下汗马功劳的员工，机会要给，但不能永远给。管理要柔性，可掺杂太多柔情，团队健康就会存在问题，没有向心力。

那时候，陈岩磊等老员工喝酒聚会时说，难道我们就这么随波逐流了吗？难道我们就不能更争气了吗？刘强东在某次战略讨论会上，谈到区域的组织架构问题，直接对区域总经理说，如果有造成阻碍的，你认为能力不行的，不要有任何顾忌，该换的就换。对于老员工，在薪酬待遇上照顾，找适合他的岗位安置，家庭有什么需求帮他解决。不过，他潜意识里，还是眷顾这些老员工。

陈岩磊干活儿比较粗糙，领导以结果为导向，不怎么认可他的能力。好在，因为刘强东对老员工的眷顾，陈岩磊再次得到了一次机会。2012年，他满怀焦虑和不安，但他的业绩做到了全国排名第一。这是对自己的认可，也改变了别人对自己的感观。他感觉，其他人看他的时候，多了一份坚定的信任：原来老员工还是能适应发展的。

给 90 后更多自由

早晨 6 点，雾蒙蒙的，成都锦江区望江橡树林小区门口的京东锦江速递中心，这是京东全国最大的配送站，拥有配送员 100 多人。车厢涂成红色、绘着银色微笑小狗的卡车轰鸣，穿着红色工服的配送员，排成一列，接力传递包裹。分配完包裹之后，这些配送员又鱼贯而出，骑着电动车，驶过街道，奔赴自己的目的地。

2013 年初，西南配送部决定在成都东区试点，建立一个大型配送站。因偶然的机会，西南区配送部成都东区经理龙晖看到望江橡树林小区附近有门面招租，对方要价 230 元每平方米每月，砍价到 180 元。当年 5 月 4 日，锦江速递中心成立。2014 年"6·18"，锦江速递中心一天送货 12 000 单，也未爆仓。

这是一个 700 平方米的空间，有独立的休息室，配送员有吃饭的地方，不像原来是又破又小的民居，配送员只能蹲在门口吃饭。

老站点面积小，单量大，十几个人在十几平方米的操作空间里进行分拣，转不开身来，早晨出门效率不高。锦江速递中心门口空间开阔，方便停车，卸货效率提升不少，电瓶车也不会堵在门口。形象也不错，客户来的时候觉得是实体店。

锦江速递中心是由成都东区 5 个站点合并而来，更节省管理人员成本，5 个站点需要 5 名站长和 5 名助理，锦江速递中心则是 1 名站长、4 名助理，每月节省人工成本在 2 万元以上。

1990 年出生的王武是锦江速递中心站长，四川绵阳人，他原来在大田物流工作，送货到京东仓库，从未见到这样好的仓库，考虑两天，他直接找到京东西南分公司：我想到京东上班，你们随便给我安排个工作就行。西南分公司回复他：那你到成都东门站当配送员吧。2011 年 5 月 4 日他跳槽到京东。他庆幸自己来了京东，"在其他公司，10 年 20 年都不知道能否接触到这么多东西。"

在东门站干了三天，公司安排他到温江站，因为他是在温江上的学，当时温江站刚成立。刚到温江站，一天只有三四十单，四个配送员，每个人只送七八单，但距离远，一个要跑 20 公里。他送完货就会跟客户聊聊天、吹吹牛。2011 年底，成都站点扩张，他到盐市口当站长。2013 年 3 月，他回到最早待过的成都东门站当站长，成都东区三环以内，除了北门站，他几乎都当过站长：盐市、东门、李家沱、龙王，因为京东发展速度太快，新东西非常多，有些老站长跟不上形势，压力大、承受不了就要离开，导致 2013 年配送站站长调动非常频繁。

王武见过两次刘强东，一次是 2011 年他加入京东时，在西南分公司办公室的电梯遇到刘强东，当时他还不知道这人是老板，只觉得这人气场很大，走出电梯后，都在说：刘总好！这才知道是老板，他嘀咕，早知道，应该和他握握手嘛。2012 年会，刘强东和西南大区员工合影，这是王武第二次见到刘强东。他对刘强东的印象是"像头野兽一样猛冲猛打，公司的特点也和他息息相关，这个特点到现在一直存在"。

90 后王武做事勇猛、个性张扬、无所顾忌，锦江速递中心 100 多人，配送员从 60 后、70 后、80 后、90 后都有，有来自农村的，也有来自城市的，有的是为了拼命挣钱，也有人是为了在这里拿社保，还有特别喜欢京东而加入的，鱼龙混杂，管理难度非常大，但王武的鬼点子很多。

配送员说，王武很有办法对付他们。王武坚持犯错以教育为主，跟配送员摆龙门阵，配送员暗暗焦急，没法送货就没法挣钱。面单没有签字，他就要求配送员把名字抄 100 遍。如果有客户投诉，就让配送员写总结报告，要求 500 字以上。配送员宁可罚款也不愿意写，坐在办公桌前绞尽脑汁。

王武现在买了房子、车子，他觉得自己在同龄人中过得不错，算是中上水准，他说："感谢京东，我的一切都是京东给予的。"他的父亲也来站点看过他，说："小子，看不出来哟。"

他到北京总部培训，配送部领导告诉他："将来全国会拆成 100 多个片区，你们有大把的升迁机会。"这让他对未来充满期待："在京东机会太多了，我的目标肯定是CXO级，就是沈总（沈皓瑜）那个位置，目标肯定得远一点嘛。"

李俊祥，1991 年生，2011 年 11 月加入京东，现任华中区域小家电仓综合主管。他第一天上夜班，下班之后又冷又饿，出了仓库拿出手机发现收到很多短信，刚刚相识的同事们发短信来说，辛苦了，已经给你准备好热水、牛奶、面包和水果。他特别感动。

2014 年，李俊祥作为京东一线楷模去台湾旅游，华中区选拔了 3 人，按照 0.15%的比例选出来的，每个到台湾的人，都有一段自己的故事。他感觉真棒，在台湾到处跑，玩了八天七夜。这些仓储客服配送的一线员工，穿着工服，有路人问，是东京的吗？他们回答，是京东。李俊祥还特意补充一句，网购便宜，送货快。

他加入京东一开始是做拣货，想当组长，以为拣货最快，快得大家都比不上，就是组长。那时候使劲儿在仓库里跑，当了组长，发现光会干活儿不行，还得会协调大家的关系。

华中小家电仓开仓时，他每晚 9 点到 12 点守在仓库里，两个月未休息。他负责综合科，仓库漏雨、电脑不亮、发票出问题，都归他管。李俊祥不擅长说话，但是喜欢听，也愿意听，团队的人乐意跟他说话，有困难就告诉他，他能自己解决的，就自己解决，如果自己解决不了，就帮忙跑腿。他的上级评价他，李俊祥是管理者中最不会说话的人，但却用实际行动获得了大家认可。

他在小家电仓，每周五会举办小活动，逢年过节，会找领导申请经费，买月饼、西瓜和各种小奖品，带着仓库的人玩游戏，过节不能回家，就在仓库里热闹一番。他还会组织羽毛球赛，叫上各个部门的人来，有配送员给他打招呼，说送完货就来，好多部门的人来捧场。李俊祥说，小家电是独立的园区，离其他部门都比较远，跨部门协调慢一点，这样的活动能让大家互相认识，以后工作上也多一些方便。

京东的DNA让90后兴奋。2014年"双11"，华北区域生产订单120万单，员工们兴奋疯了，已经到了有订单你不让我做，我要揍你，哪怕你是经理的地步。但是上级控制订单生产的原因是，必须考虑整个生产链条的均衡，分拣中心已经干不动了，就得控制仓储生产。有些员工都要哭起来了，你不让我生产订单，我对不起客户。有年轻员工过两天来请假，脚底跑脱皮了。

90后对钱没有那么强烈的意识，没有养家糊口的压力。人力资源部门在他们入职的时候就告诉他们，不会像做公务员一样，一眼望去，就能看到50岁的样子。京东会给你完善的轮岗体系，两三年之后，无论你想留在这儿，还是去别的地方，都是全才。管理者需要走心，需要做好员工培训，员工不仅能挣钱，还可以提升，过几年后到招聘市场上是有竞争力的。除了钱以外，员工能收获更多，对公司的满意度就更高。在京东，每人都有一份档案，规定了什么时间做什么培训，谁来培训，怎样考核培训师，接受培训的员工又如何考核。

如何管理90后成为管理的新课题。他们自由跳脱，个性张扬，我行我素，这是属于个人主义彰显的一代。管理层需要更多地去考虑他们的自尊，在不伤害员工自尊心的同时，让他们正确意识到组织的需要，意识到自己犯错对组织的影响。

华东区上海亚洲一号仓储经理杨涛要求员工，在晨会上，前一天犯错的员工要上台表演节目。他们很腼腆，上台就是锻炼，不过也让他们觉得千万不要错，否则得上台，他们畏惧上台胜过罚款。"公司需要的是让他们积极面对错误，而不是打压，扣钱是没用的，员工会觉得差错是偶然的现象，老是扣钱，就会对公司有怨气。"晨会的氛围也变得活泼起来，一个活泼的晨会对大家一天工作的激情很重要。

仓库挂着看板，出错率都公示在上面，这些年轻人内心骄傲，看重荣誉，不愿意自己的名字被挂上去。杨涛说，你必须用一套他们理解的语言来表达。

90后参与感更强烈，思维活跃，他们发现了问题，希望推动改变，得到结果。这需要给他们平台，让他们提出建议，经过分析评估，再推送给其他部门。管理上更多地要注意激励，给予认可，改变以往硬性管理的方式。需要给他们很多标兵事例，通过正能量的案例鼓励他们，别人能做到的，我也能做到。

尊重是非常重要的事，不能是自己的职位更高，就命令他，而且说教也不合时宜了。90后更接受分享式的管理方式，上级的角色更接近于教练与朋友，给予建议，分享自己的经验。他们更为自我，情绪控制能力不够强，或者说，有钱，任性，辞职更轻易。

有仓储员工直接找到京东集团副总裁兼华南区总经理尹红元，说，我要离职，因为他们不让我吃饭。尹红元一看时间，按公司规定是12点下班吃饭，现在才11点多钟，就问员工，还没下班呢，为什么要赶着吃饭？他解释说，我饿了，早晨没来得及吃早餐。

尹红元问他，大家都在做事，就你一个人吃饭，别人怎么想？他回答，我比他们快。尹红元问他这个月业绩怎么样？能做到第一还是第二？他说，我想第一就第一，想第二就第二。他不想待在现在的岗位上，想调岗去别的地方。尹红元告诉他：今天给你10分钟时间去吃饭，以后要养成吃早餐的习惯，为了身体健康。如果你连续三个月拿前三，想去哪个岗位就去哪个岗位。

这位年轻人也没有吃饭，直接回去干活儿了。后来尹红元每次见到他，就问这个月干得怎么样。"他很单纯，主管可能没有注意他的需求。我不能说，要离职就滚蛋，跟他讲公司规定这些大道理也没用。你需要用他的语言来化解他内心的怨恨。后来他一直很努力，冲在前面。"

1991年出生的周航是个情感丰富的女孩，2012年加入京东，现在是京东全国客服中心运营经理。2013年，京东将新logo小狗Joy推向社会的那天晚上，周航一直刷着微博，等待Joy的出现。她在页面上看到Joy的时候，热泪盈眶：这是我们的公司，在向全世界展示。

很多一线员工没有太多想法，执行好任务就行了。不过，有潜力的人被选了未来之星，就需要更多的主人翁意识。讨论问题的时候，领导会问他，如果你是负责人，出了这事怎么办？他们会想方设法，集思广益，把方案做出来，再评估可行度如何。

周航刚入职的时候，呼叫中心还缺乏系统性工具，保证客服对不同客户遇到的同一问题提供统一的方法解决。当时周航所在团队的经理提出了这个问题，客服对同一问题的解决方法五花八门，该怎么办？他们想到了知识库，类似百度百科，搜索关键词，就能出现标准答案。这个方案通过之后，就开始搭建框架，发展到现在，知识库已经是专人专岗管理，不断做知识点更新。这是周航觉得自己入职时做得最有意义的事情。

周航升级为主管，有位女员工只有 18 岁，活泼，直率，做事主动，可说话不怎么讲究方式。她需要改变这个小姑娘的说话方式，她的未来不仅仅是一个客服代表。团队安排聚餐，周航找她来负责，她做得很棒，大家玩得尽兴，她也开心，主动对周航说，这事以后都交给我来做。这是周航在公司里学到的，给员工授权，她能够得到成长，而领导也有更多的时间来整合团队，关注新的问题。她活学活用，用在这个女孩子身上。

周航担任经理后，遇到一位性格叛逆的员工。主管教给这个员工方法的时候，他觉得是在针对他，有一天，突然没来上班，没有事先请假，直接旷工，也不接主管的电话。周航担心他的人身安全问题，从人力资源部门找到紧急联系人方式，最后在男生宿舍找到他，人没有事，虚惊一场。

周航问他，你觉得主管教给你方法，是针对你，还是希望你做得更好？他完全没有概念，他就觉得主管天天盯着他，烦死了。周航又问，为什么要旷工？可以请假啊。他回答，就是不想来。他完全没想过，公司是有规则的。周航继续问他，你放弃了这份工作，还要去别的公司面试，你对工作是爱来不来的态度，下一个老板会认可你吗？他说，不会。

在这件事后，周航要求主管跟员工沟通的时候，先说清楚目的是什么，能给你自己、给我们公司带来什么好处，让他们意识到这件事的价值。

2009 年以实习生身份加入京东呼叫中心的吕路毅是江西赣州人，家人反对她来宿迁，一直打电话让她回去。开始的时候，她跟父母沟通困难，后来想明白了，因为父母不放心自己在外面独自打拼，她需要向他们展示她在工作中变得成熟了。

呼叫中心的发展通道分为OPM三条路径：O是操作序列，从一般客服成为资深服务专家，处理的客户级别越来越高，难度不断增加，从一般咨询到投诉再到危机事件。P是专业人才，质控、数据分析、财务等专业水平逐步上升；M是管理序列，按照主管、副经理、经理、高级经理、总监等级别，逐级上升。

吕路毅刚做经理的时候没有经验，不到一个月时间，近半数员工心态不稳，走了不少人。领导找来高级经理协助吕路毅，开座谈会，采取措施稳定员工。吕路毅也反省自己的做法，自己操之过急，刚培训完的员工就让他接线，对主管要求严格，主管就给员工施压，没有注意情绪变化。经过此事，她意识到，一定要关怀员工，员工内心安定，才会信任你，跟着你的脚步去工作。

现在的吕路毅，能将自己的管理理念侃侃而谈。她说，你需要知道90后员工在想什么，有人可能喜欢拿很高的绩效，有人想要更大的舞台，有人想利用专长让别人认可自己。你需要做好透明的绩效激励，帮助员工定期做好目标分解与工作总结。这样想拿绩效的员工目标明确，也知道一个月能拿多少钱，会越干越有劲。

想走管理通道的，则第一步带着主管评估他的想法是否合适，第二步除了要他完成比较好的绩效以外，让主管带着他完成一些管理动作，给他锻炼的机会。有些员工有额外的才艺专长，就推荐他去展示。90后的特点是，对钱看得不那么重要，能做自己喜欢的事，被别人认可，就很开心。

吕路毅说："做管理者最大的成就不是你有多强，而是让这个团队有更好的发展方向，能够成就更多的员工。"她做主管的时候组里有12名员工，后来三分之二的人都做主管了。

"在京东，我成就了我自己，以前回家妈妈总是念叨，女孩子离家那么远做什么，赶紧回来。我做了主管、经理，他们就不催我回家了。我问他们，为什么不催了？妈妈回答，没必要催了，你能自己拿主意，懂事了。妈妈出去聊天，别人的孩子靠父母走关系找到工作，自己的女儿自己找工作，工作顺利，有股票拿，养活了自己，还能给父母买东西，为你自豪。"

刘强东说："大家谈到每个年代的人的时候，都充满了恐惧，十几年前说80后是懒散的一代，现在又说90后是懒散的一代，我相信再过七八年后又会说2000后。50后、60后说我们70后的人没经历过'文革'、斗争。我觉得每一代人都有自己鲜明的文化，每代人都会有自我个性的张扬，追求不一样，但每一代人总会有1%的人追求事业，不是说给他足够多的钱、大房子、很多车，他就会天天去迪厅跳舞，到全世界旅行，任何一代人总会有人不愿意荒废时间，愿意奋斗成就一番事业，去享受事业的成功。所以，我的责任是，不管 70 后、80 后、90 后，还是 2000 后，把这 1%的人选出来做公司的高管。"

刘强东的管理方式原则上不会变，但对每代人肯定会有不同，"比如 90 后跟我强调自由，我也会给他一个自由空间，90 后喜欢表达自己，每次开会我会留下时间让他表达，表达完了，整个团队回到同一条主线上，讨论的目的是为了达成共识。"

企业文化

士气是打胜仗打出来的

2012 年的"6·18"店庆，华北区仓储高级经理郭新伟像旁观者一样，晕乎乎地看着就过去了。这一年的"双 11"，郭新伟遇到了货物位置码放混乱的问题。身为领导，自己像无头苍蝇一样没有方向。上级不得不将华北区所有仓储副经理以上的人叫来，支援这个仓库。郭新伟心里特别难受，对他来说，这是耻辱，打仗没打过别人，收拾战场也没抢过别人。当时团队有点被打蔫了，到 2013 年春节都没缓过气来，等春节放假归来、收拾好心情的郭新伟，召集大家吃饭，沟通 2013 年该怎么做。有经理说，老郭，咱们不能有太多想法，必须统一想法，无论做什么决定，先听你的意见，团队觉得不成，就商量；但是对外只能有一个口径，无论对错，一定要做下去，不能大家都没得做。经过两个月的磨合，这个团队一点点地做起来了。

2013 年的店庆，才是郭新伟亲身经历的第一次店庆。他凌晨 5 点多钟在库房里走了一圈，含着眼泪，欣慰地看着库房里他带着兄弟们所做的准备。原来堆积成山的货，清晰分割，码得整整齐齐，设备都擦得干干净净，加满油的汽车一列排开。员工们精神焕发，满面笑容，整装备战。他们告诉他：没事，你放心，今天肯定能干好。

箭在弦上，只等一声号令。当天，郭新伟所负责的仓库是第一个在一个班次里完成 10 万单的，拿了锦旗。

他认为这是个奇迹，"我感觉到自己的存在感，我跟这个团队在一起。人需要朋友，需要被认可。大区总经理也好，总监也好，都认可这个团队，给我更多的信任和更多的空间，让我有更大的信心带着团队往前走。"2013 年"双 11"，他在简陋的宾馆里住了 4 天，每天拼命地干，一天就清理了 15 万单，相当于平常 4 天的活儿。到 2014 年"双 11"超过 20 万单，用的人员反而比 2013 年"6·18"店庆的 10 万单的人员少。在京东，人效永远是盯得最紧的指标之一，要一直持续提升。

团队最怕来了大战，结果自己趴下了。士气都是一场接一场的胜仗打出来的，要让大家继续期待下一场硬仗。所谓败军不馁，逆境更见韧性，但那也需要打一次胜仗扭转逆境，否则越干越灰心，人心散了，队伍就不好带了。

郭新伟负责的两个仓，后来拆出了 3 个仓，那 3 个仓的管理者全是从原来两个仓出去的。这向那些员工证明了，只要努力，把事情做好，就有更大的空间。这下，团队也进入了良性循环。

2011 年 6 月份，DHL 接到邮政管理局罚单，决定退出国内业务，卖掉了部分资产。当时身在 DHL 的邵继伟比较失落。他看到刘强东发微博说，DHL 退出中国市场，到底是中国快递的悲哀，还是民营企业厉害？到底是竞争力的问题，还是竞争环境的问题？

因此，他开始关注京东，在 DHL 的合同结束之后，就去京东面试，一天 7 轮。2011 年 12 月 16 日他刚入职京东担任华北区配送总监时，他的直接领导打了 3 个电话，叫他赶紧过来，并告诉他到哪里找人，电脑在哪里，全都准备好了。邵继伟半小时弄完入职手续，打车过去。一进门领导就抛来一句，你把 2012 年的工作规划做一下，还有一个星期就开年会。他一下子蒙了，这什么节奏啊？我东南西北都还没分清楚。

他中午跟副手吃完饭，就说坐不住了，到库里看看。马驹桥仓库积压得很厉害，漫长的搬货过程开始了。平时仓库八九万的单量，突然拉升到 12 万单。本来安排第三方做 5 万单，但是第三方吃不掉，吃不掉就提不了货，积压在仓库，结果新的货就没法进来，得搬到新的场地去存，这样就出现看管、串货等问题。他每天戴着耳机，一边搬货一边听讲座，从上午6点到晚上八九点。他也不指挥任何人，谁也不认识他，如果指挥的话会被员工骂，就低头做事。库房特别脏，脸上、身上都是土。连续搬了十几天，妻子坐不住了，不知道他到底去哪里工作，还以为他失业了。

2014年6月20日，1980年出生的邵继伟第一次单独见到刘强东，刘强东告诉他，这个世界上没什么事情比电商更值得做。这次见面近乎闲聊，刘强东问邵继伟，你多大了？住哪里？有小孩吗？父母干什么的？买房子了吗？邵继伟回答：我不愿意贷款买房，觉得负担重，还买不起。刘强东说：你好好干，将来你可以在世界上任何地方买房子。

聊了半小时，刘强东的最后一句话是：你把华北区接了吧。7月，邵继伟走马上任，从华北区配送总监升为华北区总经理，三个月之后，就迎来硬仗。

2014年11月，APEC（亚太经合组织）峰会在北京召开，管理严密，很多街区十步一岗，限号限行，不仅是北京，连河北山东等区域也限行。甚至7日到12日北京放假调休6日。即将迎来"双11"的京东压力极大，邵继伟事先找社会资源，储备了1 200辆汽车，尽管还有七八天才到"双11"，货量未到高峰，也宁可先养着这些车，免得到时候抓瞎。11月10日，京东的"双11"提前开始，邵继伟将全员力量放在了凌晨工作，不限行的汽车从零点运行到6点，限行的车从零点运行到3点。每个配送站点动员员工晚上带着家属在站点看货，如果站点在小区内，为了防止扰民，就在门口看车，等到凌晨5点，再将货物搬进站点。

11月11日晚上8点8分，华北成为第一个生产100万单的大区。华北区域四省两市，西到内蒙古乌海，东到山东威海，北到河北承德，南到山东枣庄，220万平方公里土地，受到APEC峰会影响，依旧做到了90%的订单次日达。

本来京东是百米冲刺的健将，因为APEC峰会，变成了拄着拐杖的瘸子，就这样还一瘸一拐地按时跑到了终点，凭的是客户为先的价值观下员工们的拼搏。那几天，员工累到吃饭吃着吃着就睡着了，仓库堆货的地方，中间有几十厘米的空隙，员工侧着身体躺在地上睡觉。

企业文化的源头，追溯到企业创始人。《亮剑》里独立团的精神来自李云龙，京东管理层的敬业，来自刘强东白手起家的干劲。如果刘强东能卸货，能晚上起来回复帖子，为什么我们不可以？

刘强东对基层的关注，让京东的底盘很结实，不是所有企业都能管7万人。京东的执行力很强，前提是高度关注基层员工的幸福感。公司的价值观，是自上而下都发自内心认可它的，要符合公司发展需求，也不能违背员工根本利益。大家都知道要有激情，要享受工作，但不能从工作中获得乐趣，那就是空谈。这必须要依靠激励机制，让人获得乐趣的，不一定是金钱，也可能是某种荣誉。不拼爹，不拼娘，只比拼你实力的公司，认真干活儿，就能拿到相应的回报，能够通过自己的努力获得公平的发展机会，这是激情的根源。

人数的快速扩张，导致京东企业文化的稀释，旧有的企业文化与新加入员工带来的观念也有冲突。2009年初约1 000名员工，到2009年底有2 000多名员工，大不了一位老员工带着一位新员工，进行价值观的传承。2010年员工人数从2 000多人增加到7 000多人，新员工人数是老员工近两倍，如何教化，如何承上启下？尤其是2010年引入了很多在大公司做过的人，带着受过职业训练的价值观来的，他们不是白纸一张，必然跟公司原有的价值观有冲突。

究竟是旧有的企业文化向新人妥协？还是新人向旧有的企业文化妥协？最后的结果是谁也没有向谁妥协，而是创造出新的价值观。这是一个痛苦的过程，是被现实倒逼而不得不升级的过程。

企业希望公司员工永远保持创业的状态是不可能的，你不可能指望公司越来越大的时候，加入公司的员工都是能够接受低薪、高强度的工作以及粗暴简单的管理。打个比方，就像你还是个小姑娘，面黄肌瘦，穿得破破烂烂的，这时候喜欢你的男孩子是真爱；但是你营养好了，有钱打扮了，变得漂亮了，很多男孩子冲着你的魅力来了，你也不能说别人对你的喜欢就是俗气的。

创业者喜欢拼命地干，一个人带着一两个人都能把事情做出来——还记得刘强东一个人带着一位工程师就把京东后台系统给捣鼓出来了吗？在创业阶段，创业者带着一两个人能把事情干到六七十分，之后是招来一二十个高薪的人，把这件事干到90分。虽然前者看起来性价比高，但是从70分到90分的沟壑，必须用高薪的人才给跨过去，这种看起来性价比不高的方式，是不得不接受的。创始人在创业期间是连长，身先士卒，冲锋在前。公司大了，就变成了司令员，运筹帷幄，不计较一城一地的得失。

京东"38军"

2013年8月，孙加明接手日用百货品类，日百行业规模最大，京东过去做得不好，从2010年到2013年，总是更换领导，一年一换，团队没有形成明确的价值观和团队精神。那些年一起创业走过来的员工，骨子里的精神经历了三任领导也乱了，同时经营策略也有问题。年轻白领是主力消费群体，可这群人买零食不在京东买，买化妆品不在京东买，刘强东没法忍受，也意识到京东日百做得很弱，心里着急。他找孙加明，孙加明说："没问题，我去。"京东日用百货目前分为：母婴、化妆品、食品、酒、钟表、汽车六大品类。

日百的难点在于品牌集中度不高，TOP级别的供应商超过100家，电脑TOP级别的也就10来家。孙加明重新回到做IT产品的起点，经常被供应商拒绝，他说："我们只做第一，总能找到办法，首先得不服输，才有动力超越别人。"他认为，日百销量可能比3C品类更早达到1 000亿元规模。

孙加明调了一些IT采销部门的老员工过来——IT采销部门是京东的38军，言传身教，让日百团队明白公司的价值观是什么，才谈得上引发认同，强化团队凝聚力，才谈得上第二步，解决上游供货问题。

职业经理人基本构成了京东的高管层，最早的那批员工主要分布在总监层，是中坚力量。职业经理人的强项在于，积累了很多工作经验和方法，能为京东注入新鲜的、先进的东西，封闭的系统不利于京东的发展。而京东的老员工，责任心强，做事努力，敢拼敢打，奉献精神强，相对来说知识面窄一些。不过，遇到困难的时候，这些人能扛事。

京东日用百货部母婴总监郭晓博2006年3月加入京东，最初做页面维护，改善商品图片和文字介绍，现在是日用百货母婴品类负责人。他说，京东做起来是，因为这票人互相比拼，你做了什么特价、做了什么好货，明天我一定要谈出一个来，否则没有面子。刘强东对他们说得最多的一句话是，你今天谈了什么好的单子，你可完成多少销售？

郭晓博卖电脑包，价格是 49.9 元，本来采购量预计 7 天卖完，结果按销售速度可能两天就卖完了，他把价格涨到 59.9 元，想这样既能卖完又能给公司带来更多利润。刘强东发现了，开会批评郭晓博："短视，你就想着挣钱吗？有没有想过客户感受，你突然涨价，会伤害多少客户？你短期挣了几块钱，可客户损失大了。"

那时候，郭晓博称呼刘强东是"刘经理"。2007 年，他告诉刘强东，这个月业绩肯定好，争取做部门第一。刘强东承诺若是做到，就奖励一台数码相机。旁边的同事说，我也能做到。刘强东就要他们竞争，谁做到第一，就拿数码相机。结果，郭晓博拿了理光数码相机，同事也得了一台 LG 手机。

在餐桌上，刘强东端着酒杯，秘书跟在身旁，拿着录音笔。他自己挨个挨个问采销，采销报一个业绩目标，做到了就能拿 30 万元奖金。在刘强东眼里，只有 100%。99% 和 100% 是两个概念，完成了就是完成了，没完成就是没完成，是 3 000 元和 30 万元的差距。重赏之下必有勇夫，2011 年、2012 年郭晓博连续拿到 30 万元奖金。一次，他的团队设定的是 11 亿元目标，12 月需要完成 1.1 亿元。团队 7 个人，每天都有任务分配下来，有的协调库房，有的协调财务结款，有的协调客服处理订单，完成不了，就不能走，否则是团队的罪人。当月完成 1.6 亿元。郭晓博拿了 30 万元，员工分别有 20 万元、十几万元、几万元不等。他说："刘强东答应你的，从没有说不兑现的。这个奖励是额外的，比预算定得高一些。"

2008 年 8 月，因为金融危机导致市场行情不好，显示器一个月降了 150 元，郭晓博两个月给公司亏损 100 万元，急得睡不着觉。刘强东告诉他，你亏的钱比让你上 MBA 更值，让你实实在在体会到商业的残酷。

京东商城日用百货部食品业务部总经理章力 2010 年刚加入京东时，最吸引他的是，能快速把自己想法变成现实，验证它是对是错。晚上有想法，第二天可以干，下午就知道是对是错。那一年的年终大礼包，章力超额完成任务，他获得 40 万元奖金，当时他只是部门经理。2010 年底北京限号，京东很多人买车，尾号都是 360，当时京东域名还是 360buy。京东员工对京东的荣誉感和归属感，足见一斑。

京东日用百货食品部粮油组经理王娜 2005 年 11 月 25 日加入京东，当时全公司几十个人，2013 年 8 月到日用百货食品部粮油组，当时粮油一个月销售额是几百万元。王娜周末在超市转悠，很多客户买米油促销不优惠，他觉得京东做得还不到位，消费者还愿意花半天时间去超市，提回家，搬上楼，费时费力。2013 年 10 月，粮油组做到千万元，到 2014 年 10 月又翻了 4 倍多，王娜说："短期内京东食品的竞争对手是沃尔玛和家乐福，长期来说还是自己。"

这些从 IT 采销部门转来的员工，我在他们的身上深切感受到，他们有一种觉悟：你要么给公司创造利润，要么创造巨大的销售额，要么带来新用户，要么让客户黏度很高。无论做什么业务，肯定要给公司带来价值，没有价值的事情永远别干。

孙加明说："京东为什么能做成？它长期有一群努力拼搏的员工，人数越来越多，成为主流了。相应的物质、精神激励要跟上。员工发现，努力不努力是一样的。别人不努力跟他努力是一样的结果，他就不会努力了。刘强东创造了一个相对公平的环境，努力的人跟不努力的人是不一样的。"

努力做出成绩来，就给加薪，否则不加薪。每个人卖多少东西，大家都很清楚。孙加明当领导之后，特别在意这点。为什么自己能长期努力拼搏下去？因为有领导的肯定，一个月拿多少钱不是最重要的，最重要的是，他是否认同你，并且能获得更高的物质生活水平，学到更多的东西，开阔眼界，这是第一步。第二步，是一定要有公平良好的环境，努力的人和不努力的人一定得有区别。大部分企业没有把这件事做好。

京东一年两次盘点，上半年努力工作的加薪，年底再来一次。到底给谁加，加多少钱，孙加明把总监、部门经理都弄来，反复开会讨论。原来十几个人的时候，孙加明全都有数，上百人了就掌握不详细了，需要民主决策。因为形成了习惯，大家也知道不是走形式，敢说，业绩数字怎么样，平时表现怎么样，能做出客观的激励。最后发现，努力的人加薪了，不努力的人，看别人努力，自己也努力了，慢慢也上进了。再不努力的人，就要被淘汰。

刘强东从站柜台做到今天 450 多亿美元市值的公司，他有能力有天赋是一方面，但根本原因还是人，智商都差不多，京东能做成，是因为京东能让员工拼搏。

很多企业，10个人，每个人能发挥10分力气，到1 000个人，8分力气都发挥不了。能够基业长青的企业，都是能将上万人的能量发挥得比其他公司高。不是发挥到极致，可能发挥到7分，但其他企业只能发挥到5分，甚至3分。

制度可以复制，组织架构可以复制，企业文化是没法复制的。如果是制度能够维持企业基业长青，直接复制制度好了。企业能够基业长青，绝对不是标准化的东西维持的，一定是非标准化的东西，精神层面上的。

从未来来看，威胁一家公司能否发展壮大的，不是别人，是自己，当初能够成功的东西，是否可以继续发扬下去？这几万人，能否继续认同当初成功的东西？如果失败，一定是内部不行了，而不是外部问题。

先有共识才能有共享

起初，IT采销部门只有十几名员工，后来扩张到上百人，再后来，京东光采销部门就横跨IT、家电、日百、图书等等，更不要论庞大的物流体系，新人不断涌入，就如上一节所提到的，这几万人，能否继续认同当初成功的东西？"38军"的精神能够继续传承下去吗？

2007年的企业文化，是刘强东一个人弄出来的。2013年的企业文化，刘强东是核心创作者、核心宣讲者和核心实施者，但不再只是他一个人的事。2013年的企业文化，逐渐摆脱了创始人个人的绝对性影响，由大家探讨出京东新的价值观：客户为先、诚信、团队、激情、创新。

整个2013年，刘强东持续寻找更多的高管，他在美国实在抽不开身的时候，邀请人到美国面试。每找到一位CXO级高管，他会面试至少10个人，甚至40多人。刘强东问问题很细，例如你在上一家公司工作8年，你希望带得力下属过来吗？如果带了下属，工作可以迅速展开，不带来，要和新下属磨合，过程痛苦。假若面试的高管回答希望带来老下属，这样的高管刘强东就不会考虑。刘强东要的高管是有领导力的，有自己的魅力和方法整合新团队。他对高管们的要求是，要么融入京东文化，要么走人。他认为，以现在的市场容量和京东建立的核心优势，只要战略与企业文化不出问题，京东就不会有大问题。

2013 年 7 月回国，刘强东对自己离开期间的公司运营相当满意，不满意的地方主要是跨体系协调存在问题。他认为京东开始有大公司病的苗头：部门协调不力，决策效率低下，滋生帮派。他感到文化稀释的危险，京东过去结果导向、快速反应的作风减弱，过多的部门互相扯皮，审批层次越来越烦琐，导致战略决策不能迅速传达到基层。他这次回来，就是要强化企业文化，向公司全员普及战略思想，打通管理流程，让跨体系协作更有效率。

中国企业从草莽江湖杀出的时候，往往是个人英雄色彩浓重，企业家就是这个企业的精神领袖，他的人格魅力是团队的润滑剂和黏合剂。这容易导致公司形成自上而下驱动的模式，很多东西依赖企业家本人驱动，如果他不重视，自下而上驱动的话就很缓慢，在横向沟通协作上很难形成合力。

当组织增长到一定阶段的时候，仅仅是依靠企业家的个人魅力来润滑、黏合团队，已经不行了，能够接触到企业家的人越来越少了。在绝大多数中层、基层员工那里，"刘强东"已经是这家公司的一个符号。这时候，公司的愿景、使命、价值观的重要性显现出来。人是有情感的，喜欢与和自己相似、能激发精神共鸣的人一起工作。

2012 年隆雨加入京东任职首席人事官之后，第一件事就是梳理企业文化。

现代管理强调的是共识和共享，先有共识才能有共享。2012 年的企业文化梳理，京东邀请了更多管理层、员工走进项目，并请来制定《华为基本法》的华夏基石做问卷调查以及匿名访谈，承诺不透露职位和姓名，发放了 4 000 份有效问卷，访谈超过 200 人。通过逆向的方式，找到京东人喜欢哪些行为，不喜欢哪些行为。最后在副总裁以上级别参加的讨论会上，碰撞京东新一版企业文化。现场争论激烈，咄咄逼人：我就不信，"高效"这个词进不去？吵得僵持不下的时候，刘强东说：别吵了，我来拍板。值得一提的是，刘强东一反过去自己主导会议的常态，基本没有发言，除了快结束的时候。

最后，京东企业文化定为"一个中心四个基本点"：客户为先、诚信、团队、创新、激情。2013 年 3 月底，刘强东开始面向总监级别以上，进行企业文化首讲。之后，总监级别以及以上的人均要站在台上讲一遍，只有讲出来的才会融入自己的血液里。8 月底，企业文化宣讲覆盖全部员工。每个部门都有企业文化、价值观准则的细化，呼叫中心的是"让客户听得见你的微笑"，每个人在面前放上小镜子，观察自己说话时有无微笑。石涛所在部门，总监、高级经理一级可以马上回答出企业文化的内容，普通员工熟知 50%~60%，可能对核心价值观"一个中心四个基本点"的子目录内容模糊。"这个改变已经相当大了。"石涛说。

2013 年，刘强东对企业文化的忧虑，恰好在总监、高级经理的中间层。高管是他面试的，靠文化驱动；基层的配送仓储员工有老员工传帮带，刘强东也喜欢去基层探访，冬天最冷的时候他开车去了黑龙江配送站。但中层不是他面试的，过去关注得也很少。总监有两三百人，很多他不熟悉，他们也不熟悉他。刘强东有必要更多更大面积地向公司员工宣讲他的思想，并且准确地掌握这些中层的真实反馈。

公司需要保证有传承的机制，老员工走了不代表价值观带走了，新员工进来不代表不接受京东的价值观。你需要有如大海般包容的空间，酸甜苦辣哪种味道进入大海，最终都是咸的。

从二元对立到二元融合

刘强东决定自建物流，徐新反对的理由，有一条就是觉得刘强东管不好这群人。10 个司机 9 个偷，蓝领真的不好管，不如管一大堆工程师。自建物流之后，徐新常买京东的东西，和配送员聊天，发现他们特别珍惜自己的工作，在快递公司里，除了顺丰就数京东的收入高，能够赚钱回家买房子，有钱有面子。另一方面，京东对他们也有很强的约束机制，如果遇到两起投诉就会被开除，有时候配送员送货晚了一点，都会请求客户千万别投诉。

每逢"6·18"和"双 11"，很多快递公司的配送员都蠢蠢欲动，问京东招人吗？京东配送员的收入在成都算中上，每月收入 4 000~6 000 元，而很多快递公司只有两三千元。

成都锦江速递中心配送员王连伟原来在宅急送做了 8 年配送员，是公司评选出的标兵，年终获奖，就只能拿到牙膏、牙刷、香皂等奖品。这伤了他的心，到京东之后，他卸货冲在最前面，绩效考核次次是前三名，从来没有产生过工单，把客户服务得很好，客户有问题就直接找他，不找客服。如果其他配送员需要帮忙，他也二话不说冲在前面。他在京东拿到标兵奖，年终奖励 1 万元。

京东配送员觉得自己能抬得起头，自豪来自哪里？公司品牌好，制服穿在身上有面儿。公司给予他相对公平的市场待遇和社会地位，要满足他们很容易，京东发放五险一金，工资按时发放，这天经地义的事情，在物流行业却是优势。

现在正处于传统行业与互联网变革、融合的交叉点。互联网公司变得越来越重，无论是做电商的京东，做团购起家的美团，还是打车软件滴滴打车，它们的特点都是拥有越来越庞大的线下团队。相对于高学历的、坐办公室的技术人才，线下团队通常学历偏低，常年奔波在一线。

这类似城乡二元对立的结构，是互联网公司的管理新命题。2011 年之前，刘强东感觉到公司内的明显隔阂，公司白领看配送员，有城里人看农村人的感觉，社会地位不一样，也不愿意交流。2011 年开始发生变化，核心要素是中国人口红利消失，配送员收入很高了，有的一个月能挣六七千元，坐办公室的不一定能拿到这个收入。

刘强东的血液里流淌着农民的血，他在价值观分享会上，向高管们鞠躬：感谢在座的各位兄弟，你们都是很厉害的人，踏出京东的门，很容易找到相同的职位。我们的基层员工，来自农村，没有受到很好的教育，在京东这个平台上，能够通过他们的劳动获得稳定的收入、稳定的生活。京东要是有问题，首先伤害的是基层员工，他们不容易再找到像京东这样的机会。

2014 年春节前，中铁物流前营销副总裁马珺跟两位做落地配的物流企业老板吃饭聊天，其中一位一边说一边擦汗，当时刘强东大把大把地发钱给配送员，让他们的员工也躁动起来。

物流老板口中的刘强东发钱，是指刘强东春节前看到留守儿童自杀的新闻，决定凡是春节值班员工，孩子在外地的，一个孩子补助 3 000 元。配送员徐文义的连襟也在京东做配送员，有 3 个孩子，春节值班 7 天，刚开始不相信这事。徐文义说："刘总说了，一定会办到。你放心，钱会到位。"很快，9 000 元到账了。

徐文义是京东最早的 10 位配送员之一。2012 年 8 月 17 日晚，刘强东邀请我参加京东入职 5 周年员工宴会，我在那儿认识了徐文义。2014 年 3 月，我再次在京东总部见到他。为了这次见面，他穿得一丝不苟，戴着灰色棒球帽，深灰呢子大衣敞开着，露出浅灰鸡心领羊毛衫，灰蓝色格子衬衫的领口扣得严严实实的。卡其色休闲裤塞进黑色军靴里，绑带系得紧紧的。只有黝黑粗糙的皮肤，表明他是一位经受日晒雨淋的体力劳动者。

徐文义出生于 1971 年，安徽阜阳人，2007 年 8 月加入京东配送。从未接触过网购的他，心里不踏实，骑着自行车从北京南三环分钟寺的住处，赶到南五环百利威仓库——当时被京东租下做仓库，看到实实在在的仓库，他心里踏实了。

2007 年 8 月 25 日，京东配送正式启动，北京分为东南西北四大区，分别设置站点：团结湖（东）、潘家园（南）、亚运村（北）、马连道（西）。西区北起平安里西大街，西到世界公园，东至北京中轴线，往南部分都是西区的地盘。徐文义是西区仅有的两名配送员之一，底薪 1 500 元，一单提成 3 元。第一天西区共 3 单货，徐文义骑了一小时自行车，从马连道配送站将鼠标送至 12 公里外的芦花路 1 号。第二天，订单增至 7 单。再过一个月，马连道配送员增加到 6~7 名。

2008 年，徐文义一天订单增加至 50 单，一遇到促销就爆仓。从 2008 年起，京东的订单量开始狂飙突进，伴随的是京东配送站的裂变式发展。现在，北京西区共有 21 个站点，每个站点有二三十名配送员。一位配送员往往负责一个小区，或者几处写字楼即能完成一天的送货量，平均收入达到 5 000 元。

杨芳颖是徐文义的第一任站长，徐文义有段时间把女儿带到北京，现是京东华北区配送部质量改善部负责人的杨芳颖把他女儿接到自己家里住了一个月，一个小姑娘跟你住宿舍算怎么回事？很长一段时间，杨芳颖是京东唯一的女站长，管得很细腻。她做站长的两年，配送员过得无忧无虑。她做站长时的那些配送员也都基本留下来了。在她手下，有位小伙子特别乐观，骑自行车送货，那时候从马连道送货到石景山，需要爬坡，电动车到那里可能没电了，需要人力蹬上坡，大家轮换着去石景山送货，都会抱怨又没电了。那位配送员骑的是大二八自行车，他说我永远不会没电，有充电的。大家问他怎么充电？他说，买个烧饼就可以了。

徐文义负责宣武、草桥、角门等片区的时候，家庭地址比较多。年轻人送货着急送完,早早下班,他是不紧不慢地分货,什么时间送单位地址的货,什么时间送家庭地址的货,有时候晚上七八点他还在送家庭地址的货,很有耐心,客户维护得不错。当时企业客户不多,支票需要提前入账。有客户就打电话给杨芳颖,刚下订单就让徐师傅来取支票,好入账。客户跟配送员、跟京东建立起很强的信任关系。

徐文义第一次当面和刘强东说话,就是在 2012 年 8 月 17 日的 5 周年员工宴会上,当时刘强东挨个儿和到场的 72 名老员工喝酒、聊天。他觉得刘强东是个正直、重视承诺的人,看不惯的问题就要说,不像有些人睁一眼闭一眼。"他很爱护基层员工,每年年会都要提到配送兄弟,还自己体验送货,大包小包地送上楼。他可能不认识我,但我心里一直很尊敬他。"

徐文义的弟弟、连襟、儿子都在京东做配送员。他的儿子 1993 年出生,17 岁就开始做配送员,现在 22 岁,是京东北京八大处配送站站长。徐文义不懂电脑,说自己看着电脑就发昏,没法做站长。当年他在马连道配送站的同事,一个在河北唐山做站长,一个在山东做站长。当时的站长杨芳颖现在是华北区高级经理,经常催他怎么还不回家。

徐文义已经 7 年没有回安徽老家了。虽然有年假,他也没有休假。他说:"(对家里)我确实做得不好,农村家里穷,条件不好,要找到好工作不容易。"妻子和女儿都在安徽老家,徐文义姐姐家里有电脑,他通过视频跟妻女通话,每周一次。他妻子没有来过北京,怕花钱,12 岁的女儿这两年暑假都到北京玩儿。

徐文义一个月收入 6 000 元,留下 2 000 元自己用,其余的钱都寄回家。他住在配送站里,兼做守门人。每天吃两顿饭,早晨一顿,晚上 6 点一顿。中午司机来了得赶紧干活儿,没时间吃饭,"有事干,挺充实的;放松了,我会怀疑自己身体有毛病"。

北京到阜阳不过 900 公里,坐火车最快 7 个小时就能到达。

他的父亲打电话给他,问他何时回家,当时他正在接货:"我正忙着呢。"父亲赶紧挂了电话。他的手机是华为的,刘强东给参加 5 周年宴会的员工每人发了一部。"我也想家,想父母,快 7 年不见,肯定变化很大,他们已经 70 岁了,一定老了很多,我该回去了,我见到他们时一定会哭一场。"徐文义说到此处,忍不住流泪了。"父母都不希望给孩子负担,他们跟我说,家里很好,不要担心。"

"我的父母有 8 个孩子，他们说，我是他们的骄傲。"

上海张江站站长江安明，2007 年 11 月加入京东，2008 年 9 月升为站长，他还保留着刘强东签发的优秀站长奖状，并获得 500 股原始股的奖励，这是华东独一份的，折算下来是 1 500 股。后来，他还获得公司发的股份，2007 年加入京东的配送员大概都有 2 000~2 800 股。江安明总共拥有原始股 7 000 多股。

我采访江安明的时候，京东股票刚解禁，他卖了一点，试试是否可以换钱。我开玩笑说，是不是怕刘强东忽悠了你？他回答："老刘要忽悠我们，在上市之前已经把我们忽悠了。"对于刘强东，这位农村出身的、从配送员做起的中年人，除了感激，还是感激。

2007 年京东在上海长宁、徐汇、卢湾、黄埔 4 个区总共有 5 个站点，7 名配送员，每人一天单量 50 单。江安明负责卢湾区的一半加黄埔的一个角。那时候，所有环节手工操作，早晨 7 点他就和站长卸货，手工分拣，手工登记，手工输入所有订单。当时的片区经理对他说，你不能只做配送员吧？你得为以后的自己谋划，要学习电脑。

江安明送货会动脑筋，他觉得换位思考就能知道客户送货对时间的需求，他了解他的客户是上班族，还是家里有妻子、老人在家的，带小孩的又会几点出门接孩子。了解之后，一看送货地址就能排序，先送谁后送谁。

他一度调到闵行外围做配送员，负责两个学校。在他眼里，学生是有文化的人，修养高，对服务要求更高。而且学校送货有时间限制，必须耐心等待。后来，那些学生都叫他老江。2008 年 9 月，他到张江站建站，担任站长至今。每天张江站单量是 2 300~2 400 单，其中七八百单是第三方卖家，多是货到付款。做了半年以上的配送员月收入 5 000 元左右，这个站点实行 311 限时达，一天送三次，上午的订单 3 点以前结束，下午是 3 点到 7 点，晚上是 7 点到 10 点。张江站现有 27 人，从这里出去的站长已经有五六个。

他做事公允，不会私下跟同事吃饭，跟这位吃了，那另外几位吃不吃呢？聚餐的时候，他请配送员就全员叫齐，配送员请他就从不接受。做事也不偏袒谁，所有事情拿到桌面上说，站点的制度由大家讨论好了再定下来，如果犯错了，那是大家一起定下来的规矩，按规矩办。

如果团队里只有几个特别优秀的，其他人不行，那还是做不好事，必须整个团队的人都行。有配送员完不成预定目标，江安明就让他讲出理由，如果是觉得片区不好，就调其他人去做，完成目标给他看，再告诉他做事的要点，多给他一个星期试试，有效果就坚持下去，如果还是老样子的话，就离开团队。京东每年给配送员评分，如果达不到绩效考核，就会劝退。打高分要有数据说话，打低分也要有数据说话。

劳动密集型企业常发生劳资矛盾，劳资矛盾最主要的还是钱，像基层基本都是计件薪酬，基本工资是固定的，多劳多得。关键是绩效考核要透明，必须有详细记录，你今天做了 5 单，我做了 10 单，那你拿得比我少，我今天犯错你没犯错，我比你多扣一点分都是有记录的，而不是一笔乱账，张三比李四多拿 300，没人能说出为什么。

公司有很多背负着家庭重担的人，如果在收入上感受不到公平和透明，很容易出现负面情绪。这些人一个月拿着三四千元的工资，既要往老家寄钱，又要负责小孩生活，差 100 元都是很大的事情。

京东夏天有高温补贴，每月 300 元，发放 3 个月，配备饮料；冬天也有防寒补贴，同样发放 3 个月。2014 年，京东推出了针对仓储、配送体系的零食活动，每人每天 5 元零食预算，公司专门准备八宝粥、饼干、火腿肠等。这种福利写字楼里的白领常见，他们人数少，收入水平比较高，人均创造的价值也比较高。但是在劳动密集型企业里，这种福利极其少见。

社会上很多人对配送员的定位是：低层次的，没有追求，就跑腿送货的，这让配送员心理上的自我认可度很低，京东集团企业文化部总监章巍峰介绍，他们拍了一部题为"京东的速度"的片子，将镜头对准了那些一线操作环节，正面评价、认可他们的劳动价值。像打包这个环节，是永远接触不到客户的，但是经由员工打包的产品是跟客户发生直接联系的，打包的好坏影响客户收货的心情。这部片子，告诉大家京东的速度是如何来的，商品能够如此快速地送到客户手上，既满足了客户对京东的好奇心，也让上万基层员工获得荣誉感。

刘强东出身农村，通过读书改变命运，深知城乡二元对立结构的中国，存在着如何巨大的鸿沟。我曾经耗费四五个月在温州工厂、成都富士康调研，深知中国蓝领工人

（他们多为农民出身）在城市中求生的不易。京东给予一线员工的，超过了绝大多数劳动密集型企业，从京东对待这些员工的方式，我们能够窥见刘强东内心柔软的一角。

"我跟东哥做校友"

过去，刘强东在银丰大厦喊一嗓子，就能叫上大家一起吃饭，在酒桌上交流经验。到了2012年，京东已是数万人的公司，师傅带徒弟，手把手教的小作坊形式已经不合时宜。如何让内部经验、知识成体系地传承下来，形成合力？刘强东起了做京东大学的念头，2013年2月，京东大学高级总监马成功加入京东，负责京东大学事宜。马成功原在万达集团，有数据报告万达广场客流量下降三分之一，是电商搞的鬼。他意识到电商是趋势，自己得跟着大势走。更早之前他在李宁公司做过，李宁这些年步履蹒跚，核心原因在于，企业不能把握住消费者的动态需求。做任何战略之前，都先要找到大势。

马成功加入之后，发现第一个问题，培训费的40%是用于差旅。面对分布全国的公司员工，培训师频频出差。他意识到，以培训班的形式，花费大量差旅费来做传播，成本太高，是不可行的。他研究面向淘宝卖家的淘宝大学，淘宝大学的创新在于，将大学做成平台，让600万淘宝卖家把自己的经验贡献出来，想成为淘宝大学导师的卖家，将自己运营店铺的心得总结成PPT提交给淘宝大学，淘宝大学再研究，将经验提炼为理论。淘宝大学是发动更多的社会资源帮助自己思考，而不是自己思考清楚了，做成课程再去教给学生。

马成功将京东大学分为两部分，一部分是传统培训模式，不断开班，针对管理层不同级别，进行领导力、专业力等培训。另一部分是学习平台，例如模仿TED（美国一家私有非营利机构）的京东TALK。TED是一个人用18分钟讲一个话题，京东TALK则由区域每月组织人演讲，由员工讲自己工作中的经验。

人力资源部门每年组织员工敬业度的背对背调查，发现一线员工对公司人才培养打分偏低，认为没有什么培训。马成功觉得奇怪，每个大区都安排了培训课程，为什么还说没有培训呢？追问一线员工，他们被逼急了，说那些是会议，因为在会议室开，没有茶歇，就不算培训。

他才意识到，白领与蓝领对培训的理解不一样，白领认为培训是学习，老师讲课好坏，能否学到东西才是重要的。蓝领更多视作福利，培训的形式、是否在细节上尊重自己更重要。2014 年，京东大学对一线员工的培训标准里单独增加茶歇费的预算。

马成功做白领培训有多年经验可参考，蓝领的培训就将预算和方法下放到各大区。2013 年中，各大区负责培训的人聚集到北京开会，马成功问他们是怎么做一线员工培训的，结果大家都在吐槽，抱怨没有资源，没有师资力量，没有经费，领导不重视。马成功再问第二轮，好吧，我知道了，我最想知道的是你们的经验。结果第二轮还是吐槽。当即，马成功换了方式，拿出 10 万元预算，评选最佳培训方案。2013 年还剩下 5 个月，每月两万元激励包，各大区培训策划提交案例到总部，总部再背对背打分，第一名 1 万元，第二名 6 000 元，第三名 4 000 元。"我就想知道你们培训的亮点，因为我没有指导一线，你们不是想要钱吗？那我就把钱给你，但要按照我的游戏规则来。"马成功说。各区域在激励下开发了很多玩法，编口诀，画漫画，找当地院校联合培训。所有案例都放在共享空间，各区域培训人员都能看到别人是怎样做的。人的创造力是无穷的，就看如何激发。

在京东，蓝领和白领直接交集不多，待遇一致，餐补、五险一金都一样。难就难在管理层，管理两个群体，需要用两种语言说话，与白领谈理想梦想生活旅游、产品经营创新思维，跟配送员谈的是孩子上学、父母在农村身体好不好、一年寄多少钱。用不同语言去对话沟通，才能得到文化认同。

员工感知的企业文化，是通过各种硬件、制度、流程以及领导的行为来感知的，公司利益相关方包括客户、媒体、供应商等，也是通过公司提供的服务来感知的，只有内外感知一致，才能够保证企业文化下沉，而非纯粹的上层架构。如果感知不一致，就会产生巨大的纠结，消耗能量。你对员工说，要客户为先，却从来不具体落实怎么服务好客户，成天想着怎么节省成本，那肯定是里外两层皮，消费者感觉你的口号是假的，员工也感觉是假的。你强调自己是负责的企业公民，但消费者了解到你采购的代工厂商是血汗工厂，他自然会质疑你的真假。

原来企业文化部做一线员工技能大赛，用的是抢答的形式，这是应试教育，比拼谁的记忆好。2014 年 9 月，他们在各大区做"仓储全能王"实战竞赛，配合分拣中心在推进的标准化作业。竞赛先在各大区进行，最后在武汉举行总决赛，直接参加员工占仓储员工总数的 30%。标准化作业一要保证效率，二要保证安全，因此选手必须动作合规，不合规则罚分。决定速度的，是员工对岗位的熟悉程度和技巧——科学管理把所有流程规定得太细的话，可能伤害员工的主观能动性，因此在合规的前提下，员工依旧有发挥个人创造技巧的空间。

是骡子是马拉出来遛遛，你可能在当地很牛，但人外有人天外有天。对于很多人来讲，可能在这次竞赛里拿到的名次是职业生涯的一座巅峰。业务部门想要的是效率，是士气，但是你不能用强制的方式去伤害人，要顾虑每个人的感受，尊重他内心的需求、成长，或是荣耀，用柔软的方式去启发大家多赢。丰富职工文化生活，不能只是从业余生活的角度思考，可以从业务的角度思考，基本思路是，拥抱公司战略，拥抱业务需求，拥抱员工需求。一个人不是纯粹的经济人，他也是社会人，需要物质和精神的双重满足，才能有相对健康的生活。

有的人衔着稻草出生，有的人衔着金汤匙出生，如果出生的不平等一直到死都固定不变，那人生该是多么的绝望。整个社会，都需要解决上升通道问题，让能者出头，不能让底层人民永远是底层人民。放在公司也同理，你得让他有机会成为技术上的大牛，或者成为管理层的一员。公司必须给年轻员工吹嘘的资本，让他们有足够的能获取荣耀的机会。你之所以没有感到荣耀，是因为还不够强，不是没有机会。如果想出头，就让自己变得更强。

京东的人才晋升通道分为管理序列（M 序列）、专业序列（P 序列）和技术序列（T 序列），每个人在这个体系内都有发展通道。对白领来说是双通道（M 和 P 序列），而对于蓝领工人来说，是三通道发展，当他发展到操作系列的最高级别时，如果他还有潜力，京东会提供学习机会，让他有可能转成 P 序列，或者 M 序列。做好人才识别与培养的快速通道是隆雨工作的重点。2013 年，刘强东说未来公司 70% 的管理者都要从内部提拔，一定要做好人才储备。2014 年终，52% 的管理者是内部提拔的。

公司给了你上升通道，但是你因为年纪小的时候没有认真学习，或者出身环境不具备学习深造条件，在想奋斗的时候，学历成了掣肘，怎么办？京东大学推出了学习平台，给你渠道，让你既挣到今天的饭钱，又挣到未来吃更可口的饭的资本。

很多一线员工，不知道大学是什么样的，京东大学推出短期培训项目"我跟东哥做校友"，类似夏令营，选拔五六十名优秀员工，到北京学习一星期，连学带玩，在人民大学里租教室，安排人大老师和培训部讲师讲课，讲授如何进行自我品牌管理：别人对你构成的印象，特别是固定印象，就是你的品牌。你获得什么样的机会，不取决于你如何看待自己，取决于别人怎么看你。

既然一线员工最大的痛点是学历太低，京东大学又推出了"我在京东读大学"的项目，和高校合作，开设电商相关专业，拿到学费折扣，鼓励员工自费学习，完成学业之后，能够拿到大专、本科学历。京东大学给一线员工开动员会，现在很多人借钱结婚、买房子、生孩子，为什么不能借钱读书，实现鲤鱼跳龙门呢？学费 8 000 元，每次交 4 000 元，自己存一点钱或者借一点，就能解决自己的文凭问题。为了鼓励他们留在京东，拿到学历证书之后，根据实际情况升职，升一级返回三分之一学费，升两级返回二分之一，如果在三年内升三级，学费全返。

后来，很多本科学历的员工也要求有类似项目，因此京东跟北京航空航天大学合作，推出了"我在京东读书"项目，完成学业后可拿到工程硕士学历。

舍得拿钱来培训的公司，会发展得好，舍不得花钱的话，就不行。我去一线采访，很多高管、职能部门、片区包括站点，都忙着培训。京东确实发展得太快了，需要沉淀下来，让人才充电，后期发展才可能稳当，否则摊子越大，后期管理能力跟不上，越容易崩溃。

京东将一些有潜力的人才召集起来进行封闭式培训。员工必须了解公司发展方向和状况，心里有数，知道工作该往哪个方向努力；必须了解仓储、分拣、运输，只知道自己的事，一切只为自己考虑，不利于跨部门协作。了解公司大方向，才能知道如何配合。封闭式培训期间，由外聘讲师讲管理理论。对这些从一线做起来的管理层来说，光有经验不可，还得提高理论水平，否则管不下来，只懂骂人。

2011 年 9 月，京东配送部负责人王辉从顺丰速运加入京东，就配送这一块来说，他比较过这两家公司的共性：第一，在劳动密集型行业里是重视人的公司，招培管评都做得很好；第二，对产品品质关心，顺丰这家公司用高服务质量支撑高客户满意度，高客户满意度支撑了高价格和员工的高福利。

2014 年，京东配送部门最重要的事是解决员工的标准化培训问题，解决晋升通道问题。"现在有 52 个片区，还要开发 100 多个片区，员工有大把升官发财的机会。"王辉说，"你一定要描述未来给大家，知道在京东除了挣钱以外，还能得到什么，这是劳动密集型企业必须沉淀下来的东西，我不希望员工干两三个月就走人，那样企业成本太高了。"

京东的企业文化给那些来自外企的职业经理人带来冲击。外企做事按部就班，不会今晚 6 点给个指示，明天早晨 8 点必须提交一个数据报告。外企有流程在，规定好了在某个时间节点前提出要求，才能在规定时间内提交报告。但是京东是，今晚通知你，叫你明天早晨交，那就必须交。反应慢的话容易落伍，快节奏会保持兴奋感，战斗力增强。

有人用"匪气"来形容京东的这股气质。从草根成长起来的公司，快速增长中需要这种匪气，兄弟同心，其利断金。遇到大促，需要员工玩命的时候，很容易调动起员工的情绪。像外企，生产能力只有一万单，那就是一万单，不可能让人做到一万五千单，但京东是干不了也得干，员工累了直接拆掉纸箱，往地板一铺倒头就睡。但是这种文化也带来了不好的东西，对一线员工的管理，有时会过于粗放，给指令下去，今晚必须加班。员工本来晚上可能家里有事，但此刻必须要留下来干活儿。

这种奋战争先的氛围里，绩效考核也有点儿唯排名为上，区域之间竞争人效，一天生产一万单，共有 100 人生产，那人效是 100 单，绩效考核以 110 为满分。理论上是如此，但实际如果有区域做到 120 单，那就按照 120 单为满分，其余人按照这个标准往下排，这让竞争变得有点残酷。

京东发展到一定程度的时候，是否还需要如此赤裸裸的 KPI 竞争？必须强调的是，京东的激励措施做得不错，加上京东发展速度足够快，员工有足够多的机会从组长到主管再到经理。只是，团队的凝聚力是否还这样需要用兄弟义气来提高？京东的战斗力，应该更多依靠自动化、精细化管理、创新来提高。

赶上活儿特别多的时候，一线员工可能每天要工作 12 小时，月工作 26.5 天，这种劳动强度是相当大的，业余生活也被压缩。这些人是充满兄弟义气的人，被理想鼓舞，精神坚韧，但肉体痛苦。脚抽筋了，爬起来揉一揉接着奔跑，问他累不累，他说不累。再问，真不累吗？他回答，累。这在野蛮生长期间可以忽略，不过员工在与京东同步成长的时候，也应该享受京东的成功成果，这最终要反映到员工生活质量的改善上来。

以打包、拣货为例，熟手的效率比生手高一倍不止，如果公司关心不够，可能会为多拿一两百元就跳槽。公司必须为员工想得更多，让员工更多地感受到企业对员工的关怀，才能让员工愿意长期在公司服务下去，现在不像十几年前找工作比较难，到处都能找到工作。

京东租下的仓库也慢慢在改善，增加了员工餐厅，安装了空调、椅子，不像以前乱糟糟的、随便找块地方吃饭，还增加了篮球场、健身房等设施，并且努力跟政府沟通，因为仓库禁止明火，希望能够引进一些特色小吃店，让员工自由选择的空间更大一些。京东的员工来自五湖四海，北方人爱吃面食，南方人爱吃米饭，很难调和好。

上海仓储还想在培训室的多功能厅做电影院，用投影仪放电影，还规划做广播站，表扬标兵，或者通告员工家里的喜事，或者播送生日祝福。可能有人觉得是作秀，但是基层员工的心态完全不一样，过生日的时候记得他，点一首歌，胜过奖励他1 000元钱。这种劳动密集型的企业，给员工多一些人文关怀，会让背井离乡孤单打拼的他们，多一点家的温暖。

刘强东说："这永远需要平衡，就像中国模式和欧洲模式，不能在两个极端之中选择，如果选择，我不会选择中国模式也不会选择欧洲模式，而会选择美国模式，美国模式既能保证员工的休息、幸福度，也不会让很懒的员工在公司存活。

"如果员工因为太累不断走的话，管理者的业绩就会受影响，没法存活下去，就面临两个选择：要么改变他那种简单粗暴的管理模式，要么走人。底下的人都很幸福，大家上班晚来，没人加班，但部门业绩达不到，他也会走。基层部门也好，子公司也好，让员工每天加班到11点，你能持续吗？干三五年不可能。但是，短时间需要的时候，是可能的。我也不能容忍一个员工说永远不能加班，对不起，京东保证不了，如果有这种想法请走人。"

渠道下沉

争夺三四线城市

成都往北 70 公里，四川省什邡市皂角镇，农民驾着农用三轮车突突驶过马路，路边大片金黄的油菜花开得正旺，路的另一边是红色砖墙，用白色涂料刷着"发家致富靠劳动，勤俭持家靠京东"，附带京东网址"JD.COM"。京东 2013 年末开始在中国的城乡接合部、乡镇涂刷上述广告，全国广告面积约 40 万平方米。

一线城市市场日趋饱和，2014 年京东启动渠道下沉战略。中西部经济的兴起，互联网以及移动互联网进入中国农村，也为这家年交易额达千亿的电商公司提供了渠道下沉的契机。

县级市场，经济水平比省会城市低，但网购支出金额、频率、占比反而超过省会城市，因为县城商业不发达，很多商品买不到，或者价高质次，甚至是假冒伪劣。在三四线城市，资源有限，京东和苏宁的竞争达到了白热化的程度。京东华中大区在湖北襄阳商业中心投放大广告牌，正好在苏宁门店的楼上，苏宁员工直接泼墨，又拆除了广告牌。按理来说，物业属于业主的，跟苏宁无关。京东和业主交涉，又安装上广告，结果又被泼墨，如此再三。最后，华中区选择在襄阳火车站投放。

2013 年，京东成立区域市场营销部，每个区域配置营销人员，进行区域的低成本营销工作，例如跟麦当劳这种连锁店互换资源，京东配送订单的时候发放麦当劳的宣传单，京东广告牌在麦当劳门店进行展示。

渠道下沉的第一步是供应链下沉，京东聘请第三方数据公司做三到五级行政区域的公司品牌占有率，标准品品牌集中度高，但是食品饮料洗护等非标准品，区域选择偏好不一样，京东必须针对不同区域的品牌偏好，做好供应链管理。

如果商品库存和物流跟不上的话，市场部拉客会很难，渠道下沉最后的工作才是营销。"如果宣传到位的情况下，货和服务不到位，流量转化率不会很高。供应链和物流是我们现在特别着急，要赶紧去做的。"京东市场营销部高级副总裁徐雷说。2014 年，京东物流新增网点近 1 000 个，扩展区县近 600 个，将以前两年做的事情在半年以内完成。

2014 年 3 月 9 日上午，我从北京抵达成都后，见到西南区配送部终端管理部经理杨涛，他心有余悸地说："大马航班出事，让我想起坐飞机去西藏，遇到气流颠簸，上上下下摇晃。"京东在拉萨市城关站现有 9 名配送员，主要是在藏区的四川人、青海人。京东货物通过中铁快运从成都经由青藏铁路运至拉萨，从客户下订单到收到货，需要 7 天。杨涛希望日后能够使用空运。

杨涛 2003 年加入顺丰，从司机做起，后到成都做站长，负责荷花池一带。2011 年 9 月来到京东，从成都龙王站站长做起，管 7 名配送员，一周之后增加至 14 人，到年底已是 30 多人。他见证了京东在四川的飞速发展，原先绵阳三个配送站一天共送订单 700 单，2014 年 3 月绵阳一个中心站日均订单 1 300~1 500 单。

2010 年 3 月 18 日，京东西南大区成立，共有 5 个配送站，配送范围实际覆盖中国西南和西北部，甚至包括新疆、甘肃；2011 年底站点达到三四十个，2012 年翻倍至七八十个，2013 年 115 个。截至 2015 年 4 月初，西南大区覆盖四川、云南、贵州、西藏及重庆，设置站点 273 个。

不同于东部地势平缓、城市群密集、公路网四通八达，西南地理环境复杂，越往西南部走，人烟稀少。川北、川南经济相对发达，密集建站；川西城市间隔较远，建站比较稀疏，离成都最远的站点在攀枝花，离成都 700 公里。

　　网络搭建起来需要单量支撑。京东定下的战略是："以京东现有仓储布局为中心，横向向中西部省份，纵向向三四线城市、城镇乃至农村县乡拓展物流布局。"前京东配送部规划部总监谭响明（现京东集团招采中心负责人）说。

　　这是一个狂放的梦想：在中国 960 万平方公里的土地上，有没有公司能够为 13 亿人提供这样一个网络，用户在任何地方任何时间确认订单，在 8 小时内都能收到货物？

　　这需要在生意规模未达到这一步的时候，先期进行巨大的投入，而这需要有足够的勇气。这是巨大的机会，也是巨大的挑战。看起来，刘强东和他的京东距离这个梦想最近。截至 2014 年 12 月 31 日，京东在全国范围内拥有七大物流中心，在 40 座城市运营了 123 个大型仓库，拥有 3 210 个配送站和自提点，覆盖全国范围内的 1 862 个区县，且全部自营。京东在 134 个区县提供当天送达的 211 限时达服务，并在全国另外 866 个区县提供次日送达的配送服务。

　　2007 年，刘强东不顾投资人和高管的反对，决意自建物流。这是京东历史上最重要的一个战略决策，现在，人们谈及京东的核心竞争力，都会说是物流。

　　"刘总的物流战略决策很明确，从来没有动摇过。"谭响明说，"他不需要说太多话，从来不用把所有配送总监召集起来鼓劲。我们规划出来的方案，他说 OK，我们就能感觉到他的支持。"2013 年，京东在购车上花费 1 亿元，现在拥有 1 500 辆 7.6 米长以及 9.6 米长的斯堪尼亚和奔驰全封闭厢式货车（截至 2014 年 3 月）。

　　2014 年以前，京东采取平行库存模式，以北京、上海、广州、沈阳、武汉、成都的中心仓为核心，辐射周边区域，将中国分为华北、华东、华南、东北、华中、西南 6 个大区，就像是 6 个竹笼倒扣在中国版图上。

　　2014 年 1 月，西安建立中心仓，成立第七个大区——西北大区，并且开始实行一地库存全国发货的模式。只有实现一地发全国，京东物流才可成为穿梭如织、四通八达的网络。

　　2014 年，刘强东要求物流体系覆盖的 1 300 个区县增加至 1 800 个区县，一年增加 500 个区县（截至 2014 年 12 月 31 日，京东物流覆盖全国范围内的 1 862 个区县）。为了渠道下沉，京东启动先锋站计划，京东近两万名配送员均可申请报名，返回家乡开设站点。这些站点地址往往是日均订单量 20~40 单的地方，通常只有日均订单量稳定在 50 单以上京东才派人开站。

谭响明认为这是一个内部创业的项目，配送员可以回到家乡开疆辟土。他既是当地的站长又是配送员，如果订单增多，他可以拉上他的妻子、家人一块送货。若是订单量符合京东开站标准，就转为正规站点，如果他的家人乐意，可经过培训转为正式员工。

"渠道下沉最大的难点在于运输保障上，先锋站可能不得不要求家庭来衔接从分拨中心、中转站到配送站的支线运输，由下往上开车接货，再拉回配送站。"谭响明说。先锋站第一阶段报名人数大概有 300 人，有些地方需要两三人竞争一个岗位，甚至有经理希望回老家。

标准化才能快速扩张

2014 年 3 月 11 日凌晨 3 点 40 分，气温 9 摄氏度，成都市区微凉。黑夜沉沉，路灯橘黄的光晕笼罩着公路，偶尔有十几米长的货车隆隆驶过，除此之外，就是我乘坐的出租车。4 点 20 分，我抵达成都市新都区顺运路宝湾物流园。这里有京东在成都的一处仓库，放置 3C、小家电。

新都仓库由两个 12 米高、面积 1 万平方米、两两相对的单体仓组成，仓库前停放着 5 辆红色依维柯货车，长 5 米、高 3 米。身穿红色工服的司机已经拖着拖车取货，卷帘门洞开，发货区一览无余，白色灯盏的光照着冷冷清清的仓库，密封好的淡黄色立方形箱子摞在一起，里面装着打包好的包裹。司机往返仓库和货车四次才能装满一辆货车，大概要 40 分钟。5 点起，依维柯货车陆续增加，载满货地开走了，新来的赶紧补上位置，鱼贯而入，鱼贯而出。5 点 40 分，40 辆货车全部到位，它们发往成都周边的德阳、绵竹、什邡、简阳、眉山、邛崃等地区，客户通常能在下单的当天或次日收到货，往云南、贵州等西南其他区域的货车需错开时间，因为场地太小。

司机一般凌晨 5 点开工，下午 5 点多收工。34 岁的吴朝喜穿着格子衬衫，外面套着红色工服，我问他冷不冷，他拍拍胸脯说："老板给我们买的，热乎得很。"吴朝喜家在附近，一个月工资 3 000~4 000 元左右，相当于当地公务员的工资水平。

西南片区有成都的新都、郫县、青白江及重庆 4 个园区，有 7 个仓库，面积超过 10 万平方米。京东西南区仓储总监吉芥 2012 年入职的时候，只有两个园区，仓储面积 5 万平方米，员工 400 来人。

从北京上海广州各地发来的货物，都经武汉中转，发往成都。以北京到成都为例，共需 108 个小时。其中，从武汉到成都，通常是晚上 10 点发车，两名司机 4 小时换一次班，24 小时抵达成都。这段路在京东内部称作成武线。

经过成武线的货物抵达仓库，员工开箱抽查商品，有些商品会全部一一检查完毕，再扫码录入系统，从收货平台转移到储存区，上架。成武线以第三方干线运输为主，要求损耗率在 0.1% 以内，超过这一比例就扣款。自有货车干线运输损耗率则限制在 0.05%。

客户在京东网站下单，由系统分拣模块将货物根据订单地址进行区分，分配至不同地点的仓库。订单抵达仓库之后，即开始拣货，若是高位货架就用前移式叉车或者平衡重叉车，如果是平仓就人工拣货，RF 确认；接着，进入复核区，再次确认，打印发票以及送货单；又进入打包区，根据商品规格打包。吉芥说，西南大区仓储在 1 小时内完成流程，最快是几分钟。晚上 11 点发来的订单，要在晚上 12 点以前完成，按规定必须做到日清。

商品出库的时候，由系统运输模块调配车辆，将货物分配到不同车辆上，抵达下一级分拨中心或者中转站，再次进行分配，最后是配送模块，管理配送员把包裹送到客户手里。通过系统，能够清楚看到一个包裹的运动轨迹，包括接货、分拣、发货、发车、站点接货、验货、配送员收货、妥投等 8 个主要环节，整个流程一目了然。这个系统叫作青龙系统，专门服务配送体系，名字是由刘强东本人取的。

"从总部直管到区域管理，将原来总部的管理权力下放到区域后，整个管理体系能否高效执行，不走样？否则张三要这样走，李四要那样走，就会乱。这需要在技术层面进行信息系统建设，也要有完整的监控系统，能够看到各个仓、各个人的实时作业情况。这才能让京东物流在全国快速复制，大规模扩张。"前京东"亚洲一号"项目部高级总监侯毅说。

2009 年，京东购买了 ERP 系统，但是随着京东物流的扩张，这个系统不合时宜了。所有的节点，从仓库到配送站，业务动作少，零零散散的，数据不连贯，需要手工把数据往上报，系统架构也没法支撑更大的单量。系统还缺少很多模块，不能进行对外接单。

在参考国际四大快递以及国内的顺丰之后，京东重做规划，招聘了一百来人进行青龙系统的封闭式开发，2012 年 11 月 11 日全国上线。青龙系统能够支持千万级单量，解决了过去的宕机、数据管理问题。原来用 PDA（掌上电脑）扫描一次系统反应要 23 秒，现在只要 0.3 秒。预分拣系统的自动分配站点准确率，从 70% 提升到98%。这也是京东物流平台对外接单、社会化运营的重要基础。

配送员用的 POS 机（刷卡机）带有青龙系统，有定位功能，系统能监控到所有包裹的运行轨迹，如果出现异常，可调取数据，质控人员马上能发现哪些包裹不合规。系统能自动生成报表，配送系统副总裁、总监、片区经理、站长，每一层管理层都能对下属的工作情况、绩效一目了然。像西南大区这样地势复杂、交通不便的区域，管理人员到站点亲自考察的成本很高，通过数据就能了解站点运营情况，如果站点长期单量低，就会发现问题，进行调整。

原来配送站站长最痛苦的事，是做每日报表，手工输入数据，有时候搞到凌晨一两点。现在站长只需要在系统里导出数据，10 分钟就完成报表。

京东的物流体系是在北上广等 7 地设置中心仓，由于覆盖区域面积太大，在济南、南京、重庆等城市设置 FDC（前置仓），以增加仓储多点覆盖。FDC 的功能是，存放周转快商品，不会全品类存放，加快对二三线城市用户的反应速度，时效加快，提升用户体验。下一级是分拨中心，再下一级是中转站，终端便是配送站。配送员从站点出发，用面包车、三轮车、摩托车进行配送。

侯毅说："物流是零售的命脉，超市也好，卖场也好，大型连锁店的核心是物流，没有一家是外包的。当时也没有一家物流企业符合京东需要的物流标准。DHL 奉行轻资产战略，能租的绝不买，但网络也是自个儿建的，没说找其他快递公司合作。网络是生命线，仓库可以租，人必须是自己的。"

上海"亚洲一号"一期工程 2010 年筹备，2011 年拿地，2012 开始建造，直至

2014 年 3 月 10 日开始试生产。上海"亚洲一号"一期工程的面积约为 10 万平方米，主要处理对象为中件商品，如笔记本电脑、小家电等。其中普通客户订单处理能力为每日 10 万单；在库方面，最大可支持 10 万中件 SKU，可支持约 430 万件商品存储需求。没有参考前例，京东跟供应商一起研究、建立流程。刘强东可能低估了"亚洲一号"的建设难度，在 2011 年就对外公布了"亚洲一号"的消息。

侯毅说："一个项目扔 10 亿元下去，万一坏掉的话损失巨大。"他认为刘强东对工作中的错误很宽容，设计考虑不周、规划跟不上发展变化的原因，造成几十万甚至上百万的错误，他都可以原谅。京东刚开始做图书品类的物流，因为未考虑清楚，将应该可移动的板架做成固定的，报废了一两万块板架，损失几十万元。在上海南翔做两层楼设计的仓库，结果证明不是最有效率的设计，重新拆了再建，100 多万元打了水漂。

"如果不宽容失败，就变成每个人不愿意改变，现成的拿来用。京东是变化极快的公司，我测算过，当订单达到 200 万的时候，内部协调更复杂了，组织形式、管理方式都要发生变化，不光是投资建仓的问题。京东始终在变化，如果你不鼓励创新，不鼓励勇于改变，那企业就没有未来了。"

京东华东区仓储总监黄星刚加入时，物流网络布局远景规划缺乏，华东区仓储物流架构该是怎样的，梯队该是什么样的，有所欠缺。前两年，上海库房分别在七八个园区里，彼此没有协同，资源也不好匹配，效率很低。中层管理层（经理、副经理、主管）是断层的，如果中层不能提升专业水平和眼界的高度，随着快速发展，瓶颈会越来越显现。

物流网络的规划，首先要有大的概念，物流园区要集约化，比分散的管理效率高，原来京东在上海弄 8 处仓库，就是对未来看不清楚。如果能看清楚明年需要 10 万平方米，后年 20 万，第三年需要 40 万的话，就会倾向于选择可扩展的园区。以前没有想得那么遥远，不够了就增加一两万平方米的面积，结果弄出了很多独立库。

另外，京东资源掌握的能力不是很足，除非在物流行业足够资深，才容易找到大规模的园区。大规模的园区一般建设到 60% 的进度，就开始招租，如果不在建设初期介入，就很难拿到。你必须先找一个园区，在建设中就找第二个，第一个投入使用，第二个在建设中，第三个又在规划，这样才能良性循环。到2014年5月，京东将7个物流中心全部搭建齐全，这花了7年时间以及巨大的人力物力。公司体量每天只有几万单的时候，可以找第三方。京东做全品类发展策略，顾客需求海量爆发的时候，没有一个第三方公司顶得住了，需要找很多物流公司来做，没有办法保证物流服务质量。

这三年仓储物流做的最重要的一件事，就是标准化作业流程的建立。通过组织架构的健全，通过分工的有序，确保整个复杂生产流程分解成模块。将库房以及终端的链条分解成很多环节，每个环节分解成很多动作，每个动作形成标准，确保在快速开仓的过程中可以快速复制，可以管理。而监控系统、报表体系的建设，要确保集团对业务是可控的。靠个人经验去带人，跟每个人的水平关联性很大，不稳定。

京东能够在短时间内大规模扩张物流，原因是作业流程系统规划科学，信息化管理手段有效。必须做到这两点，才能实现快速复制、有效管理，没有好的标准化体系输出的话，开一个仓库就乱一个仓库，有些电商公司大面积扩张之后，管理走形，团队就散了，就是因为没有建立起标准化体系。

2013年，公司讲"修养生息"，物流从单纯讲究数量、速度，开始讲究物流运营成本。2013年开发了JIT（及时生产系统）和ALMS（劳动力管理系统），关注人效和坪效（每坪面积上可以产生的营业额，一坪约3.3平方米），追求每人每天的产能最大化、单位面积产能最大化。信息化建设牢牢抓在总部手里，通过信息化对标准化体系实现有效的掌控，通过完整的监控体系保证作业过程不走样。

如果仓储存量能刚好满足所有订单，那成本摊薄的数据是最漂亮的。但是，京东处于高速发展中，业务量不断发展，仓储存量不够，就得新增，新增面积又得有新业务量来保证。京东商城运营体系负责人李永和能做到的，就是规划尽量匹配好，前置性建设资源，建设出来正好能承接新增业务量。

但是，业务的增长出乎意料，导致规划赶不上发展的速度。

爆仓成为京东的常态。仅华南区在一年半的时间内，大大小小搬仓共38次。京东华南区仓储部经理刘铁彪经历过38小时不间断搬仓兼生产，当时搬仓还未形成流程，系统也不完善，现在搬仓几个小时就能完成。他说，没有经历过搬仓的经理，不是仓储经理。京东没有完善的报表，但是却能深入地接触员工，管理层能叫出他们的名字，知道他们的需求，能听取他们的意见。福利是表面的，很多企业也有，但受尊重的感觉是少见的，拼劲儿从这里来。

所有的人往前奔跑，不是按部就班的慢悠悠的节奏。因为有时间限制，从打印订单到打包出库，必须在一小时内完成。每个人都是被大浪潮裹挟的小浪花，唯有奔跑才能做到客户体验至上。

华东区仓储大家电仓经理杨磊是 2010 年的管培生，定岗到当时的上海大家电仓。2011 年 5 月，华东区库房资源紧缺，又遇上气候炎热，空调卖得火爆，结果爆仓了。杨磊他们收到通知，三天内要搬完库房，将 6 万台电视机清出库房，二三十人的团队干了三天三夜，到第三天白天杨磊几乎是站着就能睡着的状态。订单像雪片一般飞来，如果多积压一天，整个运营体系就会压垮。普通员工基本是凌晨两三点结束，在库房或者临时订的宾馆里睡上三四个小时，早晨 6 点又起来上班，白天完成日常订单生产，晚上就搬仓。而管理层除了搬仓以外，等员工离开睡觉的时候，还得继续清理上架等环节的异常情况，维护好系统。

2013 年下半年，华中区域武汉海航园区两期项目共 12 万平方米，按合同应该履约，但是对方没法交付库房。于是，华中区实际使用面积只有 4 万多平方米的仓储就拮据起来，送过来的货没地方放，直接爆仓了。京东又被与海航园区的合同牵绊着，不可能找新仓库。到了年底，爆仓的问题达到顶峰，八九万件电油汀搬到黄陂两万多平方米的食品仓。通常促销活动单均件数是 4 件，正常生产能力是日均 1 万单，咬咬牙拼一拼，12 000 单也能拿下来。但是，在黄陂食品仓，食品和电油汀同时做促销，单均件数达到了 8 件，一天能完成七八千单算不错的了。

电油汀又很重，食品仓是第一次处理这种货物。一个多星期处于生产积压状态，员工看不到希望，华中区仓储总监乐旋也没有更好的办法，只能华中区域调配资源支援，管理人员与一线员工一起干，才翻过这个山头。

华中区 2014 年"6·18"生产 17 万单，用 1 500 人，经过 5 个月的调整优化和人效提升后，当年"双 11"用 1 200 人生产 30 万单。仓储非促销期的正常班次为白班早晨 8 点到下午 4 点，晚班是下午 4 点到晚上 12 点，每小时工作饱和量不大，不用合班。"双 11"为应对 30 万的单量，进行全员班次调整，仓储 24 小时不间断生产，白班一直做到下午 6 点，晚班则提前至中午 12 点，中间 6 个小时是合班。

2014 年，华中区根据 2013 年的经验，加大新建仓和品类拆仓力度，一年内新建了 8 个仓，是前一年的两倍。

鲸吞蚕食

早晨 6 点整，京东西南区司机张冬勤开着红色依维柯货车，载着包括衣柜、食用油、鼠标、手机、洗发水等在内的 85 件货，离开新都宝湾物流园区，开上 108 国道。没有路灯，车头灯刺破眼前的黑暗，虽然看不到，但我知道在灯光照不到的路边农田，是大片金黄的油菜花。

7 点 10 分，天色泛白，我们抵达德阳配送站，8 点交接完毕，张冬勤吃过一碗 7 元钱的雪菜肉丝面，匆匆返回成都。在家里休息两小时后，中午 12 点他又该抵达新都仓库，1 点再次出发至德阳，下午在德阳卸完货后，他还要去京东开放平台的德阳商家处取货，4 点半返回成都，5 点半即可回家休息。他每月收入三四千元，每天 4 点半起床，刚上班的第一个月很难受，现在习惯了，每晚 8 点入睡。

张冬勤 38 岁，以前是修车的，他觉得京东的活路轻松，待遇也好，五险一金都有，每工作 3 天休息 1 天，他的朋友都羡慕他。以前他不知道京东，现在他家 55 英寸的创维电视、微波炉、电磁炉都在京东上买，花了近万元。

京东物流系统分为仓储、运输、终端三部分，终端是配送站，运输是干支线运输。不同于业内将跨省运输称作干线，京东内部是将跨大区运输称作干线，大区内运输统称为支线。徐帅负责西南大区运输管理，成都拥有 118 辆车、172 名司机，重庆拥有 26 辆车、33 名司机。[①]除了成都、重庆周边，其他支线主要靠第三方来覆盖。

京东西南大区是四川邮政速递物流公司成都分公司体量规模最大的客户之一，2010 年 33 万件，当时还得算上新疆、甘肃等西北地区。2013 年，新疆、甘肃都划拨

---

① 来自 2014 年 3 月数据。

为西北大区，当年他们为西南大区送货 100 万件，其中 70%~80% 是三级以下的城市，像阿坝州、甘孜州、凉山州的订单都通过邮政速递。邮政有 18 人的专门队伍为京东服务。

鲸吞蚕食，京东不断扩张自营物流地盘，长三角、珠三角、环渤海湾基本是京东物流体系全覆盖，不借助任何第三方物流公司。在西南，为京东服务的第三方地盘也在急剧缩小。京东四川峨眉配送站站长李海龙有时候去圆通快递寄件，感觉得到对方不怎么友好。峨眉站开站以前，发往峨眉的京东包裹是由圆通负责运送。现在，京东峨眉配送站覆盖了周边的胜利镇、黄湾乡、峨山镇、符溪镇等，最远送货地点距离城区配送站约 10 公里。峨眉站日送订单 180~230 单，现有 3 名配送员①，李海龙兴奋地说："订单还会涨，从夹江到峨眉的路上已经有勤俭持家靠京东的墙面广告了。"

单量提升，京东就自己建站。京东和第三方物流公司的矛盾凸显出来，2014 年京东将大规模建站，西南大区已经收到一些合作方的讯号，裁员、减少配置、服务质量下降。

京东西南区前配送总监代青在 DHL 工作十几年，2012 年年中加入京东。"大鲸鱼肯定会吃掉市场，挤压小鱼的生存空间。未来只有大鲸鱼和小虾米，没有中间值。"

中国物流行业门槛极低，一对夫妻拉着一辆金杯面包车也能做起物流来。估计中国大大小小物流公司有几十万家。因为价格战，这个行业利润极低，利润是一分一厘抠出来的，有物流老板开玩笑说，在北京顺义打高尔夫，朋友接到电话都是几千万、几亿元地谈生意，物流老板是再给你便宜一毛钱、两毛钱地抠生意。物流行业计费单价现在还是几毛钱，有些公司算得更细，精确到分。

绝大多数物流公司撑不死也饿不死，如果想进一步发展，没有大规模资金，如何发展？代青说话风格是典型的北方爷们，豪气冲天："整合这事，资金到位就可以干了。横竖躲不开，不如主动投诚嘛。"

有的人专门接电商订单，一单 6 元接下来，又一单 4.5 元卖出去；4.5 元拿进来的，又转手以 3.7 元的价格转出去。马珺觉得这个行业让人失望，涸泽而渔，透支未

---

① 来自 2014 年 3 月数据。

来，不愿意在管理和技术上进步。2013 年，很多物流企业感到冬天到了，彼此建立联盟，抱团取暖。

1991 年出生的配送员左仁辉对快递现状深有体会，他是四川德阳本地人，中专毕业，从 2009 年开始做过工人、开过小超市，还和人合伙加盟一家快递公司，快递公司要求每天结账，而大客户往往三个月甚至半年一结，他需要先垫付给快递公司，钱越来越少，撑不下去了。

2014 年 2 月，他加入京东，因为京东是正规大公司，有五险一金，穿着京东红色工服，很神气，收入也超过同行，每单提成 1.5 元，大箱子还会加价。他开着一辆两万元买下来的二手东风小面包车送货，最远的八角井镇离德阳站有 20 公里。3 月 11 日，我跟着他送货，左仁辉的嘴很甜，招呼客户："哥（姐），满意不，下次再来我们京东买东西哦。"他下午两点半将当天上午的 50 单货送完，在路边吃了一盘 9 元钱的酸豇豆肉末炒饭，又赶回德阳站，下午 3 点继续送货。

死磕最后一公里

2014 年 3 月 12 日，我来到德阳市下辖县级市绵竹市京东配送站，因为站点太小，被称作玲珑站。站点面积 66 平方米，配有独立卧室和卫生间，卧室里安着高低床，站长和 3 名配送员每周轮流值夜。

早晨 7 点 25 分，5 米长的红色依维柯货车抵达门口，8 分钟卸货完毕。7 点 45 分，验货完毕，共 111 单、118 个包裹。司机签字走人，配送员开始分配订单，以绵竹南北走向的马尾河为界，圆脸、满脸稚气的文滔负责西北区域，共 40 单；瘦长脸、笑起来眼睛眯成缝的林忠才负责西南区域，共 35 单；国字脸、面相憨厚的刘官俊负责马尾河以东及远郊，共 36 单。

玲珑站每月租金 1 500 元，按公司规定电费标准 315 度，0.8 元一度，玲珑站 2 月实际使用 324 度电，超标 7.2 元，由 4 人平摊。配送站是京东物流的核心竞争力，是物流网络的末梢，也是客户与京东面对面互动的唯一一环节。京东渠道下沉，要求配送站承载营销功能，这要求店面得在地段较好的位置，有到店里自提的客户向站长彭加俊抱怨，这地方太难找了。

租房合同将在 4 月 12 日到期，按京东规定，店面面积在 90 平方米以内、月租金在 3 000 元以内。由于房租要发票报销，另外要加 28% 的税，月租 2 000 元，实际支付 2 560 元。彭加俊很着急，在一个月内找到店面，他看过一些，不是面积太大，就是位置不好。

彭加俊 1987 年出生，戴着眼镜，长相斯文白净，剪成半圆形的指甲与指尖齐平，指甲缝干净。2012 年 5 月，他就加入京东做配送员，2013 年 "6 · 18" 店庆日促销之后，玲珑站日均单量稳定在 100 单以上，只有两个配送员，一个人跑半个城，一天只吃一顿饭，车上备着水和方便食品，晚上七八点才能吃到像样的饭，他的最高纪录是日送 120 单。通常，一天 80 单以内才能维持较好的用户体验。2014 年 1 月，他刚提为玲珑站站长助理，马上将提为站长。

站长每天要做报表，处理税务、社保、公积金等事务，每天中午 12 点前，必须将前一天收到的货款存入银行，误差不能超过 20 元。彭加俊初任站长助理时，觉得每天都是做不完的事，整个头都晕了，现在好多了。

京东配送体系的层级依次是首席运营官、副总裁、总监、片区经理、站长、配送员。站长是基层管理者，直面前线炮火。京东快速扩张带来很多问题，需要足够基层干部撑起组织，设置新站必须有站长，站长如何成长起来？

京东在每个配送站设立流媒体，屏幕滚动播放公司新闻、重要政策发布以及刘强东的讲话，他们希望通过这个贯彻公司企业文化。

杨涛曾管理 30 名站长，"公司需要速度，需要单量提升，这是底线，你作为站长，在框架内发挥，别触碰公司红线就行。像截留报销款这些涉及钱的问题，什么都别说，直接走人，还会通告给所有站长。"

他每周在 YY（歪歪语言）上跟 30 个站长开会沟通，觉得效果不好，也不知道他是否认真听讲。"你没有办法管得太细，不像在成都市，有什么问题，我开车过去就行。"

可能受 59 元以上免运费的政策（此前是 39 元）以及春节后淡季的影响，绵竹订单数量有所下滑，三个配送员目前日均订单 40 单，站点设置的目标是人均 65 单。这是彭加俊最为焦虑的问题："能效不达标怎么办？我们得想办法，涛哥（杨涛）说了，我知道的办法我告诉你，你只管去做，你想到的不要告诉我，做出来再告诉我。"

德阳站站长赵孜（现西南区配送部贵州片区终端经理）说："只要客户运气不是很坏，收到坏东西（商品），我们都能够想办法把他留住。现在是必须让更多的人知道这个信息。"

赵孜 2011 年 8 月加入京东，原在德邦物流，一开始在京东做储备站长，建立广汉站、汶川站，后在乐山、达州、蒲江带站。现在是德阳站站长兼德阳片区组长，下辖绵竹、什邡、广安三个站。在他眼里，京东配送站站长是一群能打硬仗的人，支援西昌的时候，他看到当地站长脸面上的皮都晒掉了，直接撕掉，送货回来拿着前两天早晨买的油条啃两口。

他最强烈的愿望是去北京看刘强东，2014 年 1 月京东在北京九华山庄开年会，摆了 300 桌人，赵孜也参加了，坐在第 89 桌，他看见刘强东在三四十米外的台上说："我们京东前 10 年用一个字来形容就是'牛'，后 10 年用两个字来形容，那就是'更牛'。"

彭加俊向他保留的 1 000 多个京东活跃客户发送短信，请求告知微信号，收到回复 100 多条，添加 100 多个客户微信。他建立京东客户微信群，每天带着两部手机，一部手机点开每日一荐页面，用另一部手机拍照，发送照片到微信群，接着发链接。

他还经营过百度贴吧，但贴吧用户偏低龄，效果不好。他现在想方设法要混入企业、政府机关的群，混熟了就可以宣传京东。他在当地的红星证券开户，被拉入红星证券客户群，第一天发了广告链接，没收到警告；第二天又发了一条，不到一分钟就被踢出群了。

红星证券的财务，彭加俊称呼刘哥的人，是京东老客户，他给刘哥送过一年多的货，刘哥承诺帮他问问，再加回他。彭加俊懊恼地说："我犯了错误，不该这么急。"他还想打入登山族、骑游族、宠物族的群，这些人有钱有闲。

每日一荐是京东每天推出的特价商品。送货途中遇到的客户问刘官俊，今天有什么好东西？刘官俊回答，今天有女人和"好吃嘴"喜欢的零食。他给我解释："每日一荐不能说得太具体了，对方如果没兴趣就不上了，说得宽泛一点，说不定会到网上逛逛，不买这个也可能买其他的。"

3 月 12 日上午 8 点 30 分，我坐上刘官俊的长安之星面包车出发，他穿着京东红色工服（肩部和袖子是黑色的），自己买的蓝色牛仔裤，腰上系着印有"京东商城"的腰包，用于放现金、PDA、POS机。

1980年出生的刘官俊，做过11年理发师，每天早晨8点半工作到晚上9点，每给一位男士理发能提成7.5元，女士则是25元，月收入2 000多，但整天被关在屋子里，看不到阳光。他受够了，干上圆通配送员的第一天，他感觉"像飞出笼子的小鸟，好久没见到太阳了"。

刘官俊花了1.4万元买了这辆二手的长安之星面包车。圆通绵竹站每天有600多单订单，4个配送员平均每人每天送订单150单，高峰期是200单。有时候，他不到一分钟就送出一单，包裹扔在门口，没见到客户就走人。圆通配送员每单提成0.5元，不管大小，底薪600元，油补300元，电话费150元，一个月收入3 000多元。在圆通干了三个月后，2013年12月，他加入京东，每月油补1 000元（他负责远郊地区），每送1单他的收入是1.5元，遇到大件商品更高一点，2013年12月只工作了半个多月，收入2 400元；2014年1月，4 000多元；2月，3 000多元。

中午12点，我在绵竹市财政局门口等待刘官俊送货回来，遇到中通快递员，穿着灰色外套，戴着眼镜，骑着三轮车。他在中通干了一年多，不打算再干了。他指着满满一车货说："一天150单、200单，有时候一分钟送好几单，扔下货就走。1单0.7元，一天收入才100多元，听说京东一单1.5元，大的、重的货物价钱更高，我有个朋友姓林，才从圆通加入京东。之前他眼巴巴地望着我，说：'听说京东收入高，还有五险一金，现在还招人吗？'"当地中通0.7元全包，不补贴油费和电话费；申通是0.75元全包，这两家都是加盟店。

下午两点，刘官俊返回配送站等待自提的客户，他买了一包康师傅方便面做午餐。4点半，我调研当地电脑店回来，他还没回家，必须等到客户付款取货，亲自与站长结算当天的账，不能让值班同事代收。6点，刘官俊开着面包车离开，热气腾腾的饭菜正等着他。

绵竹每月在京东的订单总交易额是100万元出头，2月份是98万元，其中30%是手机、电脑、3C配件。日用百货、母婴用品也有上升趋势。绵竹市内有五六十家数码手机电脑商家，有的很讨厌京东，因为挤压了他们的生存空间。有的则在京东促销的时候下单，再倒手卖给乡镇客户。现在京东促销限制每个网址最多买两台。

曾先生的电脑店开在马尾河边上，面积约 20 平方米，我到店里的时候，他无聊得很，原来一台电脑净利润 200 元，现在能有 100 元就不错了。2010 年是他生意最好的时候，汶川大地震后灾民搬进新屋，需要买电脑。"四年过去了，也是换电脑的时候了，生意怎么还好不起来呢？"

就像搜索引擎在信息获取上人人平等，电商在商品选择上人人平等，为社会带来公平和效率。在线下北京能够买到的品牌，四川小县城根本买不到，但电商可以买到，还可以送到家。越偏远的地方商品价格越贵，京东渠道下沉的价值就越大，打破原来层层加价的分销体系。

供应链

　　物流和供应链，基本能够决定一家零售公司的生死。零售公司之间的竞争是，供应链与供应链的竞争。

　　沃尔玛的竞争力何在？表面看是天天平价，始终如一。为了做到这点，沃尔玛坚持优化供应链，在信息技术投入了很多资源。1969 年，沃尔玛最早使用计算机跟踪存货，1980 年最早使用条形码，1985 年最早使用与供应商之间的电子数据交换，1988年最早使用无线扫描枪。80 年代，沃尔玛已经不仅将自己的各个店面与配送中心连接起来，还把自己与供应商连接起来。其配送中心采用过站式管理，从供应商那里运来商品，就地筛选，再包装，分送零售店。由于大大降低了库存和货物停留时间，加快了产品流苏和资金周转，沃尔玛配送成本比竞争对手低 2%左右，每年能节省数亿美元的配送指出，让"天天平价"成为可能。"天天平价"又吸引了更多顾客，带来单位营业面积上更大的销售额。由于使用电子数据交换和配送中心，大大提高了供应链的效率。供应商每天都会到沃尔玛计算机里获取数据，包括销售额、销售单位数量、各个店面的库存情况、销售预测、汇款简易等，因此可以根据订单通过配送中心向沃尔玛的商店补货。从下订单到货物送达门店，时间为 24~28 小时，而以往最多要 1 个月时间。这一快速反应系统彻底解决了缺货问题。

京东的核心竞争力在哪里？同样是供应链。商品销售预测、仓配一体物流系统、售后客服等都组成了京东满足用户体验高标准的供应链环节。这条长长的、复杂的供应链，支撑它的是一个庞大的技术系统。

用技术驱动供应链①

2008 年 5 月，李大学来到京东，担任技术副总裁，他是京东第二个副总裁，当时全公司员工 400 人，技术部门 20 多人，2014 年末技术部门已经超过 4 000 人，分为集团研发和业务研发两大体系，前者负责集团研发管理、云计算、大数据等基础和架构级的技术研发，面向具体业务的研发团队则下沉到采销、运营、职能研发等体系中，形成了封闭的业务单元。

电商圈内人士说，当初李大学对京东一大贡献是 SEO（搜索引擎优化），为京东省了不少广告。"SEO 跟整个网站的结构有关，我到京东第一件事就是完成京东的改版。改版以后，很多做 SEO 的人专门研究这次改版有什么意义，然后他们发现京东在 SEO 上有独到之处，后来包括百度、谷歌搞的 SEO 大会，都把京东作为案例来分析。"

李大学加入京东第一件事就是网站改版，原有的 IT 系统到 2008 年就顶不住了。李大学租了一套别墅，带着十几个人在别墅里打地铺，重新做一套系统，连做了三个月，每天只睡三四个小时。这套系统设计容量是 10 万单，当时京东一天的订单不过 5 000。他们觉得，一天 10 万单是一个很了不得的数字。2008 年 11 月 1 日，新系统上线，京东马上冲到 1 万单。这是京东系统的第一次架构整体调整。

2010 年，京东核心的商城交易部分依旧是 .net 系统，在 2008 年李大学带队在别墅进行封闭开发之后，两年时间，京东交易系统光子系统就有 30 多个，升级非常困难，只能采用增加硬件的方式来扛，运维成本也越来越高。2011 年，网站系统架构升级，从 .net 系统切换为 Java，选择 Java 的原因有二，一是国内外许多大型网站使用 Java 技术，有很多成熟经验可参考，很多成熟开源框架可以使用。二是成本原

---

① 这部分内容参考了京东研发体系著的《京东技术解密》一书。

因，.net语言本身虽然不收费，但Windows操作系统是收费的，Visual Studio开发工具也不便宜。

2011年，李大学申请把架构提升到一天1 000万单的容量，当时每天交易量最高峰是50万单。公司的快速发展，对研发部门提出了巨大的挑战，系统需要平滑地运行，又要搭建新架构，因为业务的扩张，不断在架构里加入新东西。李大学被搞得焦头烂额。

这个新架构还未完成就遇到了2011年图书业务促销，结果旧系统崩溃了。这次促销集中在3小时内，用户提前将图书放入购物车，一到时间就提交订单，但是很多人集中在同一时刻提交，系统需要不断读取数据判断是否有库存，再加上系统容量有限，大家都拥堵在提交订单这里，结不了账，搞得怨声载道。刘强东在微博上发了一张照片，摆了两杯茶，一把刀，约负责前端的李大学和后端的姜海东喝茶。李大学正好出差，逃过一劫，回京后主动领罪。

一个24小时都要给用户提供服务的电商网站要升级交易系统，用研发部门的话来说是，"无异于给一列正在飞奔的高铁换轮子，给一家翱翔在两万米高空的飞机换翅膀"。为了新老系统的切换，研发部门在用户将商品加入购物车的入口写了一个非常复杂的切换开关。

一开始先按用户切换，把内部一些用户账号配置上去，让少量人员内测。然后再按业务类型切换，先切在线支付，再切货到付款和自提的；先切自营订单，再切第三方卖家订单；先切没有使用虚拟资产的订单，再切使用了优惠券、礼品卡、积分的订单。接下来按照地区切换，先把东北三省的流量导到新系统。然后按数量切换，先切换新系统下100单，观察一段时间，等这100单最后都顺利下发到库房，配送到用户手里，确认没有问题了，再切换新系统下1 000单……最后是按照流量百分比，1%、5%、10%，最终切完100%的流量，前后花费一个多月。

2012年4月底，新系统上线，设计量是1 000万单，李大学估计三年内没有问题。2014年"双11"当天，京东商城的订单量是2013年同期的2.3倍，移动端（包括京东移动客户端、京东微信购物和京东手机QQ购物等）订单量占总体订单量的比例达40%。

2008 年，京东物流体系经历快速发展，逐步构建起竞争壁垒，刘强东希望把货物流动信息清楚显示在用户面前，让用户安心等待收货。2010 年，在刘强东建议下，负责订单展示的产品经理，开始着手设计"订单跟踪"功能，将从用户下单开始的整个服务环节关键节点记录并显示出来，无论用户何时打开网页，都能看到自己的商品在哪里，是什么状态，那个配送员负责，电话是多少。

看起来是简单的信息展示，背后是京东信息系统把商品所有流转都记录下来，需要订单系统、仓储系统、分拨系统、配送系统、站点管理系统、配送员信息系统等打通联动，才能实现每一条信息的准确呈现。订单跟踪现在是电商标配，但京东是最早推出该功能的。

京东做到了。订单跟踪系统上线之后，就大幅降低客服呼入率，一切尽在掌握中的感觉抚慰了用户焦虑等待包裹的情绪。到 2012 年，随着仓储配送系统的加强、流程制度的完善及大数据的积累，京东进而推出订单时效 Promise 系统，根据商品库存状态、仓库所在地、收货所在地、下单时间、配送能力等因素，提前预测订单送达时间。

如何通过合适的供应商，以更低的价格、在精准的时间、按照优质的质量标准、获得恰当数量的产品，以满足消费者需求？这依赖于数据分析，大数据驱动着整个京东的供应链系统。销售预测作为供应链的源头系统，它的准确率直接影响到供应链下游的自动补货、调拨内配和库存健康系统。

销售预测以大数据进行计算，那么怎样才能在海量的数据中提取出自己需要的数据，然后基于这些数据更精确地预测出未来的销量呢？ 2011 年 6 月，京东研发部门开始做这件事。当时选择了开源的 Pamirs 分布式框架：两台应用服务器在数据库中注册模值，不断从 Task 表中读取模值对应的任务。这个框架的好处是，加入两台应用服务器，不够用了，可以申请更多的服务器来提升计算性能。结果，开发的时候发现主要时间开销都耗在数据读取上了。因为当时京东有上百万商品，每个商品都要保留历史上所有日期的销售数据，一开始按照 SKU+配送中心+时间的主键保存数据，数据量很快接近亿级，现有的 MySQL（一种关联数据库管理系统）根本撑不住这样的数据量。后来重新设计了 MySQL 的任务列表，让每个 SKU 都有记录历史销量的大字段，这样数据量降为百万级别。

2012 年京东成长速度超过所有人预料，最直接的体现是 SKU 从 100 多万膨胀到 500 万。每天计算需要 6 小时以上。系统架构的进步其实都是被现实需求给逼出来的，研发部又将销量预测系统迁移到私有云，每天将 Oracle 数据库中的数据同步到 HDFS（分布式文件系统），把增量数据合并到全量数据文本中（每一行数据为一个 SKU 与它所有历史销量，避免了对 MySQL 的频繁读写），通过 MapReduce 调用预测模型完成计算。迁移后，每天的预测计算时间压缩到一小时以内。

2013 年下半年，销售预测系统又重建历史数据和预测模型，4 个月后，建立起完整的历史数据体系，上线了更准确的价格模型、季节性模型和决策树模型，销量预测准确率提升了 20%，真正拥有了对销量预测准确率的控制权。

自动补货是与销量预测同一时期建设的系统，销量预测是为了更好的采购补货。对自动补货需求最强烈的是图书部门，因为 2011 年图书 SKU 已经超过 100 万，靠人工补货是不可能的。亚马逊和沃尔玛都有成熟的自动补货应用案例，尤其是亚马逊，智能化、自动化程度很高，大部分采购行为已经是系统驱动。但自动补货是亚马逊供应链核心系统之一，没有公开资料，研发人员全部在美国本土，直接交流请教也不可能。

自力更生。使命必达。

自动补货系统上线之后，图书业务部门专门从事采购工作的人员非但没有增加，反而还在减少。2012 年上半年，自动补货开始向其他品类推广，先是汽车用品和手机配件，接着是 IT 部门品类，2013 年首席营销官蓝烨提出，要在全自营范围内推广应用自动补货系统。在推广自动补货系统的时候，研发部门同时做自动化采购下单，到 2013 年 7 月，图书的 EDI（电子数据交换系统）采购单实现完整的自动化下单，自动补货计算好采购数据后，无须任何人工干预，直接进入采购系统自动化生成采购单，并自动化发送给供应商以及执行后续采购单流程。

处理 1 亿元不良库存

2008 年，京东在北京丰台区有 200 多平方米的备件库，到处堆着货，又脏又乱。当时 IT 采销部门的人，周末会去备件库整理报损件。两辆五六米长的大货车，把一箱一箱的返修品拉到仓库门口，主板、散热板、电源什么都有。当时流程不正规，没有人专门处理报损件，备件库的东西坏了就坏了，扔在那里。采销人员都看傻眼了，一箱一箱地整理，按照品类和型号分好，卸货到晚上。很多货是全新包装，打开一看，里面的货被摔得不成样子了。

很长时间里，京东售后没有信息系统，全靠Excel表格，维修都是上午审核单子和收货，下午跑中关村维修点维修，晚上发货计件，特别原始。整个维修流程需要三五十天。2009年，刘强东提出来售后服务要在5天内完成，当时的王党辉就疯了，这纯粹是赔钱。配送从客户那里拿货返回来要一两天时间，把货送到厂商维修也要一天时间，这还是最快速度。厂家不可能那么快给你维修好。如果达不成5天的话怎么办？那只能放弃维修，直接退换。维修好的货只能卖给线下收购的人，以三四折的价钱卖出去，那就是纯粹赔钱。他如此告诉刘强东，结果刘强东说，你这是什么思想，跟不上客户需求。

直到2010年，他才完全想明白，公司就是拿服务吸引客户。那时候，京东系统还很古老，只能往前操作，不能后退，无法查询此前的操作步骤里做了什么，还有很多地方是手工账。2010年，售后才上了新系统，是最后一个上新系统的部门，将系统分为多个模块，把流程前后环节分清楚。

2010年底，李晨加入京东，担任备件部全国运营总监（现任京东西南区总经理）。刘强东开玩笑说，京东来了身价最高的总监。当时，京东有1亿元的不良品要处理。李晨干得好，就能挽回1亿元，干不好就亏损1亿元。李晨以前在戴尔做电脑售后物流网络规划和管理，他发现京东不良品处理还没形成有序的管理。当年京东销售过百亿元，不良品库存有1亿元，由于没有完善、规范的处理通道，不良品周转60多天，正常周转速度应该是10多天，最长20天。

售后标准不清晰，不良品回来之后不知道该怎么处理，全堆在仓库里。李晨第一次去仓库看，发现仓库像垃圾场一样，通过逆向物流回来的不良品像沙袋一样随地堆着，越积越多，形成恶性循环。如果不能处理好，就影响公司净利润。

李晨的处理方式是，加大退货力度，加大降价销售力度，尽量变现。退货是厂家的损失，按照行业标准，厂家有承担的义务，除非对方给特别优惠的供货价格，买断售后。这必须让采销跟厂家沟通，尽量按照 100% 变现退货，不符合厂家标准的按 80% 变现退货，或者换货。李晨面对的最大困难是，内部协调。退货这事烦琐艰难，需要采销特别有责任感，才可能帮忙完成这个任务。采销员工本身业绩压力大，100% 投入精力都未必完成销售任务，现在还要拿出一部分来做售后。

李晨用了一年时间，将流程规范好，第一年实现了止损目标，处置了四五亿元的不良品，节省成本 1 亿元以上。到 2012 年底，不良品库存 1.2 亿元，在公司业务量增长五六倍的时候，不良品库存保持稳定。

客服推动内部流程优化

2012 年 9 月 10 日，我第一次去宿迁。京东宿迁信息科技园位于宿豫区洪泽湖东路，两幢圆柱形的建筑物已经封顶，正在进行外墙的装修。园区宣传栏显示，一期建筑面积约 6 万平方米，于 2012 年 3 月 16 日动工，2013 年投入使用，入驻员工可达 5 000 多人。二期约 10 万平方米，建成之后可容纳 1.2 万人。

当时京东全国客服中心总部位于宿豫经济开发区办公大楼，因办公场地紧张，在这里办公的呼叫中心员工不到 400 人，还有 1 500 多名呼叫员工租用雁荡山路的一家玩具公司的厂房办公。呼叫中心员工说：我们忙得很，急需招人，听领导说人不好找。员工以宿迁本地人为主，入职时月薪 1 200 元，满一年则涨为 2 000 元。

2014 年 12 月，我再次来到宿迁的时候，京东员工已经搬迁进呼叫中心一期工程，共有员工 3 000 多名。宿迁呼叫中心二期工程正在修建，19 层楼，1~4 层是办公区，5~19 层是员工宿舍，按照标准的 6 人间修建，一套房间建筑面积 60 平方米，带独立卫生间，提供热水。住宿是宿迁呼叫中心的大问题，以前是到处找学校解决住宿问题。宿迁呼叫中心，多是在周边院校招应聘生，很多人家住在农村，虽然有班车，没法抵达村里，员工骑电动车，路上不安全。按照公司规定，家超过公司 10 公里远，即可申请员工宿舍。

京东是巨型婴儿，长得特别胖，特别快，随着团队规模扩张，很多人快速成为管理层。成都在线客服中心从 2012 年的两三百人，到 2014 年的 2 000 多人，两年时间扩张了10倍，主管与一线员工比例从1∶12到1∶15。

早些年服务圈内推崇服务外包，刘强东问当时负责客服的副总裁王志军，你同意专业的事儿专业的人干吗？王志军回答，外包是把自己最宝贵的客户资源交给别人了。

京东客户服务部副总裁黄金红2011年7月入职，三年多的时间，客服团队从600多人扩张到7 000多人。客服从保驾护航，变成搜集客户痛点，做调研，反向去推动流程改善。

刚加入京东时，王志军转发客户投诉邮件给黄金红，黄金红回复：任重道远。当时客服质量堪忧，管理团队只有6个人，只有一两个人有一定呼叫中心专业运营的基础理念。京东业务发展迅速，在宿迁人员招聘是业务发展的瓶颈，针对快速增长的业务及专业化服务之间的平衡，一方面铺开招聘网络，整个管理团队工作日在现场指挥，周日奔赴多省与大中专院校谈合作，进行人员输送；另一方面成立二线团队，客户电话过来，一线团队解决不了问题，挑出一部分人做更专业的解答。同时，进行管理团队的搭建，招负责培训、运营的总监。

黄金红选主管特别头痛，京东全国客服中心运营总监曹珂告诉她，按你的标准没有一个达标的，只能矮子里拔将军。黄金红要求管培生去宿迁培训，启动储备干部招聘，2011年招聘的有30人留下来，都是经理以上的级别。2011年一直在救火，她把SOS邮件发给管理层。黄金红与朋友调侃，做呼叫中心做了一二十年，还在为这个奋斗。

当时装修特别压抑，花了几万元做改造，用暖色调，显得很温馨。员工第一个感觉到的大变化是，卫生间里有纸了。

2011年国庆节，黄金红在宿迁第一次见到刘强东，他身穿休闲西装，戴着黑框眼镜。刘强东问黄金红有什么困难，她说，一是工资太低了，平均只有1 300元，已经有公司把招聘横幅拉到公司附近了。第二，上班不安全，希望配班车，她的心理是："我得狮子大开口，老板好不容易来一次，怕也得上，不怕也得上。"刘强东说，这些都没问题。

曹珂2010年加入宿迁呼叫中心，2011年升为高级经理，2012年为副总监，2013年升为总监。京东逼着他快速发展，他也没有想到，不到5年时间自己管上了3 000多人的呼叫中心。

最好的服务是不产生服务需求，客户没有找客服的需要。为此，客服需要推动公司流程改造。最初，京东客服的咨询订单比占 30% 以上，这说明京东购物流程不清晰或者促销活动规则不清晰，需要客户前来咨询。呼叫中心就和市场部一起，将整个活动规则规范起来。2014 年，咨询订单比降低到 9%~10%。京东整体业务量翻倍成长的同时，整体咨询量是平稳的，没有明显上涨，除了"双 11"这样的大促销，基本与 2013 年咨询量持平。

呼叫中心将客户的问题集中起来，经过数据分析，推动公司内部流程优化，避免再次发生同样的问题。他们通过客户的投诉，发现华北区负责内蒙古的第三方快递公司，时效质量特别差，投诉率高。客服部门通过专线跟华北区沟通，先削减他们的业务量，后撤换和这家公司的合作，才彻底解决问题。

2014 年"6·18"店庆，来自华南区的抱怨比较多，原因在于华南区在运力有限的情况下，号召员工利用自家小车送货，员工对市区道路不熟悉，搬运也不专业，效率低。西南区则好得多，因为他们直接找搬家公司，熟悉市区，擅长搬运大件，收费也合理。客服部门就把西南区的方法推荐给华南区，"双 11"的时候就再没出现这个问题。

曹珂遇到的最棘手的投诉，是做父亲的给孩子购买了奶粉，吃了之后拉肚子住院，父亲打电话来投诉，最后升级到曹珂这里。这位父亲在外地打工，不了解情况，事实上是奶粉开罐时间过长，孩子爷爷将受潮变质的奶粉给孩子吃了，才导致孩子生病。但是老人不接受这个解释，一口咬定我在京东买的东西，出了问题，你就要负责。由于孩子生病住院，老人白天在医院照顾孩子，又没有手机，只能晚上 8 点以后给他打电话。曹珂每天和老人套近乎，安慰他，先把孩子照顾好，其他事情慢慢处理。等孩子情况稳定之后，就为老人办理退款，他们购买的时候用的是货到付款，自己没有银行卡，也没有在线支付账号。曹珂还得找邮局汇款，前前后后花了一个星期才处理完这件事。

呼叫中心专门成立客户关怀部，日百、母婴类产品，涉及到安全、健康问题的，分为各类专家，专门处理客户的投诉。

客户的需求逐渐升级，最开始的时候，业务发展太快，呼叫中心接起率很低，客户的要求就是能接起电话就行；等解决接起率问题之后，客户就要求服务态度要好；等态度好了，客户又觉得客服态度好，但不解决问题，呼叫中心要求客服给出两种以上方案给客户选择，快速解决问题。2014年则变成了，不仅态度要好，能解决问题，还得告诉客户未来如何避免这种问题。2014年京东渠道下沉后，大量新用户涌入，儿女在外地的三四线城市的老年人也打电话进来，得教他们如何网购，授人以渔。

淘宝上买东西出了问题直接找商家，京东上买第三方卖家的东西，出了问题客户还是找京东。阿里巴巴的理念是让天下没有难做的生意，京东是让生活变得更简单，切入的角度不一样，阿里巴巴做的事情，是趋向于如何让生意做得更顺畅、便利、快捷；京东则更偏向于如何让消费者体验更好。

客服的压力大，容易受气，自己干得不开心，就难以提供好的服务，京东设有心理辅导师，帮助客服减压。客服的上级也需要引导这些客服意识到，客户在骂京东，不是在骂你自己，不要把责骂转移到自己身上。客服最难的是前三个月，熬过去之后心态就能平稳下来。经理、主管是从一线员工做起来的，时刻巡场，注意到谁接电话时间长了，语音语调有了变化，就主动过去拍拍客服肩膀，安抚他的情绪。在客服处理能力范围外的问题，有通道让他升级，将问题提交给更高层级的人处理。

在呼叫中心，员工平均水平是每天接电话110~120次，突出的每天接电话150个以上。10万个电话打进来，只接1万个，哪怕让1万人满意了，但是还有9万人不满意。京东需要更有效率的客服。

2012年1月，京东在线客服正式上线，在网站访客与京东之间搭建起全新的即时沟通渠道。以成都在线客服中心为例，正常工作量是，一天8小时接待160个客户，在该年"6·18"，从早晨9点到晚上11点，客户量最高的达到四五百人，当时人手不够，员工开着三个账户，吃饭时间也不下线，经理、主管在现场负责端水、送盒饭。员工之间竞争意识很强，这位说我接了240个客户，那位就说我接了300个客户。当时办公环境还比较简陋，气温36℃，却没有空调，每位员工面前放着藿香正气水。

当年"6·18"过后，刘强东来成都，奖励这个100多人的团队50万元，他声称没有想到带来这样的惊喜。2008年，当时负责客服的副总裁严晓青曾经建议刘强东做在线客服，刘强东认为呼叫中心挺好的，没必要。2010年，王志军接手客服之后，建议刘强东做在线客服，刘强东反问，电话不是做得挺好的吗？王志军认为在线客服是趋势所在，电话每分钟双向收费，成本比在线客服高。

2011 年 10 月，京东开始筹建在线客服团队。一个晚上决定了行业内三个月才能决定的事情，决定落户地址，几个人一碰头，王志军拍板选成都，一是分公司所在地，有更好的资源，成都政府也支持；二是要有生源、要有职场。成都什么都不缺，成都在线客服在建设的同时，将招聘的员工拉到宿迁培训。当时天寒地冻，没地方住，宿迁呼叫中心也还在装修。这批留下来的全是精英，最艰苦状态下做起来的那批员工价值观特别好。

从决定做在线客服，到第一位经理人到岗只用了 3 天，组建成团队不到 15 天，2012 年 1 月成都在线客服试运营，3 月份正式运营。

客户不喜欢受干扰，能自己解决问题的，不愿意找别人。所以第一，要自助，客户那里不顺不便的地方，推动部门改善。修改订单、查询订单、取消订单、能跟踪物流等等。只要没出站点就能拦截。如果客户拒收的话，配送也是付出成本了。京东研发部门配合开发了机器人客服，解决率达到 26%，常规性询问在服务中占比三至四成。第二，是互助。互联网上一批客户愿意帮助别人。第三才是人工帮助。能在网上解决的，引导在网上解决。设置联系路径，电话藏得最深。

2014 年 11 月，京东全国客服中心宿迁分中心用了 8 个月的时间，通过了针对客服中心的国际高绩效的COPC标准，这是目前中国电商唯一一家。

员工问黄金红，如何才能做到红姐这样？黄金红告诉他们，简单的事情重复做，你就是专家，重复的事情用心做，你就是赢家。

2012 年底，成都在线服务的一名员工，接到一名北京女性客户咨询，声称住在地下室，心情不好，准备了安眠药。一般这种情况，很多人认为是恶搞。但是京东客服查了她的收货地址，还果真是地下室，立即报备主管，主管打电话报警，先找成都 110，后找北京 110，最后转到派出所，派出所警察和她的朋友赶到地下室，那位客户的确准备了安眠药。

后来，她的朋友发来消息致谢，说没想到你们能做到这样，特别特别地感谢。

<h1 style="text-align:center">开放</h1>

2010 年，有些电商人士开始对电商产生疑虑，B2C电商可能都差不多，从财务状况来看都不是良性经营，这是不是电商的必经之路？当时大家对电商的理解，还是以商品买卖为主要收入或者唯一收入，还没看到有第三方卖家平台、金融收入、大数据等。

作为企业组织，盈利是天经地义、责无旁贷的，关键是怎么赚钱？只是靠卖货来赚钱，是最简单粗暴的方式，缺乏从客户角度的考虑。

2013 年，京东去掉"商城"二字；2014 年京东拆分为金融、拍拍等若干子公司。这家公司已经越过零售的边界，在供应链的基础上通过开放平台的模式，创造新的生意。

开放技术

京东的价值还是网络的价值，第一，通过不断提升用户体验，电商解决了信息不对称信息即时性等问题，线下零售商，从武汉把货买进来，到成都卖还有钱赚，就是利用信息不对称的问题，有价差。电商能够看到价格、看到配送路径、看到生产信息，就放心了。第二，是物流。第三，是资金流向。这些都需要强大的信息系统来支撑。

电商最大的挑战就是，信息的准确性和即时性。进了货物必须马上反映出来，而传统的流程可能需要一两天摆上货架才能反映出来。此外，货物受损，减少库存，也要马上反映。

京东技术部门这些年做的主要事情：

第一，基于流量和用户服务，做营销、优惠价格的挖掘。

第二，积累了海量数据，为行业、卖家提供数据分析。

第三，整个系统经受了大流量的考验，从前端的营销到后端的供应链管理、仓储配送等，信息系统可开放给社会。2012年"双11"，京东数据库被打爆了，虽然没有影响用户下单，但影响到商家后台，恢复起来特别慢。北辰世纪中心乱成一锅粥，所有研发的人电话都被打爆，手机上的监控一直在报警，大家都在走廊上跑来跑去。经此教训，京东研发部做了1 000多个预案，地毯式排查每个环节的问题。2014年"双11"，他们终于可以说，让订单来得更猛烈一些，当天京东集团旗下各平台的订单量超过1 400万单，系统经受住了考验。

第四，云计算，京东已经将内部的计算、存储等资源全面云化，可以灵活应对促销、店庆等流量压力；同时，京东把经过内部实践检验的云计算资源逐步对外开放。

第五，做开放平台，基于API（应用程序界面）开发应用。

李大学在外交流的时候，有人问京东系统卖不卖。其实京东的很多平台都可以对外服务。有人想买库存管理，有人想买配送系统，在云平台上使用。第一，京东这么大的交易量没问题；第二，京东价值链这么长，又完成了很好的实践，这些实践本身就有很多经验在里面，所以不仅是买一套系统，实际上是买了这些经验。

京东技术最强的是供应链，从前端营销到后端服务的一整套体系，过去业务特征很明显，技术基本上被业务牵着走。这两年京东一直在完善系统，围绕业务做。慢慢地，能并肩跟业务走了，慢慢地，技术要拖着业务走了。营销、采购、定价就是自动化的，靠大数据驱动，把人的工作量降低，售卖的时候，产品如何组合卖效果更好？这些都是人干不过来了。和技术配合好的部门，往往业绩完成得也比较好。

2013年3月，公司组织架构调整，将研发部门调成事业部，2014年，又将研发拆成两部分，与业务直接相关的研发，和业务部门直接闭环，采销体系的研发归蓝烨负责，运营体系的研发归沈皓瑜负责。闭环后，技术和业务紧密相关，能够找到痛点，快速解决问题。而集团研发则专心解决基础架构问题。

京东的生意来自线上，IT系统是生命线。底层是云平台和运维体系，支撑其上的所有应用。第二层是大数据平台和电商开放API，所有数据集中在一起，统一存储处理挖掘；京东把电商的核心平台建立起来，同时以API服务的方式进行服务，这对价值链长、流程复杂、系统很复杂的公司来说是很重要的。第三层是应用平台，因为有了前面的两层作为支撑，在上面做具体应用的事情就非常方便了。包括京东的网站、移动客户端、内部的ERP及外部的ISV开发应用，都可以调用电商核心API，同时相应的数据都进入大数据平台，而且这些应用都可以在应用平台上实现。

"我们最初认为自己是一家电商公司，但现在我们认为自己是一家以技术驱动的公司，技术服务会成为我们的收入来源之一。"李大学说。

京东集团首席营销官蓝烨，除了负责市场营销方面的工作以外，主要精力放在采销管理上：供应商管理、进销存、定价等等，这些直接影响到公司销售额、毛利率、现金流等核心财务指标，简单地概括就是，让商品越来越丰富，价格越来越有竞争力，流量运营管得越来越细，让更多的人访问京东，看更多的东西，买更多的东西。

2013年，京东和供应商合作，不只是卖东西了，还可以当作媒介，为供应商做营销，利用晒单评论等管理客户关系，推广品牌、推广新品，"人家只雇你扫地，就给你清洁工的钱，雇你看孩子，就给你保姆的钱，雇你解决孩子教育问题，那钱就更多了。京东不光帮你扫地，帮你看孩子，甚至帮你理财，给你贡献更多的价值，就能获得更多的利润。"2015年，京东将效果营销分为两类，一类靠创意、经验将促销信息通过网络媒体发布出去，然后覆盖各个流量入口，来引流。一类是数字营销，也可叫程序化营销，对技术和系统要求更高，全靠大数据技术，对海量用户一对一营销。

这必须有自己的投放系统，以利用系统投放广告。传统的营销方式是把一万个客户分成时尚型、入门型、追求完美型等等，用不同方式去抵达不同类型的客户群。更精准的营销是，这一万个客户不用分类，每个人都是不一样的。你不可能用1万个人和1万个客户一对一沟通，但能够用系统与1万个客户一对一沟通。三星家电部门一直重视线下渠道，不太理京东。2014年初，三星对京东说，你干点儿什么证明你自己吧。三星有款专门洗婴儿衣服的专用洗衣机，价格高，5 000多元一台。京东筛选了一部分购买高端奶粉的用户，做精准营销，这款洗衣机一年在苏宁、国美可能还卖不到1 000台，在京东两个月卖了2 000多。别人做不了的你能做到，就是你的价值。

POP和拍拍

2013年"双11"，京东市场部品牌营销高级总监门继鹏选择了与众不同的广告策略。他认为"双11"的广告投放应该做品牌，在全民狂欢里，突出京东品牌。这是一个特殊的日子，一分钱不花也会是全年流量最高的一天，投放广告做流量增长价值很小。"双11"是天猫的主场，门继鹏对京东的定位是"第二人"，如果设定目标是第一人，那是不可能的目标。

以挑战者的身份，选择自己的优点，攻击对方的弱点，而且得是阳谋，明着来。2012年"双11"，天猫卖家的物流饱受诟病，一周过去了客户还没收到货。2013年"双11"，京东品牌的基调就确定下来，"不光低价，快才痛快"。京东市场部连续推出的广告是，年轻女孩儿买防晒霜，脸晒得和非洲人一样黑了，才收到货；长着一把大胡子的用户买了剃须刀，等胡子长得垂在地上了，才收到货。

这风格犀利的广告，令人印象深刻，大获成功。其他电商公司打的是促销广告，只有京东做品牌广告，几乎没提"双11"的促销活动，其实风险很大，万一判断错误，损失将是几千万元。徐雷给予门继鹏的授权很大。"做这种进攻性的广告有风险，压力是他在背，我有思路向他汇报，他也认同，愿意去赌，如果墨守成规的话，风险很小，但没有什么效果。"

谁能想得到，有一天京东能和阿里巴巴竞争？ 2009年，阿里巴巴评选十大网商，京东入选，当年地位完全不对等，如今成了竞争对手。

京东与阿里巴巴的竞争源自平台型B2C。互联网四颗明珠，第一颗是搜索引擎，第二颗是社交网络，第三颗是软硬结合，第四颗是企业B2C零售平台。把生产和消费直接连接在一起，平台做底层的构架。这一块天猫在做，京东POP也在做。商业价值理论上很大。10亿人的消费，理论上电商占社会零售总额的比例可达到15%、20%。

2000 年，亚马逊推出电商平台 Marketplace，到 2012 年全球有超过 200 万个第三方卖家在亚马逊上售卖商品，平台交易额占整体交易额 40%。2011 年亚马逊 480 亿美元营收里，约 9%~12% 来自平台。

对于 B2C 自营业务来说，采购、仓储是有天花板的，像百货类，非标准产品太多、品牌太杂，组建团队自采自销，进展太慢。如开放平台给第三方卖家，能快速增加品类做大规模，平台单位销售成本低、净利高，这将是利润来源。以低价销售的自营业务吸引人流与资金流，然后通过物流、技术、Kindle 电子书等服务赚钱，这是亚马逊的模式，也是京东想做的。刘强东希望未来平台的销售额能占京东总销售额的 50%。

阿里巴巴做平台做得更早，和中国本土零售业的结合能力无与伦比，灯具之乡、地板之乡等的很多中小公司的老板只知道马云厉害。由于自营的基因，京东在开放平台上的运营能力不如阿里巴巴。

京东跟亚马逊一样，早期尽可能把规模做大，尽可能提高自己直接销售的产品数量，大势最终要走向平台化。电商最终必然是平台级的竞争，比拼的是服务，例如配送效率、对供货商的议价能力等，决胜因素是 IT 基础能力，包括订单管理、仓储管理、数据服务、客户管理能力。天猫的优势在于销售的前端，页面展示、促销活动、用户互动。在短期内，天猫具有最丰富的商品，对市场把握最敏感。京东的优势体现在后端，货源的组织、供应链的管理、物流配送等，效率更高。

京东对线下做了真正的手术式改造，这种改造不知道付出了多大的代价。淘宝更像农民起义军，彻底打破了旧的秩序，自己建立的新秩序是混沌无序的，京东更像军阀，付出了很大的代价但做成了，建立了新的秩序。与天猫不同的是，京东 POP 商家数量很多，但客户有问题还是要找京东。刘强东希望商家做好产品，把仓储、配送、客服交给京东，京东对他们提供支持和服务，同时收取一定的费用，做服务外包。

2012 年，天猫、京东、亚马逊中国、当当、苏宁易购、腾讯电商等都有平台梦，市场空间不足以养活这么多平台，2015 年，平台的竞争唯剩两家：天猫和京东。刘强东和马云是这场战争的主角，无数人的命运，成功或者失败，都围绕着他们转。

来 POP 的商家，看重京东正品行货的品牌价值，看重京东用户质量，多为中产阶级消费者，受教育程度、个人素质、收入都比较突出。京东仓配一体的物流系统也是巨大的优势。

POP前后换了4任负责人，马松是第一任平台负责人，花费9个月时间，将后台系统做了起来。京东POP的研发，复杂在系统不能重建，需要嵌入到直营系统里，商家需求多样，有的自己做仓配，有的只需要京东配送，有的直接用京东仓配，有的想自己送到配送站，让京东送货。2010年9月，POP上线。

马松完成了自己的使命，后由张守川负责POP，张守川原在麦德龙工作，有丰富的线下零售经验。2012年8月，我在张守川的办公室见到他时，他早晨刚流过鼻血，每天拼命地工作让他身体负担很大，他说："哪天我会倒在这里。我经济已经自由了，现在是为理想而战，改变中国人的消费习惯，甚至可能影响整个世界的商业格局。"张守川负责期间，2011年京东POP交易额23亿元，2012年增长至100亿元。交易额的增长来自商品选择的丰富，2010年6月SKU是10万，2012年8月是239万。你需要让消费者有逛街的感觉，给予他宽广的选择范围，又要选择精品，让他能够快速找到合心意的产品，这就必须优化搜索引擎，做好关联推荐。不过，张守川侧重线下零售思维，做电商有短板。

2012年，对于京东开放平台，某个既在淘宝平台又在京东平台的卖家向我抱怨："京东平台还是蛮荒时代。"卖家入驻淘宝，支付5%的扣点。另外，淘宝为卖家提供80多种营销工具，价格不等，丰俭由人。你要冲销量就花钱购买营销工具，没钱的话自己用心做微博也可以导入流量。卖家入驻京东平台，平台缺乏运营的概念，就好像是一个百货商场，我提供店铺给你，别的就不管了。"京东平台和淘宝比起来，就像蹒跚学步的幼儿与魁梧的大人。"并且，京东的消费者养成了更高的消费门槛，它的质检查得更严。卖家在发出每一件货之前，都要人工检查一遍，以免出纰漏。

虽然有种种不便，但是卖家还是打算在京东做大。他说，京东平台流量大，毛利率比淘宝高，如果量大的话，会很可观。2012年的京东开放平台还处于早期，观念没有转过来，不够谦卑，也没有经验。他们应该有这样的意识：卖家也是你的客户，服务好它，帮助它成长才能更好地服务于用户。

卖家支持京东，一是扩张本能的驱使，二是天猫这样一个强势的平台，让大家有危机感，不可把所有的鸡蛋放在一个篮子里。某位为淘宝卖家提供后台服务的创业者说："我所接触的淘宝卖家对淘宝就4个字：又爱又怕。很多卖家80%以上的营业额来自淘宝，他们爱它，但淘宝在规则制定上既是运动员又是裁判，这又让他们怕它。"

通过增加SKU促进销量后，POP的发展又有了问题。如上述卖家抱怨的，京东运营做得太生硬了，开放平台不同于自营的运营思维，让习惯了猛冲猛打、下指令给供应商的员工们茫然失措。继张守川之后，又有两任领导短暂负责POP，领导层的动荡让POP内部管理问题也更加突出，员工已经冒出了领导不看邮件、不回邮件的抱怨。2013年6月，刘强东让投行出身的黄莺春负责POP，这一招儿胆子很大。黄莺春没有做过实业，她问刘强东："你确定吗？"刘强东说："我确定，不会比现在更差了。"

做投行像打猎一样，打完一只猎物就歇一阵子，但是做零售，是夜以继日，没完没了。黄莺春负责POP，发现内部的确一团糟，业务条线不明晰，员工也比较散漫。她觉得，这是京东做POP最好的机会，自营已经融资完毕，业务规模越来越大，不可能发生资金链断裂的事。而阿里巴巴的生态圈出现问题，商家越来越不赚钱。她确定POP的市场定位，说服商家的切入点是商家不能把所有鸡蛋放在一个篮子里，可以上京东POP试一试。她花费三个月时间梳理商家后台系统，建设流量路径，后台弄好了，功能健全，流量就增长很快。

POP是管理几万家商家的生态系统，京东从没有做过，这需要开放的心态。做平台自始至终，开放是最重要的，生态系统本身就是开放的概念。类比的话，自营像计划经济，开放平台更像市场经济。

让一批一直做计划经济做得特别成功的人来做市场经济，很难。"这是为什么老刘找我来做开放平台的原因。我没有其他障碍，完全是以互联网角度来看，不是纯粹的零售角度。"黄莺春说。

黄莺春首先是需要获得刘强东和蓝烨的支持，如果这两人不信任她的话，没法推进工作。其次，她要给员工讲清楚什么是POP。原来做自营，要解决库存，只需要一句话，就立马干掉了。但在POP，你说一句话，商家不搭理你。商家为什么要搭理你？在你这里的销量不过是阿里巴巴那里的十分之一。你需要给商家理由。

商家运营、物流体力、销售规划、产品促销、系统后台等多个维度都需要推进开放。那时候，商家抱怨京东的系统很烂，实际不是京东的技术不行，而是在思维上没有向商家靠拢，没想到系统是要开放给商家，从他们的需求出发来调试。

市场经济的精髓不在于管，而在于制定规则。克林顿担任总统的时候，需要硅谷新经济振兴美国经济，他就给科技创业新的激励机制，做的最伟大的一件事，是建成信息高速公路。蒉莺春认为，POP的责任是制定规则，把路修好，给予各种激励政策，让商家自己去做。

她说："你不可能成为唯一的销售渠道，你应该成为多个渠道的一部分，并且这一部分是有价值的，这样生意才能做得长久。先让别人挣钱，自己才能把钱挣到。"

蒉莺春的管理方式，不是下达命令，而是提出问题，告诉大家自己的观察，请大家思考，提报解决思路。她必须盯得很细致，领导细致了，员工就细致了。零售本身就是一个非常注意细节的活儿，页面显示没货了，鞋的尺码不齐全了，新店名字不正确而影响搜索效果等等，蒉莺春都得追问。她从阿里巴巴招聘了不少员工，需要新鲜血液进来，才能焕发活力。这要大动干戈，一定会得罪人，但蒉莺春不在乎。

2013年6月，蒉莺春发表了一篇《通往奴役之路》的文章，当时已入驻的商家不敢参与京东"6·18"店庆，因为竞争对手锁闭商家后台。

2014年3月，京东和腾讯电商合并后，蒉莺春担任京东旗下的拍拍网总裁。拍拍有很多小商家，未必适合在POP上做强运营，跟大商家抢流量未必抢得过。小商家可能有自己独特的运营方式。京东将拍拍独立出来，打算做成更大更独立的C2C生态系统。PC端已经有了淘宝，他们放弃了这块，全力攻击移动端，微信和手机QQ的生态系统有巨大的社交流量空间可利用。

拍拍底层闲置多年，从腾讯那边合并过来之后，修改了两个月的底层架构，2014年7月17日正式上线。9月底，正式推出拍拍微店，"双11"下单超过两亿元，量增长得很快。你没有必要盯着庞然大物，现在就看自己能创造多少价值，电商占全社会零售总额也不过10%，空间很大。到2015年1月，拍拍每天下单6 000万元。

拍拍的商家来源，一部分是原淘宝商家，在淘宝发展不好，另寻平台；一部分是传统批发商，在试水网络渠道；还有一部分是在微信朋友圈卖货的个体，这部分群体没有店铺凭证，交易有风险，拍拍把他们引导到合法体系下做生意。

继黄莺春之后，京东集团副总裁、POP开放平台事业部总经理辛利军接手POP，他告诉刘强东，不能像以前那样按照一年期限来考核，POP要做成，必须得耐心，梳理好内部环境，做好架构，将生态环境整理好。

接手后，他先整理内部环境，将品牌模型、价格模型弄好，让用户能在开放平台很容易找到他想的服装品类，不能找了半天都找不到。2014年，POP全年增速同比增长200%以上，平台交易额突破1 000亿元。

京东的库存审核比较严格，辛利军把京东服装定位为高品质和高品位，并与《时尚芭莎》杂志合作，每年做两次服装秀。京东男性用户比例高，POP服装选择了男装做突破口，2014年做男装节。2013年，京东服装跟天猫相比，交易额比例是1∶18，2014年是1∶9，而男装是1∶7。

女装品牌歌莉娅电子商务和互联营销总经理刘世超，感受到了京东的转变，他原来是单纯的采购，现在更多是运营的角色。采购是谈订单，一手交钱一手交货，用订购量来谈折扣。但是，服装是非标准品，讲究调性，需要柔软的运营，而不是单纯的价格战。他感觉，京东人在学习服装行业运营规律，将前端运营和商品结合起来，找到与商家、消费者契合的主题，这是很大的进步。

消费者买的不是产品的价值，而是感知的价值。卖服装需要跟消费者沟通情感，看到服装面料以外的价值。购买非标准品是情感沟通的过程和购买流程的体验，不像购买标准品是直接的功能诉求。消费者要的不是便宜，而是占便宜，占便宜就是用相对便宜的价格买到看起来高端的商品。

"京东原来是采购方，有着甲方心态，现在他们逐渐把我们当作客户，可以谈深度合作。体量大了，不可能总是一两倍的速度增长，要增长就必须精细化运作，一定要把别人当客户看。"

互联网完全看打折行为的时代已经过去了，价格虽然是重要因素，但不是第一因素，消费者会为品质、便利付费。运营平台，需要将消费者拉进来一块玩儿，这样对品牌的注意力就集中了。

歌莉娅使用京东配送服务，从来没有人因为配送投诉到刘世超这里，没出问题就是没有问题。整个平台要解决的核心问题是，京东品牌的柔性化、大百货化，怎样让消费者想到京东的时候，想到的是互联网的百货店，而非电脑城。

京东判断商家是否重视京东POP的指标是，第一，上新速度是否和天猫一样快；第二，高层是否派专人对接；第三，是否有京东专供款。他们特别统计了一下，"双11"服装爆款清单，50%和天猫重合，剩下的，一部分是天猫专供款，一部分是京东专供款。

像金字塔一样，京东把商家分为顶部商家、腰部商家、底部商家，POP的体量放大，一定是所有商家体量同步放大，不可能永远让顶部商家把所有流量拿走，不停长大，而下面没有新鲜血液补充进来。POP要把底部商家往腰部商家、腰部商家往顶部商家输送，让整个金字塔等比例放大。

开放物流

电商带来了巨大的市场需求，作为电商供应链的一环，电商井喷的交易额造成物流井喷，快递成为朝阳行业，卖家和买家共同推高了对快递行业的要求，既要求便宜，又要求速度快，还要求服务态度好。能不能用最低成本求得最好服务，是快递公司的核心竞争力。现在是群雄混争，比拼价格、时限、服务，未来会像春秋战国时代一样，形成几大巨头。

仓储、运输、终端，京东要做全能型的大鲸鱼，成本问题横亘在面前。"四通一达"（申通、圆通、中通、百世汇通和韵达快递这五家物流公司的合称）能找零担物流德邦，凑成整车发货，节省成本。京东自建运输体系，自己做干线运输，需要货量足够丰富，今天从北京发车到上海，装120立方的货，回来的时候如果装不满，就是空驶，有空驶就是浪费。像西南地区历来进港货量大于出港货量，西南大区转运时效就偏弱，如果北京发货到成都只需两天，从成都发货到北京就要三天，因为需要凑齐整车再发货。

这条大鲸鱼需要更多的食物喂饱自己，实现规模效益，社会化运营是必然的趋势。京东物流不仅向京东开放平台的第三方卖家开放，还向和京东无关的垂直电商、线下门店等开放。西南大区准备面向位于成都的鞋都做招商宣传，京东物流的价格高于"四通一达"，低于顺丰，谭响明说："我们最想吃的一部分，友商的系统不让我们对接。"他谨慎地使用友商指代淘宝。

马珺认为京东物流现在还是温室里的花朵，电商自建配送体系，靠投资驱动，传统物流公司是，有收入、有毛利才进行下一步扩张，滚动发展。京东是用户体验第一，成本第二，放在社会上与物流同行比拼成本，如何保证用户体验与成本平衡？开放外单之后，内部的仓储体系、运输体系、配送体系互相之间也会有矛盾，比如货物破损或者丢失，算谁的责任？

邮政速递成都分公司副总经理也认为，京东物流成为公共平台之后，流程怎么做才能保证最优，达到自营货物的服务标准？

2013 年 8 月，京东开放外单。京东形成了一定规模的网络，具有规模效应了，固定的客户群支撑基础货量，基础货量保障了物流网络的运营收支平衡点。京东物流的优势在于，全国范围内支持货到付款，终端配送能力和快递公司标杆企业顺丰媲美。

做自营订单的时候，只要成本下降就可以了。开放外单，除了服务要好，还得考虑赚钱的问题。2012 年 10 月，京东配送部业务拓展部副总监彭雨萱加入京东，当时配送部做外单业务的团队只有 9 个人，有些还是从其他运营部门过来兼职的。除了青龙系统有外单框架以外，整个运营系统不完善，报价表都没有。彭雨萱开始着手搭建体系，定义客户，确定价格政策。

先靠着POP，京东物流先抓住身边的客户，2013 年推出"双 11"免运费活动，促成了 POP 1 000 多个商家与京东配送合作。卖家使用京东物流，放进仓储，帮他发货，特别快。如果POP跟阿里一样，没有理由能超过阿里。通过物流能力，不断提升卖家的用户体验，才能做出区别。POP商家挖掘得差不多了，彭雨萱的目标放在垂直电商网站上。

除了电商，京东物流还能吃掉哪些市场？京东物流运营最具备优势的是同城配送，与原有物流网络契合。这意味着O2O也是京东潜在的市场。有家做米粉外卖的创业公司，已经完成A轮融资，这家公司与京东合作，客户通过微信下单，由京东将米粉送至客户处。

外单是放在分拣中心来操作。商家把货运送到分拣中心，再经由分拣中心运输到配送站。

2010年，华北区配送部总监姜会晓加入京东筹建分拣中心的时候，京东是在仓储打包台附近留出一两百平方米的空间，大家坐在那里纯手动分拣。当时京东物流在顶层设计上没有快递基因，没有单独的快递操作系统，作业工具缺失，人才也缺失，都是从仓储系统剥离出来的人，从没有做过快递。

2012年3月，全京东体系第一个二级分拣开设，这是从来没有过的，在公司内部有阻力。因为京东不是快递公司，快递公司建立分拣理所当然。支持建立分拣的人认为，如果不建立分拣的话，未来怎么将这么多据点连成网络呢？反对建立分拣的，则认为多了一个环节，不是效率降低了吗？

但是不建立，网络就搭建不起来。如果没有分拣，从北京到天津，每天要发几十辆车过去，再发几十辆车回来，而这些货实际上可以用一辆大车拉过去，再通过分拣中心来分散给下面的各个配送站。这样效率更高，成本降低。

如果京东物流网络要变成有机整体，必须做自有干线。分拣中心是心脏，自有干线是血脉，配送站是细胞，只有动脉静脉毛细血管齐全，细胞才能吸收养分。外单业务拓展最大的难题在于干线，商家是一地发全国，配送部重新做组织架构调整，建立网络规划部，做外单网络和自营订单网络的融合。只做自有业务的时候，容易发生返程空驶的问题，但有外单就可以弥补，原来京东物流干线运输只能用零担，外包给第三方，现在可以自己搭建干线运输，对时效的控制更强。2013年5月，京东开始做干线运输网络搭建，当时只有20条干线，而现在京东拥有3 000辆自有车辆。

截至2014年12月31日，京东全国有3 210个网点（含配送站、自提点、自提柜）。铁路局开设从北京到上海、上海到广州的电商专列，除了顺丰、"四通一达"以外，京东是唯一进入电商专列的电商公司。京东配送部的劳动合同切换成北京京邦达有限公司。

京东希望做品牌商的全供应链解决方案。京东仓储使用WMS（仓储管理系统）和WCS（仓储设备管理系统），WMS是完全自有知识产权，通过系统设计动线，拣货人员拿着RF枪，依照指令，沿着动线取货，一次完成20多个订单的拣货。李永和认为，从全局业务规划到信息系统对接，仓库如何做平面布局规划，货架如何陈列，动线如何设计，京东仓储都能解决，他说："在全渠道库存管理和全渠道订单履约上，京东有足够的竞争能力。"为了外单开发，仓储API接口做了32个。

"供应链的最高追求是，直接从工厂入京东的仓库，再直接送到消费者手里，这样供应链是最经济的。京东要靠行业里的影响力，多一些分享精神，将供应链上的浪费除去。"

资本

并购腾讯电商

‖ 两个词搞定马化腾和刘强东 ‖

2014年3月10日京东与腾讯宣布建立战略合作伙伴关系：京东将收购腾讯B2C平台QQ网购和C2C平台拍拍网的100%权益、物流人员和资产，以及易迅网的少数股权和购买易迅网剩余股权的权利。腾讯将向京东提供微信和手机QQ客户端的一级入口位置及其他主要平台的支持。腾讯将获得京东约15%的股份。另外，腾讯在京东进行首次公开招股时，以招股价认购京东额外的5%股份。腾讯总裁刘炽平进入京东董事会。

当天上午9点半，在深圳的腾讯会议室，刘强东登台说："今天是一个特别的日子，非常高兴与大家初次见面，腾讯是一家非常伟大的公司，是中国最成功的一家互联网公司。在取得了这么多成功后，依然充满了活力，充满了创新，依然维持了高速的增长。但是，我想说的是，终有一天，中国最大的互联网企业是京东，中国最大的民营企业是京东！"

如重磅炸弹，舆论哗然，业内意识到，中国电商格局又要为之发生改变。腾讯电商和京东合并，这个案子是京东投资人、高瓴资本集团董事长兼首席执行官张磊牵头策划的，他掌管的高瓴资本目前拥有 210 亿美元的规模，是亚洲最大的投资机构。起初，京东和腾讯的团队有人反对合并，腾讯一方的反对更激烈，张磊开玩笑说："腾讯有人恨不得拿刀找我，我把他们的工作弄黄了。"

2011 年，张磊就找刘强东和马化腾见面聊，2012 年也把他们拉在一起聊。那两年，两人心态不一样，腾讯在电商上没有认输，也没有进化到用投资合纵连横的境界。京东在上升期，也没有合纵连横的强烈需求，那就战场见呗。

张磊没有放弃这个想法，一直在观察时机。2013 年，他看到了 PC 互联网向移动互联网转型的趋势，而且速度很快，投资人每次在京东的董事会上都质问刘强东：移动互联网怎么办？刘强东每次都跟董事们说，技术跟不上，流量跟不上。张磊很高兴，刘强东已经有意识了，和腾讯合作的事就有谱了。

一个想法要做成，一定要符合双方的利益需求，大家都有得赚才行。

从京东的角度来看，京东需要快速发展，可京东技术迭代能力偏弱，电商向移动转移的趋势很明显，腾讯占据了微信、手机 QQ 两个移动端流量的大入口，如果合作的话，对京东是个很大的机会。社会化电商会起来，京东应该借助这个东风，但京东在腹背受敌的情况下，没有时间做这个工作。

从腾讯的角度来看，这是投资京东最好的时机，京东当时估值 80 亿美元，2015 年 4 月 10 日，京东市值 454 亿美元。张磊说服马化腾，靠的是两个字：库存。

腾讯这家公司，什么都强，企业家精神也有、创业文化也有、用户体验也有，但是，马化腾的词典里是没有"库存"两个字的。他已经做了半辈子的生意，没见过库存。他觉得易迅增速很快，每年 100% 以上的增速，几年后也能做到 1 000 亿元规模。张磊告诉马化腾：当易迅做到 1 000 亿元的时候，可能会有两三百亿元的库存，每天都要检查，否则会被人偷、被人贪污、被人损耗。马化腾从未意识到这个问题，他做了一个互联网帝国，他一直在跟虚拟商品打交道。你能想象马化腾去仓库盘点库存吗？

张磊告诉马化腾，你最大的问题不是赚钱，而是要减少不该花的时间和精力。马化腾终于同意了。

2013 年 12 月 31 日，京东和腾讯投资团队吃饭。2014 年 1 月下旬，刘强东和腾讯总裁刘炽平见面，启动合并案。在此之前，腾讯投资搜狗，也开启了腾讯的思维，把自己女儿嫁出去，弄个上门女婿。

在京东和腾讯团队的一次会议后大家要张磊做个讲话，在酒桌上，张磊说了四句话，第一句是，人生苦短，要搞就搞个大的；第二句是，搞大了就要搞成永恒的；第三句是，永恒是不可能的，再牛也要不断创新；第四句是，早死早超生，要么自己去死，要么自己毁灭自己再去超生。"我将吴宵光（腾讯电商首席执行官）的工作给搞没了，后来他决定加入高瓴做我们的投资顾问，不打不成交，反而成了朋友。没格局观的人，认为我将他的命给革了，有格局观的人认为我把他解放了。"

谈判陷入扯皮的时候，刘强东连打 7 个电话将张磊从法国南部阿尔卑斯山的滑雪场召唤回中国："你这事不能搞了一半就撂挑子了。赶紧回来，要不就黄了。"谈判的问题也没有那么严重，只是人多嘴杂，中介、律师、双方管理层太多，几十个人在一起抠细节，并购案的主旨是什么反而忘记了。张磊次日从法国回国，清场，所有中层管理者、律师、投行都不得参加，只许做决策的人参加。

腾讯一方是马化腾、刘炽平、吴宵光、张小龙（腾讯高级副总裁、微信创始人）、詹姆斯·米切尔（腾讯首席战略官），京东一方是刘强东和京东集团首席财务官黄宣德，以及中间人张磊，总共 8 个人。张磊请客，说，今天谈不成，谁也不能走。他们花费了 4 个小时，确认了 35 个问题，例如竞争和非竞争的定义，支付该如何安排，微信和QQ如何对京东进行支持，股份多少等等。

张磊用"库存"和"移动"4 个字，解决了中国互联网上最大的一笔并购案。京东 2014 年第四季度移动订单占比由第三季度的 29.6% 攀升至 36%，同比增幅高达372%。"如果没有微信和QQ，京东移动端能占比这么高吗？腾讯在这笔投资里净赚70 亿美元，最重要的是精力更集中了，精力提升了又转化成 70 亿美元的净利润，这不是天大的好事吗？这就是格局观，做企业需要有格局观的老板，能看得懂大格局。"张磊说，"这是中国互联网史上少有的双方共赢的大案例。"

‖ 96.5% 的合同换签率 ‖

2014 年 11 月 23 日，武汉市蔡甸区沌口，京东武汉沌口分拣中心，十几辆有红色京东logo的货车正停在这里，有的长五六米，有的长约10米，从车牌号也可看出车辆来自有全国各地：广州、深圳、上海、成都、重庆、北京。从贴在墙上的一张张单据上可以看到：从武汉沌口分拣发往上海浦西分拣中心，从武汉沌口分拣中心发生广州萝岗分拣中心，从武汉沌口分拣中心发往成都郫县分拣中心……这也是京东在全国的陆路中转枢纽，南来北往的货物都必须运送到此地，再发往四面八方。

京东华中分拣中心经理孟庆臻，原来是易迅在华中的物流经理，腾讯电商并入京东后，孟庆臻转岗到了现在的岗位。他说，刘强东的执行力非常强，自上而下，京东从发出声音到落地，一两天就OK了。而易迅则需要一个星期才能落实到一线员工那里。在易迅，老板和副总开会，传到职能部门，再传到各地分公司，传递到各地职能部门需要三天，传递到一线员工要四五天，就是一个工作周了。易迅是腾讯电商的一盘棋里的一部分，要考虑的东西更多。

2006年创立的易迅一直没有犯什么错误，以成本优先，跑得稳妥，但是在融资上乏力，没法进行巨大的投入，扩张速度跟不上网民需求增长速度。2007年，京东拿到第一轮融资后，就在北京、上海的公交车和地铁口做广告，品牌推广对京东销售额的提升帮助很大。易迅没钱做这些，只能老实做产品运营。2009年底，易迅也超过了新蛋，一直在追赶京东。2011年，易迅开始和腾讯合作，得了腾讯在资金和流量上的支持。2012年，双方销售额差距越来越大。易迅在华东知名度不错，长三角用户群比较多，而京东不断引入投资，在全国快速扩建仓库、配送站，做到全面开花。在战略和资本上的差异，导致了后来的结果不同。在腾讯电商体系下，既有B2C，又有C2C，需要平衡之后再落实战略，发展速度自然慢了。

这两年京东把外单放在了物流的突破口上，孟庆臻负责华中分拣中心，这是京东全国的物流枢纽，孟庆臻觉得压力和荣誉并存。孟庆臻在易迅时是华中物流高级经理，负责华中四省仓储配送。他认为，京东没有歧视从易迅来的员工，双方合并时，肯定会有自己的位置，只是不知道会被放在什么样的位置。

2014年12月8日，京东和腾讯电商合并过去将近9个月后，在上海易迅公司前台、墙上的Wi-Fi标识、办公区，随处可见企鹅的痕迹。而在供员工阅览的杂志陈列架上，你会发现它和京东的关联——京东的内刊《京东人》。

腾讯是一家薪酬、福利很好的公司，腾讯股票价格也很高，员工愿意到京东来吗？对于京东这边来说，合并这事只能成功，没有任何回旋余地。为此，负责对接的团队每天凌晨三五点钟睡觉，给腾讯人留下干起活儿来不要命的印象。

刘强东对京东人力资源部门提出三个条件：第一，不解雇，只要腾讯员工不选择离开，一定给安排适合岗位；第二，承诺不降薪；第三，所有留任的员工给予签约奖励和留任奖励。

融入的人多数不关心薪酬是否不变，他真正关心的是业务怎么定位，自己要去哪里。刚开始做融合的时候，京东很多部门像无头苍蝇一样冲出去。京东集团的首席人力资源官兼法律总顾问隆雨要求，任何人没有经合并委员会批准，不能够单独处理事务，要接受相应培训，如果每个人都告诉外边一点消息，肯定谣言满天飞，所以必须在高执行力下，步调一致协同。任何规矩都不设定的话，那就乱了。

3月10日交易结束，4月3日京东和腾讯融合过来的员工签约，合同换签率是96.5%。李娜原来在易迅时带的100人的团队，离职不到10人。李娜是2011年加入易迅的，负责采购管理。腾讯和京东合并的消息在网上流传的时候，员工们比较恐慌，消息传了几天，公司没有澄清。到了消息正式公布之后，恐慌情绪就没那么厉害了，京东人力资源部建立了融合网站，沟通比较到位。

‖ 京东移动端受益 ‖

2015年1月26日，深圳原腾讯电商办公区，现在是京东微信和手Q事业部所在地。这里办公环境比较宽敞、安静，我在走道上能看到三张折叠床，有人加班累了晚上就睡在这里。拍拍网好多员工在腾讯工作了多年，甚至接近10年，京东和腾讯电商合并后，这些人也加入了京东。

京东微信和手Q事业部运营总监冯燕2005年就来腾讯实习，听到合并消息之后，第一反应是自己还差两年就到腾讯10年了，差一点儿能拿到金企鹅。在腾讯做方案时，链条很长，需要自己从头到尾做起，招商、选品、运营，而京东的优势在于供应链，原来在腾讯没法合作的品牌，冯燕找京东采销人员一谈，对方就说我帮你约供应商，以前无法实现的方案可以落地了。

像华为荣耀、中兴 nubia、OPPO（欧普）、GAP（盖璞）、优衣库等品牌商，可能用单独的京东 PC 端资源或者腾讯电商资源去撬动它很难，但双方绑定之后，这些品牌商是蜂拥而至。微信渠道做了很多品牌新品的首发。例如 OPPO 发布新机，京东微信部门设计 SNS（社交网站）游戏营销方案，一开始是 10 万人点击，最后在一亿多人里获得曝光。

在二三线城市，手机 QQ 的活跃度更高，工厂聚集的城市手机 QQ 活跃度高于省会城市，高中学历的人是手机 QQ 第一大用户群，年轻、消费能力偏低一点，追求时尚。手机 QQ 在分区域定点投放广告上具有优势，为京东带来了大量新用户，曝光量高。2014 年京东财报显示，全年活跃用户数同比增长 104%，达到了 9 660 万。

京东集团副总裁兼微信手 Q 业务部总经理手侯艳平原是拍拍网负责人，当初京东和腾讯电商合并一事宣布之后，她心情复杂，不知道拍拍的命运会怎样，这相当于自己的孩子，肯定希望它更好。从理智的角度来看，她觉得这是不错的交易，京东更擅长电商。

2007 年 8 月，侯艳平加入腾讯，她曾在雅虎和 eBay 工作多年，与当时美国顶级的工程师和产品经理合作，学到了很多东西。她也觉得自己幸运，中国互联网突飞猛进的时代参与进来，作为大时代里的小人物，见证时代的风起云涌。

腾讯从 2004 年开始做拍拍网，在时间上没有落后阿里巴巴多少，但两者的决心是天壤之别。那时候，淘宝是阿里巴巴的全部未来，阿里巴巴会调动最好最多的资源；而腾讯只是觉得是个机会，做好了很好，做不好也不影响大局。

阿里巴巴恐惧 eBay，直接抽调精英全力以赴，竭尽所能在网络上投放广告。那时候，淘宝所有的事情是马云直接抓。腾讯虽然想做好拍拍，但腾讯能赚的钱太多了，拍拍只是其中一个小产品，要拿多一点的预算也很难。一方面是资源投入多寡差异很大，另一方面是意识的差异，阿里巴巴做营销起家，愿意砸钱投广告，腾讯则觉得没必要花钱，靠口碑传播，营销预算每年一般是一两百万元。拍拍作为亏损的、非公司主营的业务，地位在内部很弱。

当腾讯觉得电商很重要，决心成立独立子公司、加大投入的时候，将宝押在了易迅身上，觉得自营 B2C 的机会更大。回望腾讯电商的战略选择，资源有限，只能选择一个战略方向的时候，腾讯选择了自营 B2C，结果错失了另一个机会，那就是平台型

B2C。2009 年，腾讯做 QQ 商城，模式已经展现了巨大的潜力，那时候天猫还不叫天猫，叫作淘宝商城，还没有一家独大，商家对 QQ 商城也很热情。而京东是迟至 2010 年底才开始做 POP，但刘强东决心很大。

侯艳平后来反思思维局限，第一，总在想非此即彼，不可以都做。这样的话，京东也不要做拍拍，不要做 POP 了。如果公司不想投入太多资源的话，可以用创业的方式来做，开放给外部融资。第二，不要总是想会不会有更好的模式，一开始觉得淘宝模式很好，做了又怀疑可能不好，接着觉得 QQ 商城的模式好，做了又觉得不行。每个模式都有自己独特的优势，也有自己的时间窗口，错过了时间窗口，就错过了做大的机会。一开始就该全力以赴，坚决执行。

腾讯和京东合并，我最疑惑的是，他们能否做到文化融合。这两家公司文化冲突很强，腾讯是典型的互联网公司，产品经理文化为主导，讲究自由，慢决策，审慎，精雕细琢，对用户体验极度追求，各种意见互相 PK。腾讯商业的边界是不清晰，如果没有足够的宽松自由的氛围，就没法琢磨新东西。而京东是重运营、重执行力的公司，效率是生死线，强调结果达成。京东决策链比腾讯短，执行的快速反应能力比腾讯强，这是电商的业务模式决定的，管理方法为业务模式服务。

刘轶（现京东用户体验设计部副总裁）从腾讯电商并入京东之后，负责京东的用户体验，现阶段京东需要建立统一的用户体验标准。原来是分散的，有时候，档次比较低的页面，甚至是厂家直接做好的促销页面往外放。刘轶发现原因在于，跟供应商谈好之后，留给京东的时间不多，可能只有两个小时。

首页的分类，以前在腾讯调整比较随意。京东是非常严格的报批机制，他不知道为什么，申请报批几次，结果不通过。刘强东有次专门找他聊了半小时，将一级分类二级分类的理解告诉刘轶。他意识到，京东在这方面特别严谨，分类的体验来自用户感受，设立方式要符合用户的预期。

加入京东之后，刘轶感受比较强烈的是，第一，京东对用户体验的关注超出了他的预期。第二，授权空间很大。第三，通过首页改版和频道页改版，发现过程痛苦，产品经理在研发部，他们的考核一大部分来自采销。如果要改版，对采销利益有影响的，产品经理会很担心。产品发布完之后如何考核，可能需要慢慢改变。

电商的边界

中国用户消费升级

谁能占有消费者更多的时间，谁就能创造更多的价值。消费者对国美、苏宁的概念是买家电去国美、苏宁，买卫生纸则会想到沃尔玛、物美、家乐福。国美、苏宁能够占有的消费者时间很少，消费者一年以内买家电、数码的时间是很少的，而商超占有更多的时间。京东品类丰富，服务广泛，能满足消费者绝大部分购物需求。

刘强东打算做百货，先小批量地上。高管们反对，3C还没做好呢，你看只做3C的新蛋不是很好吗？Nala创始人刘勇明发文章说，准备结婚，在京东买彩电，结果是破的，当时刘勇明还在韩国留学。刘强东给刘勇明家里打电话道歉。在文章里，刘勇明提到韩国是电商最发达的国家，刘强东就安排时任京东总裁助理的刘爽去韩国考察，回来写一份详细的报告：百货是比3C更大的品类。

刘强东就将报告发给所有高管以及投资方，2009年6月就开始大规模上百货。

今日资本曾做过全国3 000人的家访，主要是针对中产阶级，访谈之后，徐新对加长期持有京东的股票更加有信心了。第一，80后是互联网重度用户，花在互联网上的时间每天差不多5小时。宅男宅女，小时候没兄弟姐妹，抱着QQ聊，兄弟姐妹都在互联网上。第二，50%的东西是在互联网上买的。第三，消费者愿意为母婴、食品、化妆品等品类溢价付费，为的是"正品行货"，这恰好是京东的长项。

在三四线城市5 000多元月收入的三口之家，房子父母给买了，女方买家具、车，生活没什么负担。500~800元花在小孩身上，1 000元是生活费，2 000元存起来，还有近2 000元随意支配。这2 000元花到哪里很重要，一两百元区间的东西对他们不是什么事儿，唯品会把客单价降低到100多元的时候，销量就暴涨。这些用户讲究服装款式，鞋子追求舒适，买不起阿迪达斯和耐克，就买李宁和安踏。原来吃恰恰瓜子，现在买三只松鼠，在食物上也消费升级了。

这3 000人的调查，有两个一线城市、两个二线城市、六个三线城市。消费者对京东的评价是：正品行货，没有假货，送货特别好，开发票，售后服务值得信赖。

淘宝的痛点在于，太多选择，不能迅速找到自己想要的东西，价格差距大，不知道信谁。对品质敏感型的用户已经流向了京东、唯品会。

中国中产阶级规模越来越大的时候，意味着消费者对品质和服务的追求压过对便宜的追求。当中产阶级占据社会主体的时候，客户体验是取胜的王道。京东的规模来自客户体验，京东做的是客户体验的投入。

对于京东来说，母婴、食品等重复购买率更高的品类还蕴藏着巨大的机会：母婴类一年市场容量是3 000亿元，80后、90后做父母的更热衷网购，母婴是刚需，父母可以没有笔记本电脑，但孩子不能不吃奶粉。同时，受众很窄，没有孩子的人，怎么打广告、做活动也没法吸引他。母婴网购能占到50%以上的市场份额，要拿下母婴品类，关键点是正品，直接跟厂商对接，保证供应链可控。

食品市场很大，但目前通过互联网买食品的市场有限，有两个原因，一是电商牺牲了线下购买的时效性，随买随吃，二是牺牲单次购买的灵活性，电商一般一次批量购买。

像蒙牛、伊利这些公司，产品是为了线下设计，京东希望帮忙驱动对方加快转型，对方没有电商团队的话，尽快促成设置团队。食品供应商98%在线下，深切感到电商价值，有转型意愿，内部存在新旧势力的博弈，但没有哪个厂说坚决不碰电商。

3C面临的问题是，增长来自哪里。食品是到处都是机会，问题是如何在最短时间内更快成长。

但是，食品价格敏感度低，可乐优惠几毛钱就很厉害了，消费者不会有感受，渴的时候才买。食品促销很多时候是半价，销量必须翻 4 倍，销售额才能增长 1 倍。这么大增长来自哪里？是来自用户数量增加？还是说用户销量的集中爆发？如果是前者，那是有意义的，后者就是问题了，等于说还是那群客户，不过是把半年的食品消费一次性买完了。目前，京东的用户只有 9% 买过京东食品，是挑战，也是机会。

农村电商

2013 年 8 月，负责客服的副总裁王志军被刘强东调至配送部做副总裁（2015 年 3 月，王志军被任命为京东集团旗下 O2O 子公司京东到家的总裁）。刘强东希望在配送上有突破，在终端服务做创新，例如做智能自提柜；同时希望将自营配送服务移植到 POP 平台上，做社会化物流。

刘强东的野心是，在中国行政地图上看得见的地方，就得有京东的影子。他要求王志军，在中国地图插上 10 万支红旗，换句话说，要进入 10 万个乡村。

农村的零售市场是极其落后的，流通渠道环节多，价格高，假货多。不提那些知名快消品的山寨货，连农民的立身之本种子、化肥、农药的造假问题，压在农民身上几十年都没有解决。传统分销模式，种子从省种子站到市种子站到县到乡镇，经过五六个流通环节，渠道成本太高，导致农民种植的成本高。

城里人觉得水果蔬菜贵，但农民也没有赚到钱，从农产品原产地到终端消费者，流通链条太长。农村电商可以将上游供应链缩短，农药直接从农药厂经由京东到农民手里，种子从种子基地经由京东到农民手里。京东在保证可持续商业利益的前提下，渠道扁平化，降低生产资料的价格。同时，农民也有生活资料的消费需求，农村消费很高，尤其是电子类。同一款型号的电视，在乡镇购买的价格，比京东贵 1 000 元。这是一块足够令人垂涎的大蛋糕。

移动互联网启动了农村电商市场。过去农村电脑普及率低，一台电脑 3 000 元，每月上网费包月百八十元，农民也不能时刻坐在电脑前，用户获取信息成本高。智能手机和移动互联网兴起之后，农民完全可以在做活儿的间隙里，用四五百元的智能手机刷刷App，下订单，然后等着物流送上门。对于电商公司来说，农村市场还在启蒙阶段。农村更相信眼睛看到的，你说电商有多好，看不着、摸不着，人家不相信，还怀疑是传销。

京东做农村电商，依托的是整个物流网络。全国共 2 860 个区县，京东配送已经覆盖 1 862 个。按照计划，首先，京东在县上的部分配送站会改造为服务中心，增加展示区，展示部分商品，也向当地人演示如何网购。其次，建立乡村合作站，与村里有一定社会地位、有信誉的人合作，利用现有的资源（当地的小卖部、小超市、维修站）开设站点，推广京东，帮助村民代购，按照比例提成，京东配送将包裹送至站点，由他来分发。如此，形成以县城服务中心为中心、覆盖下级乡村的辐射状网络。

京东成立了农村校园业务部，每个大区有二三十个乡村主管，负责县服务中心的成立。刘强东给了王志军一个头衔"京东农村工作小组组长"，把王志军给逗坏了。原来王志军按照 5 万个乡村来做预算，刘强东说，哪够啊，你得做 10 万个。王志军对刘强东说，那我一年要花一亿多啊。刘强东回答，你放心，这是小钱，1 亿元够吗？给 2 亿元吧。

王志军预计，在 2015 年上半年，能踏踏实实地做三五千个乡村合作站，一个县只要做了第一步，就能够成倍地增长，一个县十几个乡，一个乡十个村。后期会爆发性增长。

2015 年 3 月 21 日上午 10 点，在广州东北 250 公里的广东省紫金县城，一处临街小区底商张灯结彩，鲜红的京东logo十分耀眼，这里在举行京东紫金县服务中心开业仪式，请了当地的鼓乐队表演，县城有几百号人来这里围观。林宏堃负责华南区粤东粤北的乡村推广，2014 年 12 月 27 日确定任务，29 日赶到广东河源市紫金县，先寻找站点，再找负责当地的推广主管，配送员帮他发招聘传单。2015 年 1 月 21 日，紫金县服务中心开业。

甘建楼是紫金县敬梓镇中学教师，每月在京东消费 1 000 多元，他也帮同事下订单。他开玩笑说，最熟悉的陌生人是京东快递，几乎每天都有快递送到学校。他看中京东的配送速度和售后服务，京东上买的东西也没出过什么问题。在京东上，惠氏奶粉卖 138 元一桶，比镇上便宜 90 元。"工薪阶层能省一块是一块，更别说 90 元了。"

校园也是京东的短板之一，对校园的覆盖只有 60 多所大学，京东在大学的认知度不差，但渗透力不行。京东在西南做调研，发现学生选择京东的只有百分之十几，这跟京东市场占有率不匹配。为了拿下校园这块市场，2015 年，京东计划开设 600 个京东派某某大学校园店，打算找管培生来做，因为离开校园三年就落伍了，不了解新鲜的大学生在想什么。农村是启蒙，那校园就是做热，用现有的物流资源做校园推广。

农村电商核心就两条线，农村战略也是围绕着电商和金融。电商无非就把东西卖给农村，以电子产品、服装鞋帽工业品为主，还有农资。然后从农村拉回来优质的农产品，帮助农民直接卖给消费者。避免了过去农产品要经过四五道中间商才能到达消费者手中的情况。京东希望，从田地直接到餐桌，这就要提到另一个领域：生鲜电商。至今，中国生鲜电商还未有哪一家公司做出规模，或者说摸索出成熟路径。

生鲜电商

京东与河南省汤阴县种植无公害蔬菜的合作社合作，生产的菜直接由京东定期配送至郑州。谈合作的时候，京东集团政策研究室主任张建设还特意去田里挖土，看能否挖出蚯蚓。蔬菜地头收购价是 1.8 元一斤，张建设跟着运输蔬菜的货车，从汤阴县出发，到安阳市批发市场，接连涨价两次，每次涨 0.5 元，到了郑州又涨两次，最后卖到 4.8 元一斤。合作社毛利只有 2%~5%，一斤大概赚 0.1 元，因为中间环节实在太多了。通过京东，它能够面对终端消费者，用普通蔬菜价格销售无公害蔬菜，利润还多一些。

水果蔬菜等生鲜产品的流通途径一般是这样的：产地收购——产地交易商——销售地批发商（例如北京新发地）——小批发商——社区零售商——消费者，每层加一价，再加上物流成本，城里消费者就觉得水果蔬菜价格高，事实上主要是流通环节多、导致成本高。

电商能够打通农产品原产地和终端消费者之间的链接，在商品品类里，生鲜已经是电商需要攻克的最后一个堡垒。生鲜电商的渗透率 1% 不到，而电商占社会零售总额的比例已经 10% 了。民以食为天，这是一个数万亿元的市场。生鲜毛利率高，客单价达到 200 元，毛利可以近 100 元。

但是，中国生鲜电商还在培育市场阶段，没有哪家公司是赚钱的。生鲜是各个电商平台的顽疾，市场前景广阔，但谁都是在摸着石头过河，没有一套完善的操作模式。生鲜难在哪儿？一是损耗大，像蔬菜损耗率高达 25%，国外只有 5%。二是冷链成本高昂，覆盖全国性的冷链网络至少要投资上千亿元，没有哪家企业能单独玩得起，必须利用社会资源。

生鲜能不能做，取决于有没有冷链运输能力。中国社会化物流体系里，冷链是巨大的短板。冷链投入产出成本相当高：第一，冷链设备价格高；第二，配送效率比普通货物低一些；第三，时效性很强，损耗大；第四，如果客户拒收，逆向物流比较麻烦。

京东物流测算过，1 万平方米的普通仓库建设费在 500 万元左右，1 万平方米的冷库建设费则要上千万元。因为冷机天天烧，不能停。如果是租赁标准的工业化仓库，还得做电增容，变压器若是在一公里外，就得穿过马路拉电缆，这些都是投入。人员成本也比普通仓储高，因为大热天穿着棉袄进出冷库。

生鲜物流涉及不同的温控：低温冷藏（零下 18~零下 25 摄氏度）、高温冷藏（0~4 摄氏度）、速冻冷藏（零下 25~零下 35 摄氏度）。不同品类的生鲜冷藏温度不一样，例如三文鱼、冰激凌是零下 25 摄氏度，猪肉是零下 18 摄氏度，蔬菜是 4~6 摄氏度，巧克力 18~22 摄氏度。猪肉又分热气猪肉，要求零上 4 摄氏度控制在某个时限内配送完，肉质不会坏，口感更好，以及冷冻猪肉，在零下 18 摄氏度冻好，食用时再解冻，口感没那么好。

做冷库，首先是在仓库的设计上区分不同的温层，得根据未来的品类来设计，可能一个专门冷藏库卖水果蔬菜，一个专门卖新鲜牛奶，一个专门卖猪肉。

黄星在仓储行业干了近 20 年，他介绍说，冷藏车由普通货车改装，需加一个冷机、冷箱，改造费得七八万元，得由独立发动机带动冷机，油耗也很高。冷藏车对温度控制是有要求的，物流部门测试过，车厢温度假设 4 摄氏度，每开一次门拿货就得降温，配送员一天 50 单，一小时 5 单，平均 10 分钟开一次门，车厢里要稳定保持 4 摄氏度是不可能的。

一个车的改造顶多两个温层，冰柜是零下18摄氏度，外面是0~到4摄氏度，但是配送某条路线的时候，不同温区的货，量的配比不是你能控制的，可能这条路线用户订的货全是0~4摄氏度，那你怎么办？这需要物流体系调度能力很强，数据研究更强。

还有，买生鲜的顾客需要改天配送怎么办？常温配送从分拨中心到站点，再从站点到客户。如果顾客说明天再送，送回站点就行。但是肉怎么办？不可能再拿回冷库，来不及。如果放在站点就得搞冰柜，万一顾客拒收的量大了，放不下怎么办？一退一回，可能仅两单肉，就得专门用一辆冷藏车把肉送回分拣中心，成本很高。

但生鲜电商必须做，几万亿的市场，非做不可，否则京东未来的想象空间会遇到天花板。

京东2014年才确定建立冷链。实验阶段为了节省成本，物流体系将海运用的、七八十立方米的冷藏集装箱放在分拣中心，在订单只有几百单的时候，就在里面作业。此外还配备了小型冷藏盒，放在分拣中心的运输车辆上，24小时以内保持低温没有问题。2014年，北上广三地配送站开始配备冰柜。

冷链的高成本，导致生鲜电商初期必须做高品质的、客单价高的产品。

2014年6月，京东开放平台大客户部总监黄玲开始在京东做国际生鲜，生鲜有一定的稀缺性，例如厄瓜多尔的白虾、猫王山的榴梿（这是马来西亚的极品榴梿）。如果是随便能在超市里买的品牌，京东就不上，要解决客户买不到的痛点。现在，27~40岁年龄段的家庭，对食品品质要求高，宁可贵一点，也要选择健康安全的。

2014年8月，京东开半年总结会，总结电商未来三大趋势或者三大利润增长点，无非三个，生鲜、跨境电商、O2O。试水O2O的人很多，但是O2O究竟怎么走还不知道。生鲜受制于硬件设备，跨境电商受制于制度。如果生鲜能解决设备问题，跨境电商能解决法律问题，这两块的发展速度很快。

黄玲曾经目睹过一场生鲜悲剧，一家供应商从山东采购樱桃，为了赶时间，在天热的时候采摘，樱桃很热，又没有设备降温，结果送到消费者手中时高达40%的损耗率，亏损不少，还被消费者骂惨了。她见过智利的车厘子就没问题，先用水清洗、浸泡、降温，再以2摄氏度左右的条件储藏，漂洋过海一个月，到中国消费者手中仍然是新鲜的。

京东生鲜做国际牛奶直采，奶源最好的是澳洲、新西兰，品质、性价比都不错，很多品牌还未进入中国。做国际牛奶采购要有一定的起订量，不是能卖1 000箱就订1 000箱，空运是飞机能载4 200箱就得订4 200箱，没有4 200箱就不发货。难点在于能不能保证在保质期内消化完。保质期9个月的牛奶，只有六七个月的销售期，最后一两个月消费者已经不大认同了。澳洲A2牛奶从澳洲空运过来，21天保质期，从出厂、空运、国内过关、出关要10天，最后3天消费者肯定不买了，实际销售期只有7天，到2014年底，京东一共进了四五批次的A2牛奶，几万吨，不到一周卖完了。

章力说，现在刘强东对食品生鲜盯得很紧，因为现在盘子很小，但未来增长空间巨大，"食品未来做到1 000亿是没问题的，但究竟是5年还是10年达到这一目标，还很难说。"刘强东经常在微信上问他：有哪些生鲜食品推荐？地方特产团队现有几个人？"像特产，刘强东想调动全国1 000所高校的大学生，鼓励他们自食其力，尽早加入社会。大学生都是天南海北的，他们了解自己的家乡有啥土特产，可以拿来外卖。我们可以提供一定的报酬，让他们既有收入，又能尽早进入社会，京东也可以快速地打出地方特产。"

生鲜和地方特产是不分家的，谁领先，谁就站在了制高点。要点是快进快出，而且选品眼光还要足够犀利，否则损耗率很大。另外，在电商平台上要推荐稀缺资源，不能是在超市随便逛逛就能买到的。

京东日用百货事业部食品业务部高级经理阎旭红2012年3月加入京东开放平台保健品部，一个月销售额400万元，到2013年7月她离开保健品部时，一个月是6 000万元。2013年8月她接手日用百货食品部的两个组，一个是"千年老二"，茗茶冲调，这个老二是倒数的，以及倒数第一的生鲜。茗茶只能完成全年任务的31.3%、冲调只能完成31.2%。至于生鲜，一直排倒数第一。2004年下半年，京东内部进行了一场调整，原来划归POP的生鲜部门划到了日用百货部，2014年11月，闫旭红接手国内生鲜和茗茶，她是生鲜品类第九任负责人，当时月订单量1 000单。

当初阎旭红离开保健品部的时候很痛苦，掉了眼泪，做了多年的保健品，做起来就被拿走了，还被分配了最差的两个业务线。现在她很感谢POP负责人辛利军，以前以为自己只能做医药，学历、人脉、资源都是医药行业的，离开医药行业，就觉得自己真活不了了，而且对茗茶一无所知。她是 1976 年生人，这么大年纪转行有一定挑战。2014 年白色情人节，阎旭红报了一个铁观音的促销，辛利军把她叫过去，说情人节一定要有调性的产品，铁观音中规中矩，不浪漫。为此阎旭红遭到通报批评，这让她深受触动，后期开始找有调性的商品——挂耳式咖啡，当天在微信端销售 40 万元。痛改前非之后，类目就有很大进步。她觉得有两种领导比较好，一种是在工作中不断鞭策你的，是真关注你，不断进步；另一种是，放手让你去做、给你空间的领导。对于团队，现在的 85 后、90 后蛮有安全感的，钱不是第一位，平台能否为他的职业生涯提供更多的增值更重要。

阎旭红刚接手茗茶时是卖什么都不知道，跟着天猫的脚步走，2014 年做调整，有了清晰思路，从茶园到茶杯，全程可追溯，你在京东买的，一定是安全的。京东在全国开了 10 场招商会，只做配，不入库。因为茶叶保存太复杂，光普洱就多达 700 多种。一定是 POP，做长尾，满足不同老茶客的需要。茶叶是有文化的，地方特产也不是单推荐东西，还要把附加值的东西发挥出来。现在，她周末都会去超市转悠，到生鲜柜台看看。

京东 80 个卖家与阳澄湖大闸蟹协会签约，订单价值 1.5 亿元。从 2014 年 9 月 26 日开湖，80% 的销量是在 9 月 26 日前卖掉的，以消费券和商务礼品的形式。从 9 月初第一波打捞开始，每两周推一次主题。

2014 年 12 月，京东包销东北查干湖的鱼。高管担心卖不完，刘强东说，别扣扣搜搜的，全给我包了。原来计划会产出 8 万条鱼，每条 5.5~6.9 斤为一个规格。捕鱼时，阎旭红在东北零下 20 多摄氏度的户外，穿三件羽绒服都冻透了。但是，只捞上来两万条鱼，供不应求，有 3 000 个预订了的用户没满足，用户大量投诉，什么难听的话都有。阎旭红只好统一短信回复、解释。这事给了京东一个教训，生鲜货源不稳定。

"从来没想过有这么大的销量，地方性产品推向全国的话，货源怎么解决。非标品，从小众推向大众的时候，一种大众不认可，另一种大众认可，货源却跟不上。"阎旭红说。千算万算没算到鱼不够了。最初京东和渔场商量包销 8 万条，人家还怀疑是否卖得完。

卖生鲜，需要做很多公关、市场活动，才能有关注度、有流量。京东需要商家配合，商家却认为这是京东的事，我已经把查干湖独售给你了，所有事情应该是你来承担。京东在推地方性产品上扮演什么角色，是全职保姆？所有工作京东来做？这是值得探讨的话题。

洛川苹果是洛川县特产，销售渠道主要是走批发市场，结果被经销商掺假来卖，近两年地方政府才开始做品牌建设，开设专卖店。张建设联系陕西果业局的时候，对方不了解京东，也抵触电商，因为网络上的假洛川苹果已经泛滥成灾，真品不超过3%。由于京东发货带发票，能够带动供应商养成纳税习惯，也能带动当地经济发展，他们被打动了。双方达成合作，京东承诺不销售冒牌洛川苹果，洛川县也有义务帮助京东识别。京东先试水，推出 1 000 箱洛川苹果，每箱 9 个光泽、尺寸保持一致的苹果，售价 99 元。

张建设说："这些年，京东最大的贡献是解决了信用问题，正品行货的概念深入人心，在这个额外重视食品安全的国家，这是先发优势。通过京东，农民可以享受到优质的工业品，城市可以享受到优质的农产品。社会信用体系的建立，必须形成良性循环，自己能够享受到健康、安全的产品，对社会充满信心，贡献出来的也会是新鲜、阳光的产品。"

京东的正品行货，是以发票为底气的。从中关村柜台起家的时候，刘强东就开始开具发票——真正的发票。中国商业信用系统很糟糕，充斥着假货，也充斥着各种假发票。以京东今天的规模，每年开具发票 5 亿张，发票成本就 1.5 亿元，专门负责开具发票的团队有 1 000 多人。

为了节省成本，京东这两年在推行电子发票。蔡磊是京东集团负责税务和资金的副总裁，2012 年 1 月加入京东，2013 年 6 月 27 日，在他和团队的努力下，京东开具了全国第一张电子发票。1978 年出生的蔡磊是个工作狂，每天只干两件事，工作+睡觉，"我从万科到京东，主要是我愿意做点事儿，而京东能够给我施展的舞台，如果我不在京东，即使我再有能力也推动不了全国的第一张电子发票"。当时电子发票有 5 个省在做，但京东是最早做出来的。"为了这事，我连命都不要了，我们就要做NO.1，刘总也说了，京东 10 年多的成长，就是把一个个不可能变成可能。而且我坚信刘总的一句话：一切的失败都是人不行。"

在做电子发票的过程中，蔡磊逐渐体味到了自己所做之事的价值，不只是为京东节省成本。京东开具发票，规范纳税，也相应地带动相关产业链的供应商、合作方规范纳税。电子发票的推行，会摧毁或者部分摧毁现有的发票造假的产业链，对于中国社会、行业的公平、诚信有着很大的推动作用。启用电子发票，并不意味着加税。将大大小小的网络卖家纳入纳税体系里，能够实现税收公平。就算是减税，也需要规范的测量工具。

除了电子发票，京东还在推进电子商务的监管。网络购物造假泛滥，有个问题就是，那些没有资历的个体或者小店，打一枪换一地方。在这个店里卖假货，被举报关闭之后，又新开一个店。对这些游商的监管，可以通过电子发票、电子工商注册来解决问题。

全国人大财政经济委员会副主任委员尹中卿在 2015 年 3 月的全国两会期间表示，中国电子商务立法已经正式进入操作流程，目前财经委已经起草完成了电子商务法立法大纲，预计在 2015 年底完成法律草案的起草工作，力争在 2016 年提请全国人大常委会审议。

京东金融

IT 数码行业一年 2 800 亿元的盘子，近年持续下滑，因为大头是笔记本和相机，这些品类都是负增长了。京东集团副总裁兼 IT 数码事业部总经理杜爽很难过，得寻找新机会点，她看重智能设备，不过这次她准备换个玩法。以前谈合作，都是厂家说我要出个新品，你看京东怎么接。杜爽不想像以前那样被动，厂家出产品后才找京东，问要不要做。她想在新的风口圈住机会。

她启动创新加速计划，把有好想法的初创团队拉到京东平台，没有技术，找京东云，资金有众筹项目来筹，不敢规模量产，京东可以试销售，不懂网络营销，京东帮你来托盘。这是初创企业的福音。

刘强东提出了针对消费品行业的"十节甘蔗"理论，即零售、消费品行业的价值链分为创意、设计、研发、制造、定价、营销、交易、仓储、配送、售后等十个环节，其中前五个归品牌商，后面五大环节则归零售商。

一节甘蔗的长短短期是可以发生变化的，但长期来说是固定的。当进来的品牌过多时竞争变激烈、利润减少，那么这节甘蔗就变短了。这种情况下行业又要发生并购整合，例如整个电子商务行业之前有40多家公司，现在剩下的只有10多家了。所以从长期来看，市场规律导致了行业和品牌的利润相对固定在一个合理的水平上。

杜爽说："十节甘蔗理论，前五节是生产厂商的，后五节是我们零售商的。我要深入参与到你那五节甘蔗的生产和制造环节当中，我希望掌握到第一手的资讯和信息，这样我才能保证我那五节甘蔗，可能变得更加新鲜和粗壮，这是我的想法。因为所有的事情你都占了，你可能就没有朋友了，全是敌人，我觉得这个事情也是占不完的，而且术业有专攻。但是你在占什么，在干什么，我是希望能去参与，而不是说光榨完汁让我喝，你到底用了什么水果榨汁，新鲜不新鲜，我是希望知道的。"

为此，杜爽依赖的是京东供应链以及衍生的各种服务，包括京东金融提供的众筹产品。

2013年可谓互联网金融元年，同年10月，京东金融集团成立，原京东集团首席财务官陈生强转任京东金融集团首席执行官。

2013年底，陈生强和刘强东在纽约聊到做金融，陈生强问刘强东有什么要求，刘强东说：第一，就是做最长久的生意，一定是最苦的，大家不愿意去做的。第二，如果可以挣100元，挣80元就够了，另外20元别挣。陈生强也向刘强东提了自己的要求：这事儿没做成是我无能，这事儿做成了，直接跟我一起做的核心兄弟，必须财务自由，这是前提条件。刘强东说：成交。

京东金融想打造开放的全品种的金融平台，围绕京东的生态系统、供应链优势来做。京东金融的第一个自营业务，2013年10月上线，是供应链金融——面向供应商提供贷款的京保贝。京东向供应商采购之后，有一定账期，供应商通过京保贝提前将钱融到，做资金周转，有钱的时候或者京东跟它结算的时候，再把钱还给京东。2014年，京东供应链金融基于POP上的销售数据，为POP商家提供小额贷款，单家店铺100万元以内，一家公司有多家店铺的话就控制在总额200万元以内。小额贷款还准备向拍拍卖家开放。

比起传统银行，互联网金融的流程全在网络上完成，大部分依赖数据挖掘。京东金融集团战略研究部副总裁姚乃胜说，互联网金融没有太多的经验可循，比如 10 年前可以说做中国的谷歌、亚马逊或 eBay，但现在互联网金融在全世界没有参照物，只能是自己摸索。

80 后许凌现在是京东金融消费金融事业部负责人。2014 年 1 月 1 日，京东白条开放内测。京东用户在填写姓名、身份证号码、银行卡信息等申请材料后，京东首先会对用户在京东上的消费记录、配送信息、退货信息、购物评价等数据进行风险评级，每个用户将获得相应的信用额度，最高 1.5 万元。使用京东白条的用户在购物时可以选择最长 30 天的延期付款，或者 3 至 24 个月分期付款两种不同方式。

这类似信用卡分期付款。这款产品，京东是第一家推出。为了做它，180 人的研发团队，抽调了 150 人从 2013 年 11 月 8 日开始做，到 2014 年 1 月 1 日开放内测。此前，京东推出了小金库，与阿里巴巴的余额宝相似，属于防守型产品，别人有自己也得有。白条则是京东的进攻型产品，独创，现在也是同类产品的第一品牌。

从零售业出发，向其他产业延伸，最好的切入点是支付。京东金融的起步晚了一些，2013 年，阿里巴巴将余额宝玩得风生水起，这暴露了京东的短板：在线支付。互联网金融与支付紧密相连，对支付的忽视是刘强东这些年的重大失误。他说："七八年前，我对支付的认知只是一个工具，配送员提供货到付款、现场刷卡永远是最安全的，十几年来我们从来没出现过盗卡、消费者钱被盗等现象。随着我们做金融产品，发现支付对金融特别重要，没有支付工具没有账户体系就没法做了，这个错误不会导致我们失败，也不会导致死掉，但是在金融的初期发展上会比较困难，这是京东金融现在亏钱的原因，主要亏在体系上了。"

2012 年 10 月，京东收购创立于 2003 年的网银在线。"京东支付晚了 3 年，责任很重，只能靠团队拼命拼下来。"京东金融集团部副总裁丁晓强说，过去一年半的时间，网银在线 100 人的团队，推出了小金库、京东白条、网银钱包等，承接了京东"双 11"在线支付。

网银在线的机会，一个是理财，支付宝过早暴露了自己的战略，激起了银行强烈的反弹，用户的理财需求没有得到充分满足；另一个是移动支付，现在支付宝和微信都在争夺这块蛋糕。网银在线需要找到自己的切入点。

京东金融的优势在于供应链：供应商、物流、营销、售后、用户……京东 2014 年 7 月推出众筹，尽管阿里巴巴等公司早于京东推出众筹，但是没有人能在对供应链的控制力上比拟京东。

众筹的核心价值在于将供应链提前，在设计阶段就让设计者、生产者、使用者紧密联系在一起，让大家的沟通成本变得更低。例如，有创业者想做智能手环，在众筹上放出设计图样，用户很喜欢，投入 500 元支持项目，如果生产出来了，用户就能得到手环，如果产品流产了，500 元就退回用户。目前，众筹主要集中在智能硬件、生活美学产品上，也不是绝对的，这是京东供应链的优势领域。京东众筹在创业者这一端的品牌已经打出来了，智能硬件要做众筹，就上京东。

2015 年初，京东金融年会，有员工喝高了，对陈生强说："2015 年，我一定会让你觉得自己是傻×。"陈生强有个习惯，员工做出的东西超出了他的预期的话，他会说："我彻底傻×了。"

那位员工说的第二句话是："我什么事情都不担心，就担心猝死。"

陈生强说："互联网金融最大的兴趣点在于没有现成模式可抄，是乐趣也是痛苦，想偷懒都不行，必须懂得金融、互联网、法律、运营、IT，才能干活儿。我选团队成员，第一是要有理想的，我不希望我一天到晚拿着鞭子去抽他；他自己想成就不一样的东西，我给他支持。第二，是有担当的人，不管是不是他的活儿，有能力做就把它做了。第三，有做人的底线。我最终会给兄弟们交代，保证他们口袋中的东西。"

他对京东金融的期望是，短期内可以依靠京东，这个期限不会长，必须让更多用户过来，甚至反过来帮助京东。"这是个要么生、要么死的生意。所有团队都知道，要么凌绝顶，要么就死翘翘，不会是中庸的、不死不活的。我和团队说得很清楚，京东金融如果做不了第一集团，就别做了，我会自己把自己炒掉，让老刘给你们派个新老板。"

创新

　　无论是农村电商、生鲜电商，还是京东金融、京东到家，都面临着一个问题：没有成熟样本可参考、模仿。大大小小的公司都在摸索路径。这意味着，要么刘强东自己想，要么负责这块业务的团队自己想。当这家公司业务多元化、人员扩充到数万人之后，公司面临着创新力度不够的问题。

　　刘强东有野心，想掌控一切，不接受公开场合不给他面子，挑战他的权威。如果有意见的话，两个人单独在的时候怎么说都可以，但公开场合必须注意方式。有位员工跟他说话的时候，手放在桌子上，不知道为什么，刘强东以为他在冲着自己拍桌子，要求开除，几位高管极力保下了他，让其休假两个月再回公司工作。他生气的时候，不会说脏话，但是说话令人难堪，不留情面。2010 年到 2012 年期间，刘强东在新浪微博上甚为活跃，又是直接发号施令打价格战，又是直接和竞争对手打嘴仗，给人感觉是强势、尖锐，甚至有些语言带有人身攻击的味道。我在想，这究竟是营销需要，还是因为高压之下他也变得急躁尖锐起来。他在微博上说的话，有些高管也不赞同，认为打人不打脸。

　　有高管说，2008 年时跟刘强东相处很轻松，大家像兄弟一样。2009 年下半年，突然变得不一样了，那时候只有他一个首席执行官，他得往前冲，不冲不行，没有缓冲带，所有的决策压力都在他那里，若是做错了决策，可能就是覆顶之灾。当时他整个人绷得特别紧，大家也绷得紧。现在，他放松了，大家也放松了。

　　刘强东 2012 年时说："2007 年投资物流，是从浅水区走向深水区。2008 年到 2011 年，基本是在河水最深的地方。过了 2012 年，就看到了希望、光明，开始往浅滩走了。京东一天不能实现持续性规模化盈利，一天不能完全脱离危险，现在京东离上岸是一步之遥，只要不犯什么严重错误，呱唧一下滑倒，头撞石头上被淹死。"

　　刘强东对未来有方向感。有些公司高层在迷茫的阶段是没有方向感的，期待底下的人达成共识给他信心。但是底下的人受个人利益所限，哪里能达成共识，都希望老板拍板。刘强东对未来有感觉，对消费者有感觉，所以敢拍板。而京东绝大多数人是跟着刘强东干过的，或者喜欢刘强东、对刘强东有兴趣——刘强东个性鲜明，也容易褒贬鲜明，喜欢他的人进来，留下来，就变成了跟随的力量。他敢拍板，同时也有一帮人敢信。

在一次战略讨论会上，谈到某个目标、某项业务调整，刘强东说，这事必须调整。在一旁观摩的京东大学高级总监马成功想，资源测算了吗？可行度测算了吗？他看看四周的高管们，不吱声，不挠耳朵，眉头不皱，面无表情。这些都是他们的活儿，都不表态吗？

会后，他问高管们，这事靠谱吗？行不行啊？高管们说：没问题，相信老刘，一定能做出来。怎么做，他们也不知道，路总归是走出来的，铆足劲头去做，总会蹚出一条路来。战略上绝对信任刘强东，是京东过去成功的原因，但是风险在于，如果刘强东在战略上判断失误怎么办？刘强东也曾告诉我，未来京东只存在两个风险：第一，战略失误，京东将万劫不复；第二，企业文化出问题。这些年，京东一直拥有一种能力，能够不断满足不同类型消费者不同阶段需求的能力，能够时刻把握住消费者最强的需求，然后满足他。如果京东不行了，一定是因为这种能力消失了，故步自封，以为当年能搞定，现在能搞定，未来肯定能搞定，就拿过去的老招儿去搞定。

2014 年，京东总交易额 2 602 亿元、总净收入 1 150 亿元，以京东今日的体量，即使想错了，翻大船的可能性也不大，不像前几年，一个战略性错误就可能是灭顶之灾。现在最大的风险是不想。2013 年在企业文化的创新子目录下，刘强东增加了一条：包容失败。以项目为单位，跨部门组织临时小组进行创新。但是像谷歌那样恨不得工位不固定的创新氛围肯定没有，这种事京东未来也很难做到，因为京东本质上是一家业务链条严丝合缝的公司。

公司的创新，要么是首席执行官特别聪明，想明白了，下面照着指示做；要么是，大家各显神通，汇总统一，优中选优，或者优优结合，出来更好的方案。当京东发展到 7 万人规模，涉及业务横跨电商、物流、互联网金融、O2O、智能硬件等的时候，已经不能只依赖一个很强的大脑。过去是刘强东创新，不是京东创新，如果要继续保持刘强东创新，得复制几个刘强东才能覆盖京东众多业务。这可能吗？如何将执行型的组织变成学习型的组织，这是摆在刘强东以及他的高管们面前的问题。

刘强东也意识到了问题，在早会上总是他一个人说，他说为什么你们不说话，散会以后又发邮件又打电话的，扯不清？为什么不在早会上说出来？有的人是不敢说，怕说出来被骂一顿。很多副总只是坐在那里，等着执行就好了。过去10年已经形成了这样的习惯——刘强东下命令，自己的大脑只接受命令。冰冻三尺非一日之寒，要将这样的习惯扭转过来，不是一蹴而就的事。这两年，刘强东在授予更多的权力给下面的人，但还未形成真正的原发动力。

2013年京东梳理企业文化，把创新写进京东的价值观里。这必须通过机制形成鼓励创新的氛围。组织越大，越多的人害怕失败，害怕承担责任，会潜意识寻找安全地带，没人愿意让自己变得危险。如果企业不能容忍失败，就不可能鼓励创新，否则，谁来承担创新失败的结果？

李晨在西南区内部承诺，只要是合理的、有规划的创新，失败结果由区域承担，不用部门承担。在制度上，实行项目管理制，跟踪创新动作，是否有计划地、合规地向前推进。并且有正向激励，年底有单独的激励包，以前创新反应在绩效里，现在是在绩效外增加激励。

华北区配送系统的第一个合作站是在山东邹城市，同时在山东省齐河县开设自营配送站。两年时间，邹城配送站从开业每天10多单增长到300单；齐河的自营配送站地理位置得天独厚，紧挨着京东济南FDC仓（物流前置分拨中心），能做211限时达，每天却不过100单。为什么？邹城合作站站长，愿意打广告，愿意让所有亲朋帮忙推广业务；齐河自营站相对保守，没让他经营，只要求保证运营质量，他会琢磨这件事我能做、我敢做吗？

星星之火可以燎原。京东必须把员工的热情激发出来。

京东的FDC模型是两名管培生加一位外招的研究生三个人做出来的，FDC占总库存量的3%，却能满足18%的订单生产需求。不过这样的激进型创新是少见的，自从京东试图激励创新以来，一线员工的创造力有了一定的释放，主要集中在细节的创新上，降低成本。例如，仓储规划货架位置原来用专用胶带，有员工买了个墨斗，用弹墨线的方式来确认货架位置、面积大小，一个仓库就能节省几千元的胶带钱。原来仓储用充气泡沫来填充包装多余空间，后来有员工买来膨切机，将废弃的纸板切碎做填充材料，气泡袋0.7分钱一个，膨切机才900元一台。

鸡蛋从内往外打破是新生，从外施力打破就是破碎。现在正是科技变革带来的激荡期，移动互联网、智能硬件等的兴起，让社会的信息传播方式、消费模式、组织结构形式发生越来越多的变化。身处变革时代，公司应有意识，每个人都必须变革，否则等着外来者打破自己的壁垒吧。

生产、销售、人事、财务、研发是京东的五大权力，原来京东的区域总经理实际是生产副总，没有研发、销售的权力，财务权和人事权也只有一半。

各区域当地的大企业有市场推广需要，企业内部力量不够，希望借助京东的力量，京东也有推广需求，两者可进行整合营销，降低费用。但这在过去没法做，因为没有经营授权。

2013 年设立的区域市场部是单纯的执行部门，规规矩矩按照集团总部的指令做好落地的事情就行了，把活动质量搞好。很多时候，大家不敢想，也不愿想。李晨在会上反复要求他们必须想出点子来，他拉上配送——接触一线用户且人数最多的部门，与市场部一块儿做区域营销推广，李晨自己也不懂，就闷头做研究，让配送员在社区摆摊，从集团采销部门要资源。第一次请来了蓝月亮，蓝月亮和京东各出一些资源做活动。慢慢地，配送部和市场部就有了主动营销的概念，每月做四五场社区推广。

指望品牌一炮而红是很难的，渠道的下沉是深耕细作，不是砸一堆广告费就完了。2014 年，李晨看到部门有了一些转变，从原来不愿意接受改变，也没有主动改变的意愿，变成了开始思考如何主动出击。按照公司要求，区域的责任是做好运营，管理强调 KPI。不过，改善运营质量的最终目标是提升销售业务增长。从业务规划来说，区域管理还是必须有宏观和长远的眼光，为未来打基础。

过去是华北、华东、华南区试水项目，蹚出路子之后，其他区域再亦步亦趋。做农村电商，李晨觉得有希望，西南区多为农村、山区，是最早跟集团对接农村电商的。集团选择了 8 省 55 县做试点，四川是其中之一，按照农业发展不错、市场环境开放、政府管理能力不错、城市经济基础好的标准，选择了 5 个优质县级单位，让电子产品下乡，让农产品走出去。

李晨到贵州省调研的时候，贵州省科技厅、贵阳市委书记都谈到，贵州山珍很多，还有很好的中药材，但是卖不出去。2013 年，京东跟贵阳市合作，在京东网站开设贵州馆，依靠贵州自己的企业孵化贵州馆，因为企业经营理念偏落后，选品不好，因此效果不太好。京东跟他们沟通，输入更先进的经营理念，希望改善他们的管理。

好的项目未必是闪电般地诞生的，有可能是一点点由土办法做起来，慢慢蜕变成洋枪洋炮。京东实验O2O，是由集团派出小分队，小范围试点，试验了不到 10 个项目，其他人等着干瞪眼。O2O里便利店的项目落不到区域头上，但这是很好的渠道下沉，如果配送站可以扎根在社区，变成社区服务的网点。西南区考虑把一万家便利店与京东打通，如何对接，还未找到切入点，他们将成都、贵阳的便利店筛选了一遍，但不知道如何去谈，因为没有谈判资源。

创新要有破釜沉舟的勇气，京东做到这个份儿上，市场份额基础是有了，管理规范也有了，要让区域绩效变烂也很难，不如解放思想，大胆去做。集团给予区域相应的授权，没有动力，就没有活力。

2014 年 12 月 22 日，刘强东与七大区域总经理吃饭，承诺让区域获得更多的经营授权。这让区域员工们兴奋起来，过去自己的职责只有履约交付，有其他想法也只能站在一旁看，"原来是闷头干事，现在积极性增强了，思路打开了。过去是搬箱子，现在不只是搬箱子了，工作量增加了，但是上升空间也大了。"尹红元说。

邵继伟接过华北区之后，是当作独立的公司来做，引导团队思考经营的方法。他认为公司有三种人，第一种人是为公司挣钱的，最受欢迎；第二种人是想办法给公司省钱的，第三种人是给公司糟蹋钱、不创造价值的，该淘汰。他觉得区域做好运营，可以节约成本，也可以为公司创造新价值。

邵继伟在华北区做"每日一荐"的项目。这个项目是让配送员送货的时候，向客户推荐最新的促销活动。这需要跟采销部门沟通，拿到资源。邵继伟去拜访负责采销的各位副总，每敲开一位副总的门，第一件事就是推销自己，华北区配送时效最稳定，客户体验最好，差评率最低，如果把促销产品组合好了，促销成功率会更高。他先敲开了IT采销的门，开始合作。大家电部门看到后，主动找到IT部门，再联系上华北区域，后来，推出了三星华北专供活动，在雾霾天推荐三星净化器。

2015 年 3 月 20 日，我和刘强东就这本书做最后一次交流。就在几天前，3 月 16

日，京东上线O2O产品——"京东到家"，向用户提供3公里范围内生鲜及超市产品的配送，及鲜花、外卖送餐等各类生活服务项目，基于移动端定位实现2小时内快速送达，并于3月31日正式成立O2O业务独立全资子公司。新成立的O2O子公司京东到家与京东商城、京东金融、拍拍、京东智能共同组成京东集团的业务版块。

刘强东说：

我对创新的理解可以分为两大类，一是商业模式创新，商业模式创新我一直认为是靠自上而下的创新，这得靠创始人、高层。自下而上的，比如基层创新是执行层面的创新，举个例子，如何打包得又快又安全又结实，还要省钱？怎么让货堆得更紧密，货与货之间的间隙小一点，你效率更高？还有送货线路问题等，这些需要员工自下而上地创新，没法指望我来创新。自下而上的创新更多通过激励，比如配送员负责一个小区，如果不动脑筋，同样送一个小区，人家一天送120单，你只送几十单，他的工资就比你高很多。这会启发你创新，而这些创新都是润物细无声，公司不知道。

商业模式的创新，我不希望京东一人一个主意。商业世界里有无数业务，每个业务从商业模式来讲都没有错，公司欲望过于强烈，是做不好事情的。能把一个想法落地就是很伟大的公司。所以，商业模式我不求数量，依然是围绕电商这条线找。比如过去我们做电商，后来做了金融。京东金融做的京东白条，在电商、在全球都是第一个。今年就有一个新的商业模式创新——京东到家。

O2O子公司京东到家3月份刚刚上线。过去京东卖货是两类，一类是京东库房的货，一类是我们卖家库房的货，但是从大的层面来讲，任何一个社会更多的货是散落在大街小巷的各个商店里面，这对京东到家就是很大的机会，我们要把大街小巷的所有商店想象成仓库，和它们合作帮它们卖东西。京东到家3月份刚刚测试，4月底正式运营。其实这算是全球商业模式的创新，两年前就提出来了，两年前对这个模式就已经很清楚了。

这也是我的教训，我发现商业模式创新不仅要靠上层来推动，执行的时候也要靠老板亲自去执行，过去京东到家一直在京东商城底下，两年搞不出来，为什么？不是模式有问题，每次一问，下面总会有各种理由，每次都有问题，一年半到两年的时间都没做出来，为什么？

其实是我犯的错误，你不该让京东商城去做这事。要独立团队出来做，京东商城没这个动力去做，商城发展这么快，随便找个商业品类，合作紧密一点，一年10个亿销售额就出来了，一个全新的商业模式给你带来的都是成本，没有利润，商城愿意做吗？当然不愿意。

商城成长速度是100%、200%时，没有必要做一个全新的东西，而且还是跟商城有冲突的东西，跟它自己竞争，左手打右手。所以，2015年1月1日我决定把京东到家从京东商城独立出来，商业模式的创新，不仅是靠老板推动、高管推动，执行的时候还必须要老板来亲自管理，才能把商业模式推进。京东到家每天、每周都要开会，从商品、购物到送达，大小事都要管，所有产品的设计、每张图片、每个页面，和10年前一样，都要我亲自定，跟团队去谈，芝麻大的事情都要我做决策，招个总监也要我面试。

如果找一个负责人就能把商业模式落地了，那我不客气地说，人家自己创业都能成功，干吗在京东呢？这世界缺钱吗？你有好的商业模式好的执行力，只要你牛，你找人就能做出全新的商业模式出来，投资人为什么不愿意呢？他为什么还愿意给你干？必须是这个商业模式被证明正确了，已经创造价值了，有盈利了，将来能为股东创造价值，这时候才可以找一个首席执行官接下去，但在之前必须我来管。

世界的京东

2015 年 1 月 17 日，北京工业大学体育馆，京东集团年会在这里召开。"京东红"充满了巨大的屏幕，白色大字格外显眼："世界的京东"。刘强东站在台上，面对现场座无虚席的数千名观众，意气风发。

他希望京东这家公司未来成为销售收入过万亿的公司，成为拥有 60 万名员工、中国最大的民营企业，全球 500 强的前 20 名。

像滚雪球一样，裹挟势能，呼啸着滚下山坡，京东凭借惯性也能快速成长。我坐在台下，却想起刘强东宣布京东将做千亿公司时，员工在台下犯嘀咕；想起将 100 亿元当作目标的刘强东；想起那个站在船头，想着要组织船队漂洋过海的少年刘强东。

京东从来没有经历过摧枯拉朽、酣畅淋漓的胜利，这家公司一直起起伏伏，每年都有新的危机和对手，与互联网公司打，跟传统零售打，跟自己打，内忧外患，磕磕绊绊。刘强东就像原来街头打野拳的，揍小痞子揍得轻松，后来打职业赛，属轻量级，只懂凭凶狠的爆发力，不断出拳，不知道脚步节奏，不知道运气，不知道侧身技巧。后来打重量级，学会了运用规则，知道在回合里数点数。

他雄心勃勃，"要做全球大贸易流通规则的参与者，甚至制定者"，但他又清楚自己还在"创业者到企业家的成长之路"上。

　　一位有可能成为伟大企业家的创业者该是怎样的？要有远见，有对商机的洞察力，看到别人看不到的地方，这不是读MBA能学来的；要有带领团队的能力，能带团队打胜仗，能和团队分享财富；要有学习能力，公司能走多远的路，取决于创业者的天花板在哪里。

　　徐新说："做投资，最大的经验教训是，好公司一定要持的时间长些。伟大的公司本来就不多，运气好碰到几个像京东这样的，要长期持有。"她告诉刘强东："在你成为中国首富之前，我不会把大头卖掉。"刘强东回答："先做到1万亿再说。"

　　山姆·沃尔顿在他的自传里说："沃尔玛式的传奇在今天这个时代还能重现吗？我的答案是，当然还会。或许现在就有人在跃跃欲试——或许有成千上万的人在做——他们有足够多的创意支持其一路走下去。假如有人非常热切地追求自己心中的梦想，虽然期间会经历很多的失败，但也要锲而不舍地坚持下去，这全仰仗一个人的态度和能力，要不断研究和探寻商业管理的秘诀。"

　　2015年1月，刘强东在上海驻华领事馆与访华的法国总理瓦尔斯见面，旋即刘强东带着京东团队前往法国拜访政商界人士。同时，京东商城推出法国馆，试水跨境电商。这是2015年京东的战略之一。像20世纪80年代日本经济兴起之后，日本游客涌向全球采购商品一样，今天的中国人也在海外买买买。

　　原来关税有壁垒，现在海关和商务部支持跨境电商，降低消费者购买成本，政策的春风来了，2014年，京东从法国进口100万瓶来自波尔多的红酒用于销售。

　　仅仅两年多的时间，这家被谣传"资金链断裂"的公司，已经成为全球市值前十的互联网公司，但刘强东还想再进一步，这时候，京东不满足于只做中国市场。2011年，在美林银行的帮助下，刘强东到巴西、印度考察当地的电商，他充满好奇，见到印度人挂在火车上的新闻就决定去坐火车，结果在车站被壮观景象给吓住了。

　　2012年起，京东就开始尝试做海外市场，刘强东曾经纠结过究竟做欧美成熟市场，还是巴西、印度这样的新兴市场，前者商业环境成熟，但是已有强势的竞争对手，后者市场门槛低，但是基建设施差。最后，京东选择了从俄罗斯切入。

　　刘强东说："中国货卖到全世界的渠道很通畅了，政府支持出口退税，贸易商通过批发的形式把货卖到国外去，但是以零售的方式卖出去的，几乎没有大规模的公司。用B2C的方式卖，前途有限，会对当地关税、就业、投资造成冲击，规模小的时候，政府不管你，规模大了就来找碴儿了。真正要把中国货卖出去，一定要在当地落地建仓，进行相应的投资布局。"

还记得刘强东少年时代带着船队出海的梦想吗？现在心态越来越平和的刘强东，想不起让他特别激动、高兴或者生气的事，公司的重大事件也不能激起他内心的波澜，唯有一点没变，出海的梦想还没有磨灭。

以终为始，先确定自己的目标，再倒推自己该如何一步一步地做。啥都没有做出来的时候就敢吹大牛，也从小处做起来，把这事情办了——这也许是可能成为大企业家的创业者的共性。

京东集团公关部副总裁李曦曾经在索尼中国工作18年，成为索尼中国唯一的女性副总裁。1994年，她加入索尼，亲身经历了索尼的如日中天，由盛及衰。出井伸之2000年被《商业周刊》评为全球最成功的25位经理人之一，2005年出井伸之离职，被评为全球最失败的25位经理人之一。天堂地狱，一线之间。

索尼的衰落，是纯粹的硬件制造业黄金时代结束的缩影，索尼衰落的同时，是软硬结合的消费电子时代的兴起，2007年苹果推出第一代iPhone。李曦加入京东，希望赶上电商这一波新的时代浪潮，也希望亲身参与中国企业真正崛起的时代。

在中国，B2C电商的竞争可以说是硝烟散尽，平台型电商的竞争也只剩下阿里巴巴和京东两家。但是，以电商为起点的时代大幕才徐徐拉开。以京东商城为基点，京东集团的边界在哪里？

是以覆盖全国的物流网络为基础进入全国的乡村？

是以亿万用户消费数据为基础的互联网金融？

是以物流为基础的O2O？

是以供应链管理为基础的智能硬件？

还是背靠中国市场，进入全球零售市场？

1500年，全球最大的城市是北京，全球最大的10个城市里，巴黎是唯一一个欧洲城市；1900年，全球最大的10个城市，只有一个在亚洲，那就是东京。东西方力量的逆转，是很多学者乐意研究的问题，英国金融历史学家尼尔·弗格森试图在

《文明》里解释这个现象：

第一，竞争。政治和经济生活的分散，既给主权国家，又给资本主义制度搭建了发射台。

第二，科学。研究、理解并最终改造自然世界的方法（此外还有其他原因），使西方具备了优于世界其他地区的重大军事优势。

第三，财产权。以法治作为保护私人业主，并和平解决他们之间争端的方式，为最为稳定的代议制度政府提供了基础。

第四，医学。有了科学的这种分支，使西方社会（之后又使其殖民地）在医疗卫生和人口预期寿命方面有了重大提升。

第五，消费社会。在这种物质生活模式中，生产、购买服装和其他消费品发挥着至关重要的作用，没有这种模式，工业革命将无法持续发展。

第六，工作伦理。从基督新教（还有其他来源）发展而来的活动模式和道德框架，为第一到第五所创建的存在潜在不稳的动态社会提供了黏合剂。

20 世纪以来技术与文明、铁与火交织的全球化进程，将中国裹挟进现代化的历史潮流里，使中国在制度、价值观上越来越与世界趋同，中国的企业也越来越与世界趋同。中国凭借制度红利、人口红利，成为全球第二大经济体。凭借人口数量的优势，中国互联网与美国并称世界的两极：仅仅依靠中国市场，就诞生了 4 家市值数百亿甚至上千亿美元的互联网公司：阿里巴巴、腾讯、百度、京东。

实行市场经济以来的 30 多年，也是中国经济全球化的 30 多年。在这个过程里，中国以廉价劳动力的方式，输出了"中国制造"，在全球价值链的地位并不怎么样。中国在一定程度上主导全球经济，那是从下游的角度——它在多个行业（例如个人电脑、智能手机、奢侈品）已经成为全球第一大市场。真正做到国际化的民营企业寥寥无几，华为与联想几乎是孤军奋战。至于中国互联网，尚未有一家在全球市场上具有重要影响力的公司。

一个大国，不仅对外输出制造品、资本，它还要输出价值观与文化。在商业社会，价值观与文化附载在商品上。美国精神通过好莱坞电影、可口可乐、麦当劳、硅谷、苹果、牛仔裤输出到全球。那中国的好莱坞在哪里？中国的可口可乐在哪里？中国的苹果在哪里？在庞大的经济总量基础上，中国有机会诞生真正具有全球影响力的品牌公司。

刘强东现在依旧是每天 8 点 20 分到公司，开早会，晚上 11 点以前不可能睡觉。有了微信之后，他跟高管的交流更方便了。微信让他能随时随地处理工作，他一下飞机就能收到近百条微信消息，全与工作相关，坐在车上前往宾馆的时候，就按照重要性将微信消息处理完毕，将碎片化时间利用起来。

他有个朴实的想法，欧美日韩将公司开遍全球，将财富源源不断带回自己国家，而中国企业只赚中国人的钱，赚不到外国人的钱，这是中国人过不上好日子的原因之一。他敬佩联想、华为，靠自己的努力将业务伸到全球各地。如果有更多的中国企业走出去，中国经济会好很多。

在他眼里，仅仅在中国赚钱只能算一家牛气十足的公司。他想做一家伟大的世界级公司，在全球做生意。他到美国时，很多在美国的留学生问他，你什么时候到这里开公司？

志之所趋，无远弗届，穷山距海，不能限也。

后 记

　　我忘记了是谁说过，也许是彼得·林奇，他选择好股票的时候，是从身边人的使用习惯上发掘。我的妻子是京东的忠实用户，这些年我看着她从京东上买手机、笔记本，发展到除了生鲜以外的所有品类，包括大米、食用油、卫生纸、沐浴露、洗衣液、饮料等等重的、体积大的、拎在手上费劲的，来我家频率最高的快递员是穿着红色工服的京东快递员。

　　京东的确节省了她很大的时间成本和精力。她不需要再去超市排队，尽管物美、华联超市都不过是步行 10 分钟的路。只是，冷链的问题一天不解决，我们家的鲜牛奶、猪肉、蔬菜等生鲜还是得从超市买。

　　我对京东这家公司的兴趣越来越浓厚。2011 年初，我第一次与刘强东交流，那时候他刚刚做完一天的配送员回到公司。但是这次交流并未成文，按照我多年养成的习惯，若做一家公司的文章，除了公司创始人，必须采访到其他关联人，包括他的父母、朋友、投资人、高管、员工。京东那时候还是一家比较封闭的公司，很难突破。

　　直到 2012 年 8 月 16 日，也就是"8·15"价格战的第二天，我再次见到刘强东，这次聊天很顺畅，他邀请我参加京东入职 5 周年员工的宴会，我得以看到一个朴实、温和的刘强东，与微博上尖锐、充满攻击力的形象完全不一样。在京东的配合下，我顺利采访到一批高管，走访了京东的配送站，顺便自己私下找到一些基层员工做采访，这得益于刘强东邀请我参加晚宴，让我顺便认识了京东的一些基层员工，并且混了个脸熟。30万字的采访素材，最后凝结成一篇1万多字的文章。

2013年，刘强东出国读书。一家高速发展的公司，创始人突然主动、自愿长时间离开，这当中发生了什么事？会对公司带来什么影响？这在中国商业史上是少有的案例。抱着好奇心，趁着刘强东回国的那一个月，我见缝插针地和他私下见面（非正式采访），并且继续采访高管，写成一篇《刘强东在美国》的文章，讲述这家公司在管理上的蜕变。

2014年，为了了解京东物流，以成都为中心，我跟随京东货车前往四川德阳、绵竹、峨眉山等地，从京东集团物流部门的负责人，到西南大区物流负责人，到绵竹一个配送站的配送员，最终写成了《京东物流是怎样炼成的？》。

这些一万多字的文章都是从数十万字的素材里提炼出的。在碎片化阅读的时代，我非常惊讶的是，还有一些人耐得下性子阅读如此长的文章，并留言与我交流。有些人是打算或者正在创业的人，希望从京东这里学到一些什么。有些人，如我一样，只是纯粹对这个商业世界好奇。

过去5年，中国商业世界正好是新老力量交替的年代，房地产黄金10年的结束，让前10年大出风头的房地产企业家们，渐渐退出商业舞台的中心，人们转而关注那些新的明星企业家，用互联网改造旧有产业的弄潮儿。

这些新生代的创业者、企业家是怎么思考的？是怎么做的？他为什么如此思考？他为什么如此做？这与他的性格有何关联？与他的人生经历有何关联？我不再满足于用一篇或者若干篇文章来描述、分析他们。

2014年，我完成了自己第一本独立创作的书《九败一胜：美团创始人王兴创业十年》。美团网从团购做起，现在是一家在O2O领域领先的公司。这首先得益于王兴本人宽广且深远的视野，举个例子，团购做起来才两年，他又在公司里划拨出一个小分队做猫眼电影。猫眼电影是一个公司内部创新的典型案例，在电影票房分销这块市场独占鳌头。

写完《九败一胜》之后，我立即着手计划做京东的书，我需要得到京东的支持：没有公司的支持，很难进行公司内部大面积的采访。我跟京东集团公关部副总裁李曦联系，表达了自己的意愿。大概一周后，我收到了她的回复，刘强东同意我做这本书。

2015 年 3 月 20 日，我就本书和刘强东做最后一次交流，他说："从我本人角度来讲，不希望现在出书，我不认为今天真正成功了，现在我还处于从创业者向企业家过渡的转换期，我希望 10 年后，等我把这家公司带成一家真正成功的公司，那时再出书才好。但是，我尊重你，所以我接受你写书的要求，10 年内，你的书是我同意的唯一一本关于京东的书。"

从 2014 年 8 月到 2015 年 3 月，我共采访 258 人，包括刘强东的家人、老师、同学，集团总部以及华北、华东、华中、华南、西南、宿迁等地的员工们，以及几乎所有会说中文的京东投资人。加上过去的采访，积累了近 400 万字素材。

京东作为一家还在上升期的公司，发展是动态的。我无意将这本书写成刘强东个人的传记，也无意鼓吹这家公司。只是，一家从零起步的公司，做到今天 2 602 亿元的规模，肯定做对了什么，而且做正确的事远远大于做错的事。我希望通过这本书，寻找到一些京东能够做起来的原因。

和京东联系的时候，我一开始就明确表达过，这本书不会是刘强东的传记，写刘强东传记的日子还远着呢。在这本书里，有很多有关刘强东个人的故事，有更多有关管理层、一线员工的故事。中国的企业家传记和公司史，很容易凸显企业家的个人英雄形象，却往往忽视那些一线员工的故事。而我总是觉得，一家公司最鲜活的故事，都在一线员工那里。一家公司能否走得更高、更远，看看一线员工就知道了。如果一线员工对这家公司的未来不抱以希望，那凭什么相信这家公司有未来呢？

京东不是刘强东一个人的京东，京东是所有京东人的京东。当然，这句话可以用在所有公司上，可是又有多少公司的创始人能够真正意识到，自己站在商业舞台的中央时，是成千上万无名的员工托起了他？

京东有很多员工来自线下零售连锁公司，交流的时候他们谈到了前东家。京东革了他们前东家的命。和他们交流，我意识到这些公司的衰落是必然的，只是电商的趋势加速了他们的衰落。你能相信一家对员工冷漠、傲慢，甚至充斥着钩心斗角、索贿行贿的公司能够基业长青吗？

　　我从来都抱以善意与尊重地来看待中国的企业家们，不过，对于刘强东更多了一份共鸣。因为京东是一家拥有数万名蓝领员工的互联网公司，为这些员工支付业内较高水平的工资、相对完善的福利。这些蓝领，很长时间里拥有一个名字——"农民工"，一个有着鲜明的城乡二元对立时代特色的名字。

　　这些年我在做关于中国企业家的商业文章时，将一部分注意力放在了农民工身上。我曾经去温州工厂待过一个多月，也曾经在成都的富士康工厂待近三个月，最后写成《富士康：向西》一文，那是我最为满意的一篇文章。

　　正因为有着深知中国农民工苦难的经历，我特别能够理解刘强东给予蓝领工人们的待遇在中国是多么难得。所以，这些蓝领工人在京东倾尽全力，一丝不苟地贯彻京东客户为先的理念，是水到渠成的事。

　　人以众人遇我，我以众人报之；人以国士遇我，我以国士报之。被迫加班和自愿加班是有区别的，完成任务和超越任务是有区别的。我曾经想过"速度与激情"，是对京东这家公司气质最好的形容。只是，等我想到的时候，我才发现已经有同名电影了。

　　其实，写有关企业家和公司的书，有个尴尬的问题是，公司的发展是波浪线，是动态的过程。一家目前优秀的公司，也许过几年就遇到问题。不过，那又怎样呢？很多人，终其一生，也未达到这些人曾经站立的高度。

　　当然，我相信我的眼光。刘强东和王兴，从出身、性格、为人处世等方面来讲，是差异很大的人，不过，他们同样是优秀的创业者，同样在努力成为一名优秀甚至有可能伟大的企业家。他们最大的共通点是什么？或者说，我接触过的像他们一样优秀的创业者最大的共通点是什么？他们在战略眼光、执行力等方面各擅胜场，也各有各的缺点。

　　最后，我想到的是，纯粹。

　　这需要讲一个反例。曾经有位做得还算可以，也有一定影响力的创业者告诉我，这家公司不是他的全部，他还有一部分精力放在别处。我意识到，这家公司可能就到头了。

　　为自己设定一个足够遥远、足够巨大的目标，以终为始，设定自己若干年内该完成的步骤，心无旁骛，全力以赴。其他无关的枝丫，全都砍掉。

有家公司的人参加论坛，看竞争对手的首席执行官活跃在这些论坛上，就觉得奇怪，首席执行官的时间是有限的，他还能分配多少时间在其他事情上呢？刘强东的总裁助理亲眼见证刘强东是怎样把自己的社交空间压缩到几乎为零的状态的。

也许读者会说，这不是专注吗？纯粹不仅仅是专注，无论是在这本书中，还是在《九败一胜》里，我都特别强调了企业文化的重要性，而这又跟企业家本人的价值观直接挂钩。刘强东和王兴，性格迥异，但都有一点，正直守信。正直守信的人未必能让公司走得长远，但不正直守信的人必然不能让公司走得长远。

人最难的是不忘初心，抵御外界的诱惑，或者是虚名光环、浮华热闹中熏熏然，或者是道阻且长，别的领域却有大把发财的机会，或者是捷径灰暗，走还是不走？

在写这篇后记的时候，我回想起大半年来奔波于各地的日子。258 张鲜活的面孔，在我脑海里闪过。遗憾的是，我不能让这些向我付出了时间的人的名字都出现这本书里。我只能表示感谢，文后附有全部采访名单。

感谢李曦女士，如果没有她的大力支持和帮助，这本书可能很难面世。感谢京东公关部总监康建对本书采访的协调。感谢京东公关部第三届管培生陈梦莹，我和京东近 5 年的交往，她起到了很大作用。感谢京东公关部总监闫跃龙，以及顾晓曼、马连鹏、陈沛沛、张琳、李微等人的支持与配合。

京东公关部第七届管培生齐珊珊是本书在京东的具体接口人，从 2014 年 8 月到 2015 年 3 月，齐珊珊和我一起探访了京东在全国各地的分公司：北京、成都、武汉、宿迁、上海、杭州、广州、深圳，京东是一家 7 万多人的公司，齐珊珊在联络、沟通、事实核对上费了很大功夫，有时甚至工作到凌晨 2 点。感谢京东集团总裁助理缪晓虹，她对我采访京东的几位投资人提供了帮助。

感谢京东集团总裁秘书陈煜对本书采访的相关安排。

感谢京东图书杨海峰、张戈、张本荣对本书的支持。

感谢京东各区域及子公司员工对本书的采访提供的帮助：

西南区域：张岚、杨涛、李镇

华中区域：王俊、何兵、张亚丽、孟德彪

华东区域：牧园青、邓伦宣

华北区域：刘丁玲

华南区域：汤晓敏、莫争春、梁锦涛

宿迁：吴洁、孙博秋、丁丹丹

希望我近一年的努力，能尽量为读者呈现出真实的京东。这也是刘强东最后和我说的："这本书你可以写京东的经验和优点，也可以写京东的弱点和过去犯过的错误，真实就行。"

2015 年 4 月 12 日凌晨 3 点于北京

附：《创京东》一书采访的 258 人名单（按时间顺序）

姚彦中、陈梦莹、闫小兵

江建

杨海峰

于莹

郑超、王笑松

杜爽、刘俊

唐诣深

高燕、杨啟焜

徐雷

朱艳波、张燕、陈甜、黄枫、李凌翔、羊蓝、高飞、陈万红、李晨

陈小林、陈钥铷、黄裕礼、兰斌、李镇、杨云博、余容、钟世荣

马君、陈伟、蒋延兵、李近、胥涛、杨军文、宋波

方进、王鑫、杨彪、杨涛、杨伟

王武、龙晖

周炜（凯鹏华盈中国区主管合伙人）、包凡（华兴资本董事长兼首席执行官）

王爱民、胡丹、裴建东、赵小娟

孔轶、卓婕

孙加明

孙志涛、王敏先

屈东伟

褚世元

郭晓博、刘培、王娜

陈何、马成功、严晓青

梁曼、宁波、司思

魏豪、熊金涛、叶长华

谭响明、王辉、章巍峰

姜会晓、彭雨萱、张晓晨

黄若、刘爽（外部）

韩玲、季尚尚、原巍、张建设

李永和、韩露

程顺义、刘道宝、王珊

杨婷、吴海英、曹景巍

刘心洁、纪冬妮

周立方、门继鹏

魏威、李宗凯、李军、胡纯、禹定凯、朱峻、易文杰

王刚、兰震、乐旋、李俊祥、苏先锋、张利阳、肖亮、孟庆臻

胡雄伟、徐正峰、袁朝晖、晏宇、孟德彪、李晓峰、杨渊、张杰

单红梅、丁康、李剑、吕路毅、王恒英、周航、曹珂

王绍侠（刘强东母亲）、刘强茹（刘强东妹妹）、张见

毕明昌、杜陆军、张谦、张以山

吴洁

徐新（今日资本集团创始人兼总裁）

李娜、李杨

黄星、杨磊、金明花、宋建辉、余睿

陈猛、陈明、范芸、谷燕鸥、唐伟、曲来国、吴修领、杨涛

陈海松、花术龙、江安明、潘光强、张兵、江安明、张俊宇

陈家顺、董金泽

刘强东

刘园、赵斌、李梅

牛春岭、乔叶雷、邵继伟、王爱军、王党辉、宣望月、杨芳颖

刘安飞、王飞、罗桥

郭新伟、谷鑫海、王绍山、王统宝、杨静

陈时宽、李娅云

刘梦、王志军、章力

李大学、李佳新、吕科、马松、肖军、樊建刚、毛卫娜、刘轶

蔡磊、王琳、李瑞玉、李绪勇

蒉莺春、祁婷、张奇、张新静

曹鹏、阎旭红、孙微

黄金红、陈超、隆雨

沈皓瑜、黄玲、丁晓强、姚乃胜、

徐文龙、徐文义、徐圳、张保显

常斌、蓝烨、陈岩磊、刘铁彪、马伟、王明波、荣峥略、唐静、杨雪艳、尹红元

谭转欢、张顺兰、祝琳

陈文俊、甘建东、甘建楼、林宏堃、吴首

黄少红、黄文奎

侯艳平、冯燕、郭依农、李键、于晴晴

缪晓虹、辛利军

邢孔育（外部）

曹士平、彭锦洲、陈婷、吴长江（四名供应商）

梁伯韬（京东投资人）、陈生强

陈澄、宋志瑞、王志富、魏凯、席静敏、张庆

马健荣

黄宣德、朱政经

李曦、林卓、申宁

刘强东（再次采访）

张磊（高瓴资本集团董事长兼首席执行官）

附　录

刘强东内部演讲

光荣与梦想，向千亿迈进[①]

好几年前我就有一个梦想，梦想有一天把鸟巢租下来，在那儿召开一次年终大会。京东人有很多梦，过去我们所有的梦想都实现了，所以这个梦想早晚有一天会实现。刚才我们六大区域就去年的业绩和2012的展望做了详细的汇报，现在我也想聊几句。

2011年，我们再次创造了历史。在过去的一年里，我们用实际业绩向全世界证明：一家销售额过100亿的公司，依然可以保持高速增长。2004年我们从零做起，花了6年的时间突破了100亿的销售额。不管是在中国还是在全世界范围内，只有

---

① 刘强东在京东集团2012年年会上的主题演讲。

一家公司是在从零做起的时候超过我们的，那就是亚马逊。所以过去的 6 年，从增长速度来讲我们不是第一，是第二。而我们的口号是"只做第一，不做第二"。我讨厌第二名！当然，在过去的 2011 年，我们在 100 亿之后在增长速度上重新赢回了第一。2011 年，一年的时间，我们创造了全世界零售行业的一个纪录。

在过去的一年，我们面临三大挑战。第一大挑战，来自我们的员工队伍。我们第一次一年招收了 15 000 多名员工。第二大挑战，2011 年是整个中国电子商务最为疯狂的一年。几乎每一个竞争对手都不计成本，拼命做广告、打价格战，有的竞争对手甚至 2011 年整个一年用负毛利拼命和我们争抢 3C 市场，做广告更是不计投入，导致全行业的广告费涨了 40%。第三大挑战，也是刚才我所说的，当销售额超过 100 亿的时候，我们如何保持超过 100% 的增长，过去全世界没有人做到，而我们也没有做到的经验，何况我们有 1 万多名新进员工。但是，这点我们实现了。所以，已经过去的一年，是值得我们京东骄傲和自豪的一年。我们有理由也有资格，在这里为我们已经过去的一年打上一个非常完美的句号。

每年我都会花一天的时间来反思：在过去的一年里，我和公司有哪些遗憾？ 2011年最大的遗憾，就是没有实现对我们配送兄弟的承诺。2010 年年终大会的时候，我曾经向我们 100 多名配送兄弟承诺：2011 年会请我们 11 个配送站的兄弟吃饭，陪大家聊天。我也很努力地朝这个目标去做，但最终只去了 7 个配送站。我没有兑现对大家的承诺，愧对我们配送兄弟。所以今天，我也希望所有的配送兄弟们能够接受我对你们的道歉：对不起大家。我愿意拿出实际行动，来弥补我的承诺未兑现。我决定 2012 年要补上这 4 个配送站，同时公司拿出 400 万作为我们配送兄弟的救助基金，专门救助那些在工作过程中受到伤害，或者家庭变故、有重大困难的配送兄弟。

有的人说，你老兄弟、兄弟们的，我们姐妹们哪儿去了？今天我们就定一个规则，以后在我们京东公司内部只有兄弟的称呼，因为我们京东的女孩子比男人还能干！所以，以后我再说兄弟们，就是指所有的京东人！

2012 年，我们制定的销售目标是超过 600 亿的交易额。光荣与梦想，向千亿迈进，并不代表在今年实现，但是今年将决定着我们何时过千亿，何时能够成为中国最大的零售企业。所以将来竞争不再是线上线下、自营平台等等，而更多是收入上的，所以我们的目标是中国销售收入最大的零售企业。"只做第一"是流淌在我们每个京东人身上的血液。那么，我们怎样实现？

希望我们永远只有一个回答：靠我们的团队。永远没有第二种回答。2012 年，京东最大的一个战略就是培训。如果我们没有培训体系，公司的战略是无法实现的。

有的人说，招呗，挖啊！但是我想京东所有的老员工都知道，这绝对不是京东人的做法。有的人可能觉得挖人的成本是最低的，人来就能干活儿了。我们公司为什么要做这么多培训？培训花这么多钱？还要花大量的时间和精力？培训完还不一定能符合公司的要求。培训过程中要给他试错的机会，如果不允许他试错的话，就没有办法把他培训起来。所以，培养和培训人是最花时间、成本最高的一种选择。但是，也唯有培养人，能够让一家公司实现持续的成功。

不可否认，我们在 2012 年还要迎来很多新同事，因为不可能我们新增了 15 000 名员工就意味着我们需要培养 1 500 个管理人员，这确实不太现实。但是我们一直在努力做到 60%~70% 的管理干部是我们自己培养起来的，而不是外部引入的。在 2012 年，我希望能把我们京东公司所有总监以上的同事都分批送到国内一流的 MBA 学校学习，不仅所有的学费公司出，每年还给每人两万到三万的交流费，没有培训协议，如果在上学期间离开了不需要违约金。

有人说这不是傻吗，花了钱给别人培养人才？这不是傻！我们不是老说感恩吗？什么是感恩？感恩就是不仅要给员工带来好的薪水待遇、股票，而且希望通过培训体系让我们的同事在京东工作几年后，个人职业生涯、职业能力、眼光、眼界、知识和能力都能上升到一个新的高度。回不来就回不来了，他们已经为公司工作了很多年，做了很大贡献，走了，就当是公司送他一个礼物，是对他在京东奋斗多年的一种肯定。我们还有管理干部培训班，2011 年我们开展了两期，根据公司的跟踪调查，效果非常好。所以，今年我们将继续我们的管理干部培训班，面向已经在京东公司担任管理职位的中低层管理干部，脱产培训至少 100 天。培训完之后，可以再次择岗，不一定回到原岗位，希望通过两到三年的时间把他们培养成至少是公司的中级管理干部。

2012 年，我们的配送体系还有"十百千工程"，培养 10 位总监级别，能够管理大区的，至少能够管理上万名配送兄弟们的 10 个人；培养几百名城市经理，来协调城市内的站点；此外，培养至少 1 000 名以上的站长。

值得庆幸的是，2011 年公司通过培训，成功地将很多配送员培养成为站长，无论收入和能力都得到了很大提升。我们是一家提供了大量基层劳动力的公司，如果没有培训体系，如果一个配送员 5 年之后还是配送员的话，那就是我们管理者的失误。今天我们没有能力去给每一个员工提供很高的收入，我们必须承认这点，但是我们有能力、责任和义务去培训他们，给他们提供这样的机会。因此，2012 年开始，我们会为每一个系统制定详细的培训体系，并且持续地做下去。

但真正的培训其实不止这些，而是来自我们日常的工作。真正很有文化的公司，真正好的培训体系，是应该每天都在给员工做培训。站长有没有每天在配送兄弟出门的时候叮嘱大家小心、穿上防滑的靴子？有没有提醒我们的兄弟们带上雨衣？当客户提出各种各样问题的时候，有没有告诉配送员怎样回答这些问题……如果没有做到，就没有尽到一个京东管理人员的基本责任。

所以，为了配合我们整个集团的培训体系建设，在 2012 年，我们要给所有的管理人员提一个硬性指标：以后要获得升职，就要告诉我你培训了谁。你升职了，你的职位谁来替代？如果没有，就继续做下去，丧失了升职的机会！什么时候培养出一个可以接替你职位的人，什么时候才能获得升值的机会！这很严厉，甚至很苛刻。但请你们记住，我们的队伍越来越庞大，如果没有这样的培训体系，总有一天我们会失败，我们一年、两年，甚至 10 年的青春和汗水都将付之一炬。所以大家，特别是中层干部现在就开始好好想一想：谁是你的培养对象？

2012 年我们迎来了关键的一年，世界再次给了我们京东人一个创造历史的机遇。实现千亿的销售额，是我们国内业务战略的第一步。有人问，我们做国内业务，只要努力，绝对可以做第一，而且可以赚很多很多钱，为什么要国际化？ 10 年之内，我们不做国际业务，整个京东都会过得很好。但是如果没有努力去迈出国际化的一步，去做一个国际公司的话，10 年之后我们一定会面临很大的挑战。

大家不要忘了，在整个全球范围内，我们有一个最大的友商亚马逊。如果有一天，亚马逊在全球都实现盈利了，只有在中国，京东是竞争对手，亚马逊就会集中全球的力量，在中国市场把最后一个"敌人"打掉，而我们只有中国一个市场。因此，是否迈向国际化，决定了 10 年后京东能否赢得荣耀或是遭受耻辱。

　　京东今天的成就，凝结了我们每个京东人的辛勤和汗水。也许 10 年之后，我已经退休了，但不代表我不再关注这家公司。我绝对不允许因为 10 年之前管理层缺乏战略眼光而导致 10 年之后的失败。所以把这些想清楚后，国际化是我们今天必须做，而且只能把它做好。虽然我们现在还没有实现盈利，不能大规模地开展国际业务，但是我们可以从现在开始，尽最大努力去培养我们的国际人才。这也印证了我们先人后企的理念，因为我永远坚信，只要我们拥有最优秀的团队，无论进入哪个国家的市场，最后都会取得成功。

　　京东能够快速发展到今天的规模，除了全体京东人的努力拼搏，离不开全社会给予的大量支持，更是幸运赶上时代发展大潮的结果。目前，我们已成为一家对整个社会都有影响的公司，一言一行都会引发行业的强烈关注。我们的内心可以依然充满着斗志、自信和激情，依然充满着一团火，依然坚守"只做第一"的信念，但同时必须谦虚、低调及谨慎，唯有如此，才能让京东这艘大船行驶得更平稳、更安全、更长久。这不仅是京东每一位管理干部的责任，也是每一位京东人的责任。

京东的战略与价值观[①]

两年前我们提出迈向千亿的目标，那时还是一个梦想，但现在千亿不再是梦。按照今年我们的财务数据，以GMV（商品交易总额）统计口径，明年我们整个平台的销售额将超过千亿。京东公司一路狂奔已经第九个年头，因此我们把明年的核心任务确定为"修养生息"。

修，即修补。我们过去快速发展八九年，存在很多问题。这些问题需要从系统上、从流程上、从根源上修补好。养，即培养。哪些业务现在小但未来非常重要的，我们要做重点投入培养。生，即新生。我们要进入新的领域，创造新的模式。哪些业务非常重要但是我们还没有进入的，我们要马上进入。息，即停止。我们犯过一些错误或者进入一些错误领域，应该当机立断，停止或者放弃某些业务。

一、京东战略管理模型

对于京东公司而言，战略不是空话，不是口号，而是告诉我们，要做什么，怎么

---

① 刘强东在 2012 年京东集团首届总监研修班上的主题演讲。

做，方向是什么，什么是最重要的。

1. 基础层——团队

一个公司成功的因素很多，但是最重要、最关键的永远是人，是团队。曾经的手机霸主摩托罗拉被谷歌收购，现在全球大规模裁员；日本索尼的产品在过去就是"高精尖"的代名词；苹果公司每出一款产品，都被人们疯抢……这是为什么？其实背后原因都是团队造成的。

未来京东的成功失败，与竞争者、媒体、投资人都没关系，都是团队的原因。如果公司成功了，99%的功劳属于我们的团队，我只占1%；如果公司失败了，99%的责任在我，团队只占1%。我们送高管读MBA，招聘管培生，培养管理干部，启动配送十百千工程，制定客服长城计划等等，都是因为团队很重要。

2. 供应链——信息系统、物流系统、财务系统

在打造优秀团队后，我们要打造供应链的3个重要系统：信息系统，物流系统，财务系统。

（1）信息系统。信息系统就是一根线，要把全国311个城市、庞大的业务、众多的供应商连接起来，这是非常重要的。让我引以为傲的是，在今天的系统里，还可以查到当时我们创业时的所有信息：第一笔业务、第一笔工资、第一个客户……在中关村别的商家人工操作时，我们却高价购买了扫描枪、抄录序列号留存客户和交易信息，并且自己开发系统给员工发工资……尽管经受别人嘲笑，但我们坚持做下来。事实证明，京东之所以成功，除了有最优秀的团队外，和我们重视信息系统建设是分不开的。

（2）物流系统。在2007年拿到第一笔融资后，我们要投资物流，全世界都笑了。今天我们在311个城市有自己的配送队伍，年底要达到360个。有人说京东配送是过度服务，背负了过多成本。可是现在亚马逊在美国复制我们的模式，在全球电子商务领域，我们是第一家当日送货的公司。越来越多的电子商务公司意识到，物流系统是电子商务行业的一大制约，而我们的211服务树立了行业标杆。

（3）财务系统。我们认为京东商城是一家供应链服务公司，而供应链服务里现金流、物流和信息流三流之间的交换是最为重要的；三流之间的快速交换，才是我们获取利润的根本。因此财务系统也是全世界零售公司非常重视的。现金流远远比利润更重要，现金流为正，公司倒闭的可能性很小；公司有净利润，但如果不维护现金流，早晚有一天现金流会耗光、资金链会断裂。

‖ 3. 关键KPI——成本、效率 ‖

我们最核心的考核指标是什么？只有两个，第一是成本，第二是效率。我们每年跟别人横向比、跟自己纵向比，就是来看我们每个系统，是否成本做到最低，效率做到最高。

比如让我们非常兴奋的就是物流成本。所以我们整个供应链物流成本4年以来几乎降了一半。现在我们还没达到最优，我们应该继续建造我们的"亚洲一号"项目，争取把北京的13个库房放到一起去，减少顾客拆单，提升员工效率。

除此之外，我们的IT系统和财务系统也存在成本与效率的问题。所以我们要把公司三大核心系统的成本和效率做到极致，成为全球的零售业供应链管理专家。

‖ 4. 品牌——产品、价格、服务 ‖

我们认为绝大多数客户最关注的三个东西就是产品、价格、服务。

产品有两层含义，第一个是产品选择性。我们通过自营部门和POP部门的不断努力，把客户想要的衣食住行的所有东西全部备齐。第二个是产品质量。我们一定要卖正品行货，保证质量，不能卖假货、水货、翻修货。

价格就是指价格低廉。通过8年努力，我们成功树立了低价形象。价格是一种持续的感受，我们要通过成本和效率的控制，尽力维持低价形象。

服务包括售前、售中、售后。我们售前的优势是每个下面都有大量的评论、留言和晒单，即使消费者不到京东购物，他购买之前也一定会来看看留言和评价。我们售中的优势就是物流系统、211限时达等。相对而言，我们售后有所不足，这就是为什么我们要建售后服务中心，把所有售后服务集中起来放在一个地方的原因，一切只为我们的客户。

服务上我们还在不断尝试创新。过去我们争抢的是大商场、连锁店的客户，但是现在我们争抢的是社区便利店的客户。如果我们这个推行成功了，未来我们对老百姓的衣食住行将会产生巨大影响，我们相信还会有别的服务不断创新。

‖5. 用户——客户体验‖

最上面的是用户，即我们要关注客户体验。如果只是追求客户体验也很简单，我们把货都采购到一个仓库，任何时间都有货；所有配送都用最好的快递，保证24小时把货送到；产品有任何问题，立刻退货……这服务好，但企业活不下去。

支撑京东商城用户体验的是成本和效率，而支撑成本效率的则是我们的三个系统，支撑三个系统的是我们的团队。所以整个倒三角从系统发展角度上，可以自下而上看，先有团队——建系统——考核效率——用户体验。也可以从上往下看，上面是客户可见的，下面是不可见的，支撑可见的是靠我们不可见的三层。

‖6.关于盈利‖

我们每一个品类都要做到行业费用率最低的水平，从而大幅降低供应链成本，这是我们未来盈利的动力与核心——绝不是来自我们对利润的追求，而是来自我们对成本的追求、对运营效率的追求，它会有一个自然获利的过程。我们有一个基本的商业信念，只要我们能把成本控制到极致、效率运用到极致，只要让我们的用户满意了，那么我们就具备了源源不断获取新用户的能力，而我们的业务将会非常快速并持续地发展下去。早晚有一天，我们将获取应该获取的、比传统连锁渠道更高的利益，因为我们为整个社会、为用户、为供应链创造的价值更多、更大。

所以京东的战略不是一种虚无缥缈的东西。我们每一项战略都是实实在在的，跟我们每一位息息相关的，是我们每天日常工作、努力、奋斗的目标和方向。

二、京东核心价值观

京东战略管理模型告诉我们，任何一家公司，任何一个组织，不论成功失败，根本原因只有一个，那就是团队。而团队最重要的有两个方面，一个是团队文化，一个是团队能力。

在京东我们认为文化比能力还重要。如果一个人的能力很强，文化与我们不符，就是"铁锈"——那是必须马上砸掉的。一个能力很强但价值观不符的人，它的危害性要远远大于一个价值观相符而能力很差的人。

文化包含三个方面，目标、愿景和价值观。而价值观又是文化里面最核心、最重要的一方面。目标和愿景我们团队都容易制定，但是文化的统一，随着我们团队规模的不断扩大，面临的挑战越来越大。

价值观决定行为。大家在平时的一言一行，实际上都是由你的价值观得来的。什么是价值观？我认为价值观就是一个人对他人、对自己和对环境的一种态度。也就是你怎么看待他人、怎么看待自己、怎么看待这个环境？

环境包括人际环境、自然环境、人和其他动物之间的环境。而态度具有个体性，同样一件事情，不同价值观的人得到的结论完全不一样。比如说爱喝酒的人，突然看到桌子上摆了一瓶全世界最好的美酒，但是已经被打开喝掉了一半。有的人看到了会很生气，这么好的酒竟然被别人喝掉了一半；但还有的人觉得自己太幸运了，这么好的酒竟然还有一半留给我。

如何去保证一个庞大的团队，真正能够做到步调一致、目标一致、方向一致、路径一致、执行一致，真正做到我们的成本与效率？公司的组织纪律、各种规章流程只是手段之一，而且这个手段最多只占10%，背后发挥作用的90%是我们企业团队的文化。许多员工即使接收到外界更高薪酬、更好待遇的offer（工作邀请）也不愿意离开京东，我相信更多的是因为我们团队文化吸引了他，是因为他认可我们的价值观。他认为只有这种价值观的团队才能有真正的未来，他愿意为此舍弃眼前之利。如果把我们的价值观提炼成一句话概括出来，其实就是走正路，做好人，靠自己的智慧和汗水去创造自己美好的生活！许多老员工一起走到今天，正是因为他们认可这条路。

1. 诚信

一个人的价值观不可能或者很难去改变。过去很多管理人员经常犯的错误是说某某同事感觉价值观跟我们不符，但是能力很好、很年轻、有潜力、爱学习，给他时间或者不断教育他一定会有变化的，其实最后都错了。一个人成年之后的价值观几乎是不可改变的，除非遇到重大的刺激。比如家庭变故或者重大灾难等，突然让一个人想明白最重要的是什么。

如果员工没有受到这种刺激，正常的教育和谈话改变不了他，即使改变了，最多也只是让他学会伪装，骨子里跟公司价值观还是不一样。所以我们第一要讲诚信。

诚信不是口头说说而已，而是具体的行为。公司创业时在中关村卖光碟，整个中关村都在卖假货，京东公司却一片假碟都没有卖。后来我们成为中国最大的光磁产品代理商，一度占有中国60%的市场。虽然卖假货可以获得更高的利润，但是我们坚持卖正品行货，作为一个年销售额几千万的小公司，我们所有的商品都有海关报关单、都有增值税发票。所以诚信最考验的是在面临利益的时候，是否还继续坚持自己的选择。

诚信不是挂嘴边用来标榜，不是挂在墙上用来装潢，不是员工手册落在纸上，而是落实在京东人公司行为和个人行动上。

‖2. 客户为先‖

什么是客户为先，就是我们要关注客户体验。我们的客户体验各方面横向比较的话已经做得不错了，但是和我们的目标相比差得比较远。我们个别成员，在个别事件上，还是没能够记住客户为先的价值观，将财务安全放在第一位，而不是客户体验第一位。比如京东礼品卡，不能货到付款，不能上门自提。这些限制性措施，为了减少公司损失，不能给客户提供便利服务。我们不能让财务利益高于客户利益。

很多事情说得简单，真正一辈子数十年如一日地坚持下来，是很难的。我们要看开会讨论的决定有没有违反公司价值观，有没有违反客户为先，如果有，那么这个决定就是无效的，只能想别的办法，绝不能因为财务安全、信息安全的原因降低用户体验。

‖3. 激情超越‖

激情是人生最大的生活态度。没有激情的人，就像行尸走肉，甘愿平庸，不知道为什么活着为什么死了，不知道从哪里来到哪里去。一个有激情的人，不管成功或失败，都是一种财富和经历。

无论谁创业都不能保证百分之百成功，但是不能因为失败就不做了。所有成功的人都是有激情的，哪怕这个人很内向，不怎么说话，但内心有激情，有坚定的信念，可以容忍挫折和困难，从来不放弃对生活的追求。

我最苦难的时候，刚毕业欠债 24 万元，很多人认为我这辈子完蛋了，当时 24 万的债怎么还得起啊？朋友出车祸，我四处借钱；生日那天，我就吃榨菜泡面；大年三十，我只能喝稀饭……但是我一直没觉得很苦，没怨天尤人，我相信自己一定会东山再起。所以在任何时候不要怨天怨地，不要抱怨自己；在任何时候都不要放弃自己，放弃他人，包括自己的家人、同事和孩子。给他们爱、关怀和包容，也给自己爱、关怀和信心。坚信自己有智慧，有大脑，有双手，还有资格和机会。无论流血流汗，有一天你一定可以过上幸福的生活。最可怕的是，有一天你无法再思考，你不想再流血流汗。

激情也是信念，没有信念不可能有激情。世界上伟大的政治家、艺术家等都是有激情的。他们有的面临牢狱之灾，有的面临恐吓威胁，有的面临死亡考验，但是他们放弃了？为什么能坚持走过来，就是因为自己的信仰。没有激情早就成了行尸走肉，没有信念不可能坚持数十年的斗争。

‖ 4. 学习 ‖

智慧不是与生俱来的，而是通过学习得来的。人无论到什么时候，都不要忘记学习。不要小看下属，不要小看别人，从他们身上你都会学到很多东西。在学习过程中，也许你花了很多时间读了一本书，只记住一句话，但是这句话影响了你的一生，也就值了。

进步也是通过学习得来的。如果 6 年前让我管 26 000 名员工，我肯定不会成功。但是我现在的这种管理能力是如何得来的？都是通过学习。只要我坚持学习，相信有一天我可以管理 10 万名员工，也许还可以管理 100 万名员工。

‖ 5. 团队精神 ‖

世界上很多公司都主张"团队精神",在京东我们也倡导"团队精神"。那么什么是团队精神,其本质就是放弃自己,适应他人。

抱怨是团队精神最大的天敌。请大家谨记以下两点:

第一,只以自己为中心的人,肯定是没有团队精神的。一遇到问题不说自己,只说别人,上司是笨蛋,同僚不配合,他如何进行团队合作?

第二,经常抱怨的人,绝对是没有团队精神的。有的人90%的时间用来抱怨,10%的时间用来工作,他们是没有团队精神的,必须清除。

‖ 6. 杜绝浪费 ‖

杜绝浪费就是为了节省成本,但是我们绝对不能以降低员工待遇来降低成本。降低成本来自两个方面,一是提高效率,一是杜绝浪费。提高效率我们已经讲了很多,那么如何杜绝浪费呢?

我现在每天签费用申请单,几乎天天都是在买车、买货架等。但是如果我们进行详细的分析、严格的考核,会发现存在大量的浪费。有的是浪费金钱,有的是浪费时间,而时间浪费是最大的浪费。

沃尔玛为什么那么成功?它对浪费做到零容忍。明年我们要"修养生息",浪费也是我们要解决的问题之一。如果我们能真正做到杜绝浪费,我们的成本至少能降低一个点,那就意味着节省十几个亿。浪费是我们的天敌,解决不了浪费,公司就无法成功。

想成功,不容易。但是人一辈子短短几十年,如果连成功都不去追求的话,那么我认为这样的人生是没有任何价值的。今天,历史给了京东商城、给了我们每个人一个巨大的机会,往前10年、往后10年都不行。这次非常伟大的机会,能让我们实现梦想。如果我们丧失了这次机会,那将是我们这一辈子、一生的遗憾。

希望我们勇敢抓住历史机遇,努力拼搏,去实现我们的理想。到那一天我相信,我们收获的不仅是一家公司的成功,我们的家人、父母也一定会为此骄傲和自豪,并且过上更好、更幸福的生活!

不断超越，迎接挑战①

各位领导、同事，朋友们：

大家新年好！2012 年已经过去，我向大家简单汇报一下我们在 2012 年所取得的成绩。截至 2012 年 12 月 31 号，京东商城平台交易额突破 600 亿。根据我们 2013 年的战略规划，京东商城的平台交易额将一定会远远突破 1 000 亿！同时，我非常坚信，到 2013 年第四季度，我们一定可以实现真正意义上的盈利。

京东的历史是不断超越"巨人"的历史

京东商城这十几年的历史，是不断超越一个个"巨人"的历史。1998 年，我去中关村的时候，我们只有一个柜台，三个月之后我们才有第一个同事加入，那时公司名叫京东多媒体。从 1998 年 6 月 18 日这一天开始，我们面对的就是汇天华光等光磁存储行业的"巨人"，这些"巨人"的交易额一年至少都是几千万，而我们那时只有一个柜台，手上只有 12 000 元钱，什么资源都没有，但是在 3 年之后的 2001 年，我们

---

① 2013 年 1 月 1 日，刘强东在京东集团 2013 年年会上的主题演讲。

就成为中国最大的光磁代理商，垄断了全国60%的碟片刻录机销售。

也是在2001年，我们开始思考公司的发展方向，决定不再做批发，而是开店做零售，通过渠道下沉，面向终端用户。我们开始看到国美、苏宁、宏图三胞等"巨人"。

2003年，我们因为"非典"进入电子商务领域，2004年京东商城正式上线，那时候我们只做IT产品，面临的巨人是上海的新蛋网，新蛋网那时的全球交易额是12亿美元，每年净利润2 000万美元，有全球最好的信息系统。而我们几乎什么都没有，我们只有人——京东人。到了2008年，我们成功超越了新蛋网。

2007年，我们开始进入综合自营B2C电商行业，我们看到的是当当网、卓越网这两个"巨人"。当时大部分网民都知道当当、卓越，很少有人知道京东商城。那时候说京东能超过当当、卓越被认为是痴心妄想。但到了2012年，我们不仅超过了业内所有自主经营的电子商务公司，更是占据了全国自营B2C市场的半壁江山。

当然现在我们还是面临着"巨人"，不得不承认，淘宝现在做得比我们好，但是京东最不缺的就是超越，京东人最不怕的就是行业巨头，其实我们每天都在挑战，我们在进行自我挑战、不断刷新自己的纪录，我们的成长过程就是超越一个又一个竞争对手，才走到了今天。我们2013年的战略是什么？

2013年的战略——"修养生息"

京东商城集团2013年的战略主题是"修养生息"。"修养生息"不是休养生息，不是停下来的意思，也不意味着我们的业绩增长速度会变得很慢，事实上，"修养生息"四个字各自都有不同的含义。

所谓"修"，就是过去9年，我们平均的增长速度超过200%，在如此高的发展速度下，内部不可避免地会产生一些系统性问题、流程性问题、根源性问题，我们的"修"就是要通过今年一年的努力，把过去10年积累的问题从系统上、流程上、根源上彻底解决。为第二个10年的增长打下一个坚实的基础。而这种解决是一次性的、彻底的，不能为未来的发展留下任何瑕疵，是为"修"。

所谓"养",就是要对京东的战略型业务进行持续不断的投入,把它们"养大"。当然京东所有的业务都会围绕着电子商务这条主线,我们不会脱离这条主线,不会去做跟电商无关的事情。我们在这些战略型业务上可能会继续亏损,不是我们不能盈利,而是如果我们过早地追求盈利,丧失的将是对未来的投资,所以我们有理由、有资格、有能力,持续地对这些业务进行战略性投资。

所谓"生",就是经过十几年的发展,我们也在思考还有哪些业务没有做,还有哪些领域没有进入,我们还要不断地扩展。当然前提同样是所有的业务都会围绕着电子商务这条主线,我们要在整个电商价值链和供应链服务方面不断拓展。比如在数据领域、金融领域,我们要催生出大量新生业务。所有能够代表未来发展方向的电商业务,我们都要在 2013 年持续不断地建立起来。

所谓"息",就是在我们现有的业务模块中,有些可能是没有未来的业务,不管这些业务目前是赚钱,还是亏钱,只要是没有未来的业务,我们都要坚决地把它关掉。没有必要在这样的业务上耗费资源、精力,以及时间。

京东商城自 2004 年正式上线,到 2013 年,经历了公司发展的第一个 10 年。现在,我们即将迎来第二个 10 年,未来 10 年怎么走?我们的目标是什么?我们的方向在哪里?我们如何再一次实现超越?这些就是今天重要的主题。

第二个 10 年的三个方向:自营电商、开放服务和数据金融

过了 2013 年,我们就将进入京东商城的第二个 10 年,京东的第二个 10 年将围绕下面三个方向进行发展。

第一个方向:以技术为驱动的自营电商业务。我们将依然坚持自主经营的电子商务业务,它在本质上将是技术驱动的供应链服务。我们的模式完全不同于淘宝,我们还不仅仅是提供信息,我们还是一家提供供应链服务的公司。我们的供应链服务,是要从工厂的大门到达消费者的家门。所以,我们必须持续不断地在技术方面进行投资,在物流方面进行投资,也正是因为我们要提供供应链服务,我们才要在各个地区建设我们的"亚洲一号"现代仓储体系。我们未来要实现规模化、海量SKU、低成本

高效率的供应链服务能力，持续不断地为消费者和品牌所有者创造价值。

第二个方向：以技术为驱动的开放服务业务。随着"亚洲一号"的建成投产，我们有足够的能力向大量卖家开放仓储服务、配送服务。到2015年，京东开放平台上核心的20%卖家会占到总体销售额的80%，其中绝大部分的卖家都会使用京东的仓储服务。我们提供的服务价格，将远远低于商家自己租仓、自己去找第三方配送的费用。到那时候，消费者在京东开放平台的订单完全能达到我们自营服务的品质。我们还要不断开放其他的服务，比如售后服务的开放、呼叫中心服务的开放，还有数据的开放、支付的开放等等，所有这些都将成为京东的开放服务业务。

第三个方向：以技术为驱动的数据金融业务。我们在2012年收购了网银在线，但支付只是我们金融服务业务中很小的一部分，收购网银在线也绝对不只是为了做一个在线支付公司，我们在2014年将组建京东商城的金融公司，能够提供各种不同的金融产品。京东商城掌握中国最真实、最有效的订单交易信息；在京东商城没有刷交易额的行为，没有虚假交易，没有洗钱，没有假货，没有水货，所以我们的消费数据也是中国最高质量的消费数据，通过这些数据我们不但能够为商家提供贷款，还能为消费者提供个人贷款。

所以，我们在第二个10年将超越第一个10年只是做一个电子商务公司的概念。这三个新的业务方向，都以技术为驱动，也都将带来丰厚的利润。我曾经说过，一家亏损的企业是可耻的，但是如果太急于赚钱，以至于不敢投资、没有野心、没有梦想，这样的公司是无知、悲哀和愚蠢的。

第二个10年的考核目标：对人的关注

在京东的第二个10年，我对自己只有一个考核目标，那就是对人的关注，对京东人的关注。

在第二个10年，我希望看到有更多的京东宝宝出生，希望我们的京东宝宝可以快乐地成长，享受良好的教育。

在第二个10年，我希望看到京东人的父母在生活质量上能得到很大改善。在京东，我们多数员工来自农村，我本人也来自农村，我们的父母都很辛苦，劳累忙碌一生，但是很多父母到今天为止都没有过上安宁的生活，我希望在第二个 10 年，可以看到京东人的父母们更健康，获得更多的关爱和人生享受。

在第二个 10 年，我希望看到京东人工作满意度的提升。新的 10 年，我希望看到的是京东文化的传承、落地、深入；再过 10 年，我相信我们员工总数一定远远突破 15 万，遍及中国 1 000 多个城市，那里都有我们的同事。新的 10 年，我们员工的满意度、幸福度将作为我最重要的考核指标，我相信只要员工们满意了，京东商城就一定能够提供最好的用户体验。

有大家的陪伴，我们取得了第一个 10 年的成功；有大家的陪伴，我相信，我们一定会迎来第二个 10 年的辉煌！

给管培生的一封信①

各位亲爱的：

很遗憾很久没能和大家交流，离开大学 17 年之后，我再次作为一个全日制学生开始上学，既有兴奋也有手忙脚乱时候。最忙的一天要 5 点起床，6 点出发，然后课前辅导、上课，中午只有 1 小时吃饭时间，直到晚上 6 点下课，开车回家。似乎只有上小学的时候才会这么早起床。每天的家庭作业都要好几个小时才能完成⋯⋯

你们作为第七届管培生，我知道你们比我更为辛苦地在学习着，会有更多期待、惊喜，也会有更多迷茫、沮丧！我看了你们所有的周报告邮件，大家的表现都很好，和过去几届管培生一样：每个人都带着思考去轮岗。我有两点要求：

1. 大家轮岗的目的是学习，是学习内部流程。你们到各个部门不是去挑毛病的，你们可以带着问题、思考和改善的想法去学习，但是要和兄弟们战斗在一起，轮岗期间你们就是他们当中的一员！你们没有丝毫特殊之处！有一个管培生反思得非常好：如果带着挑刺而不是学习的心态，是根本学不到东西的，因为你们把自己拔高了一等，试图站在更高角度去看待问题。那徒劳无益，没有丝毫价值！我可以告诉大家：

① 虽然这是 Richard（刘强东的英文名）写给管培生的信，但其中所传递的"感恩和谦虚的学习态度、寻找解决方案的工作方法、深入了解业务的工作心态"，也可以引发人的思考。

找问题是工作中最简单的事情，一个文盲去库房都可以很快看出很多问题，你们看到的不比他们高明多少！真正的关键是如何改善问题，如何系统性解决问题，如何带领一个团队去解决问题。

挑毛病而不是学习的心态，会让你们失去谦卑之心，从而失去最宝贵的学习机会。希望你们永远记住：你们去的每一个部门，该部门最基层、资历最浅的同事也都是你们的老师，值得你们的尊敬和学习！

2.你们虽然在各个部门轮岗的时间都很短，但是希望你们绝不是走马观花，更不能抱着"我不会在这个部门工作，所以就是走过场"的心态！我希望你们去每一个部门都是该部门最能拼、最辛苦的一个团队。自从京东有了管培生制度以来，因为历史原因，第二届管培生的轮岗是最辛苦的。第一届管培生只有两人，很简单，公司没有任何培训流程。第二届管培生去库房报到，当时的库房经理就是一句话：立即干活儿去！11月、12月是年终促销，天天爆仓。他们每天都要从早上7、8点干到夜里10、11点。没有带队老师，没人给他们安排宿舍，没有人管他们的交通，连吃饭都没人管。这是公司最没人管的一届、没人照顾的一届，也是今天成功率最高、最为优秀的一届。我要求第二届管培生余睿和李阳牵头，去给第七届讲讲当时的情形。

我从人大出来的时候就一直告诫自己：我除了青春、汗水是资本之外，其他一无所有。今天，青春也没了。所以我只有一条出路：拼！

京东人基本都是没有家庭背景的人，但是我们有共同的价值观，我们都认为唯有拼搏、走正路才是出路。这是核心价值观。

今天，你们每个人都是幸运儿，因为你们获得了一次只要拼搏就可以赢的机会！是那些没日没夜在打包、在送货的兄弟们给了你们一次学习的机会。希望你们满含感恩、谦卑的心态去学习和拼搏。

祝你们早日学成归来，为团队做出贡献！

Yours,

Richard

从"牛"到"伟大"①

各位同事，大家好！

刚刚过去的 2013 年很有意义，是京东的第一个 10 年。这 10 年只有一个字可以形容，那就是"牛"！在 2004 年的时候，我们什么都不是，我们对电子商务一无所知，但在之后的 10 年，我们却不断超越，实现了一个又一个里程碑。

1 000 亿的交易额是我们"牛"的地方吗？不是！

第一次超越是"IT 数码"的超越。我们在 2004 年做 IT 数码的时候，将新蛋设定为我们的目标，他们有团队，有技术，有供应商，什么都有。而我们除了有精神之外，真的一无所有。但是我们从零做起，经过 4 年的时间，就超过了新蛋。超过它的时候我们也只是在 IT 数码上有一点名气，跟别人相比依然是小得可怜。记得在 2007 年的时候，当时我们的第一轮投资人跟我说："到 2012 年，你们如果能做过 10 亿人民币，我们就很开心了。"

第二次超越是 2010 年，我们超过了当当、卓越，这也是之前想都不敢想的事情。接下来的第三次超越就是不远的将来，京东要成为中国最大的零售企业！

---

① 2014 年 1 月 11 日，刘强东在京东集团 2014 年年会上的主题演讲。

我们今天回过头来看，觉得我们取得的成绩也没什么，可是在那个年代，真的很了不起，我们完成了一个又一个不可能的任务，我们曾经被他人联合"围剿"，我们不但活过来了，也必将超过他们。

我们第一个10年取得的成绩难道说就只是1 000亿的交易额吗？这真是我们"牛"的地方吗？不是！我们第一个10年真正引以为傲的是业务布局！在市场上，我们还看不到谁在未来或者说短期内有这个能力和资格超越我们。那是因为我们在第一个10年做了很多傻活、笨活、累活、难活、重活，受到无数人的耻笑，别人都看不到，别人不愿意做。当他们有一天明白过来的时候再想做，已根本达不到我们的高度。

第一个10年绝对是我们每一个京东人的骄傲，我们做了太多了不起的事情。但按照我们一贯的风格，我们从来不沉浸在过去的喜悦中，京东的梦想远不止于此。我们对自己不满足，因为我们坚信我们还有更远大的目标、更宏伟的目标，我们还可以做得更好。在我们的骨子和血液里，京东人永无止境、永不知足。这是推动我们京东从一个名不见经传的小柜台发展成为中国零售业领航企业的原因。

我们靠什么去赢？

在第二个10年的开始，我还是希望带领大家重温一下公司战略。每一个经理、员工，包括配送员，都必须清楚我们的战略方向是什么，我们靠什么去赢。我们第一个10年的战略从来没有变过，第二个10年依然不会变，就是"倒三角"战略。我们第一个10年取得的成绩靠什么？最核心的还是我们自己，是京东这个团队。我们之所以能够不断超越，团队永远是我们最为宝贵的财富，我们第一个10年最引以为傲的是我们打造了一个优秀团队。团队永远是京东公司发展的基石，我们第二个10年对团队的关注依然是首要的任务，特别是我最主要的工作。

在团队的基础之上，就是我们的财务系统、物流系统和技术系统这三大核心系统。有的人说京东"快"，京东的"快"是我们的核心竞争力之一。但是如果脱离成本的话，那么这个"快"就可能成为我们的包袱，京东真正的核心竞争力，是既能实现好的服务品质，又能实现低成本。所以这三个系统，我们考核的最核心的东西就是

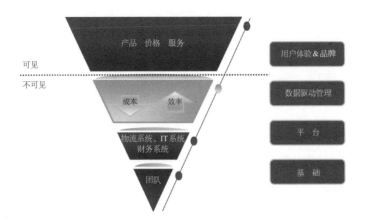

京东的倒三角战略

我们的成本和效率。我们每个系统的成本必须低于行业的平均水平，我们的运营效率必须成为行业内最高的运营效率。

当然客户不关注这些，客户要的是什么？客户要的永远是非常简单的三个要素：产品、价格和服务。消费者来京东，是因为京东没有假货、产品保真，是因为京东的价格便宜、服务优质，这些都是客户能够感知到的，而客户感知不到的是背后非常复杂的体系。

不管我们有多么创新，我们依然不可以离开我们的这个体系，我们永远不能忘记我们是怎么赢、怎么存活的。我们的衣食父母是谁？永远是我们的客户，我们永远不能忘了用户体验，丧失了用户体验我们就必败无疑，没有这种品质保证、价格保证、服务保证，我们一定失败。所以，这个倒三角战略体系，依然是我们第二个10年发展的基石，我希望每一个京东人，大家的创新，管理的思考点、立足点，我们的方向，都不能与此相违背，不能和用户体验相违背，不能和成本、效率相违背。大家都要认识到我们最核心的是团队。

未来 10 年，京东向全球最大零售企业迈进

下面跟大家谈一下中关村，为什么老谈中关村呢？中关村是一个典型代表。1998年我进入中关村，那时候的中关村是最完美的生态体系，那里应有尽有，绝对能够满足用户的不同需求。

大家一度认为中关村永远是坚不可摧的，没有任何一种模式可以替代中关村。但是，中关村依然没了，为什么？那是因为商业发展注定有它自己的规律，这种小集贸式的业务模式，注定是要走向衰败的。商业的发展规律必将是实现货物的有组织的流通，实现标准化的服务。消费者最终的选择一定是把品牌作为第一个理由。所以未来的 10 年应该说是整个中国零售业最好的、黄金的 10 年。过去 30 年属于制造业，但是未来 10 年，我相信，中国一定是属于零售行业的。

今天欧洲、美国、日本、韩国，所有发达国家，出现了沃尔玛、家乐福、好事多（Costco）等无数巨无霸式的零售企业，它们令商品大规模地、有组织地流通，有管理地流动，减掉了无数的中间环节，以最低的成本、最高的效率，帮助品牌所有者把产品交付到消费者手里，从而减少整个商业链条的成本，提升了整个商业链条的效率。未来 10 年，我相信中国必然要转移到消费品时代，那种无序的、不标准的、没有品牌的，不能给品牌所有者和消费者带来增值的集贸式零售业态会逐步走向衰落，取而代之的是，中国一定会出现巨无霸式的零售企业，能够占据中国标准化商品60%~70% 的市场份额。

我相信，未来 10 年一定会出现三件事情，第一就是未来的中国一定会出现几家销售收入几千亿，甚至上万亿的零售企业。第二，未来 10 年，最迟不超过 20 年，中国 No.1 的零售企业一定是全球零售企业的 No.1。第三，京东将成为世界级的零售企业！

"我创业之初的梦想，是能够做成一个伟大的企业！"

我现在说说我心里的最后一个梦，这个梦实现了，我也该退休回家抱孙子去了，

这个梦想就是国际化。有人说中国无数的企业都曾经尝试做国际化，99%的企业遍体鳞伤，有的甚至死掉了。

为什么一定要做国际化？兄弟们，我一直坚持认为一个国家、一个民族，真正能引以为豪的一定是来自商业上的成功、文化上的成功、制度上的成功，而我们作为商业的一分子，应该充满着勇气，满怀着梦想，坚定地走出去。为什么中国企业利润这么微薄？那是因为中国过去30年的经济发展，我们主要做中间的制造、代工，最前端的品牌端以及最末端的零售端都被国外企业占据了，而这两个环节是产业链最具价值和利润的两端。所以京东的国际化，是要能够为这个国家做点尝试。我们希望能够把中国强大的制造业生产的优质产品，通过京东卖到世界各地。中国品牌、中国制造，具有国际品牌的质量，却拥有更低的价格。

我们不管在国内取得多大的成功，我们依然只是中国一家本土化的公司。过去10年我们很牛，未来10年我们更牛，但是你甭管多么牛，你只是一个"牛"的公司，成为不了一个伟大的企业。而我创业之初的梦想，是能够做成一个伟大的企业，是能够代表这个国家、代表这个民族，是能够让每个中国人一提起来都为之骄傲和自豪的企业。这是我心中最后的一个梦，希望我们能够代表中国成为一个全球化的企业，我们有能力服务于全球的消费者，我们能赢得全球消费者的信赖和信任，我们能为这个国家和民族去不断地赚取全球的财富。像这样的公司多了，这个国家想不富有都难，这个国家的老百姓想过苦日子都难。当然，要实现这个梦想，我们要比过去付出10倍的艰辛，我们还有无数个日日夜夜可能需要加班加点，我们还有无数个困难需要去克服，我们还有无数未知的东西需要学习，我们需要团结无数的兄弟，团结全球的有用人才，为了同一个目标、同一个梦想去奋斗！

第一个10年已经结束了，2013年的"修养生息"已经结束了。兄弟们，过去的一年是我们说得最少却做得最多的一年。迄今为止，全世界还没有哪一家过千亿的企业，一个首席执行官说走就可以走，说去美国上课就立马可以上半年的课，没人能做到。之所以这样做，我就是想看看在10年即将结束的时候，京东的管理系统的基础到底怎么样。当然，我们经受住了考验，表现在我们的增速上，我们各个体系的创新、我们新产品的推出，一点儿都没有少。

2013 年已经过去了， 2014 年是我们扬帆远航之年！在此希望我们全体的兄弟们能拿出我们京东人的激情、团结，为我们第二个 10 年打下一个更好、更辉煌的基础！

谢谢大家！

梦想照进现实，迎接新的开始

亲爱的兄弟们：

在经历了 10 年的艰苦创业之后，公司今天正式在纳斯达克挂牌上市！这是京东发展历程上具有里程碑意义的一天。从今天开始，打有 JD 烙印的企业精神将展示到全世界面前；从今天开始，Joy（京东吉祥物）的理念和主张将随着我们进入到全球的千家万户；从今天开始，JDer（京东人）将有一个全新的开始！

回想创业之初，虽然我只是一个从农村走出来的普通大学生，但我始终有一个梦想，就是做一家对社会有贡献、为社会创造价值的伟大企业，即便在创业最艰难的时刻，我也从未有过怀疑和动摇。今天，梦想终于照进了现实！感恩中国改革开放的伟大时代，让我们不靠"拼爹"也有了公平创业、实现梦想的机会；感恩消费者，包容我们的不完美，始终如一地鞭策我们成长；感恩所有的供应商、合作伙伴和投资者，欣赏我们的"轴"和偏执，信任我们的坚守和追求。

但我更要感恩的是我的兄弟们，当你们抛弃了安逸，卷起袖子和裤腿去干电商中最苦、最脏、最累的活儿时，你们没有怀疑、没有抱怨，凭借着永不放弃、永不知足的京东精神，带着京东走到了更高的舞台！

让我骄傲的是，过去的 10 年，我们成功地做成了三件事。

我们重新塑造了中国电子商务的"信任"。从创业的第一天起，我们就坚守着"正品行货，不卖假货"的底线，这条底线的背后是对商业伦理的敬畏和对消费者价值的尊重。"人无信不立，店无信不兴。"我们用信仰换来了社会的信任。

我们重新定义了中国电子商务的"体验"。当今天京东遍布全国的仓配体系使得"最后一公里"已然成为决定用户体验最重要能力的时候，当初那些对我们的讥讽和嘲笑犹然在耳。可是，我们就是用"傻"和"执着"换来了消费者的"爽"和"痛快"。

我们重新诠释了中国电子商务的"价值"。你的价值不再取决于你贪婪地攫取了多少丰厚的利润，而在于你为整个生态的进步做出了什么。数年来，我们坚持不断地投入电子商务的基础设施建设，坚持不断地投入研发和大数据，坚持不断地投入开放物流体系和互联网金融。现在，我们用投入换来了合作伙伴的效益和效率。

今天，我们站在了一个新的起点上。我想，未来 10 年，我们还要再做成几件事。

我们要坚定国际化战略，把京东做成一家让世界尊敬的流通企业。

上市之后，我们要有中国新经济推动者的使命感，要有帮助中国制造业走出去的责任感，更要有代表中国企业参与国际竞争的荣誉感。我希望通过京东的平台可以源源不断地将优质的中国商品递送到世界各地的消费者手中，通过我们的平台成就众多十亿、百亿甚至千亿级的中国企业，这才是京东未来最大的成就。

我们要建设更加多元化的电商生态，公平、公正地帮助创业者和中小企业成长。

通过布局B2C、C2C、金融等不同业务板块，整个京东集团将完成对消费者需求的全面满足，我们将坚守京东核心价值观，通过规则的公开透明。

建设"勤者有其业，劳者有其得"的繁荣产业生态，让每一个创业者和商家都能在京东平台上有尊严地赚钱，为社会创造价值。

我们要坚定地成为领导型的技术驱动企业，利用互联网技术提升社会商业文明。

对于传统经济，互联网本身就是一种具有革命性和革新性的生产力代表。过去几年，我们在利用信息技术手段提升商品流通效率方面做出了很多创新的尝试。未来几年，我们要进一步加强对于研发力量的投入，重点在云计算、数据挖掘、移动应用等领域开展深度创新，帮助传统产业实现互联网化的转型，提升整个社会的流通效率，促进社会经济发展。

　　最后，我也想重点强调一下管理和文化。上市之后，公司会通过多种形式的股权激励计划让更多优秀的员工分享公司成长所带来的回报，让大家有体面和安定的生活保障，让长久以来一直在背后默默支持我们的父母妻儿踏实和骄傲。但我还是要提醒大家：生于忧患、死于安乐。上市远不是我们的终极目标，我们要继续保持一颗创业的初心和向优秀合作伙伴甚至是竞争对手学习的敬畏之心。尤其是随着我们的业务横跨不同纵深领域、我们的服务范围横跨不同国度，我们将深度参与到全球化的竞争当中，直接面对全球的合作伙伴和消费者。能够继续为京东发展护航的只有管理和文化。不管未来股价如何变动、未来资本市场如何反应，我们的使命和价值观是坚决不会改变的。要牢记我们对于用户、对于合作伙伴和对于社会的承诺和责任！

　　鹰击长空，鱼翔浅底，万类霜天竞自由！各位兄弟，未来我们将站在世界的舞台上谱写京东的下一个 10 年，这是我们所有人的历史机遇。在我们的手中成就一个伟大的世界级企业，我们一定可以！

　　　　　　　　　　　　　　　　　　　　　　　　你们的刘强东

　　　　　　　　　　　　　　　　　　　　　　　　2014 年 5 月 22 日

向万亿迈进^①

兄弟们，大家新年好！

2014 年的年会主题是什么？大家还记得吗？对，"扬帆远航"。有的人说为什么选择 2014 年上市？我们上市后财务透明了，今天我们拥有 300 亿元人民币的现金，成为中国所有互联网行业里面现金储备最多的互联网公司之一。各种"资金断裂"的传言不攻自破了。除了向数万个合作伙伴开放了我们的财务数据，能够让他们回家睡好觉，放心大胆地和京东进行合作，我发现上市还给我们带了很多其他的变化。

在 2014 年的 7 月份，我去德国，我们在车上和我们的投行不断在讨论，司机问我，他说你们是京东的吗？我说我们是，他说你们上市我买了你们 3 000 欧元的股票。

大约在一两个月之前，我们去一个股东家做客，那天去了很多全球互联网企业的创始人，我是第一次发现，在这种国际性的场合里面，几乎每个人都知道京东。

2013 年，有人投资了印度，有人投资了东南亚，从印度的电商平台 Flipkart 到德国非常著名的创业者奥利弗先生，他在全世界十几个国家都在做电商，而他们公开地

---

① 2015 年 1 月 17 日，刘强东在京东集团 2015 年年会上的主题演讲。

告诉每个人——我们就是在拷贝中国京东的模式。

所以，上市让我意识到，我们不再是一个默默无闻的公司，我们站在了世界的舞台上，而且背负了无数的期待，这种期待不仅来自我们的股东和投资人，还有我们的员工、我们的合作伙伴，甚至还有全球无数的想进入各个新兴国家电商领域的这些创业者。因为我们的成功，也让全球十几个国家电商的创业者，选择跟京东一模一样的以自营为主的电商模式，获得了非常好的估值，拿到了非常好的资金，实现一个一个创业者的梦想。

大家看一下 2014 年我们取得了哪些成绩，首先，我们在 2013 年交易额突破千亿的基础上，2014 年实现 100% 的增速。2014 年第三季度，京东已经成为中国自营电商市场里面占比超过 50% 的电商企业。5 年前，我公开说过，我说希望京东能够在整个中国的自营电商市场获取一半的市场份额，2014 年第三季度我们实现了。这还不是关键，关键的是我们的增速仍然是整个电商行业平均增速的两倍。

我坚信，我们一定会获得更好的市场份额，2014 年我们渠道下沉战略获得了很大的突破，截至昨天晚上的数据，京东的配送站配送队伍已经覆盖了中国 1 880 个区县，我们在电脑和品牌手机市场成了中国最大的零售商，包括线上和线下，截至 2013 年年底的时候，我们已经有了超过 5 万家合作伙伴，我们用我们的双手和汗水，累计服务了超过 1 亿个不同的用户。就意味着中国每 14 个人到 15 个人中，就有一个已经享受到京东的服务。

2014 年，整个集团的员工人数超过 7 万人。我们承载了数万个家庭的期待，到 2014 年 12 月 31 号的时候，如果我在中国的北京、上海、广州，任何一个城市的大街小巷，大喊一句"有没有京东人"，一定有一个人会站出来。今天上午，我坐车往会上赶的时候，我在路上想，今天到底能碰到多少辆京东的快递车辆，我碰到了 5 辆，我只从北五环走到东五环，短短的距离，碰到 5 辆红色的有我们京东 logo 的快递车辆。

有的人问，我们为什么在 2014 年能够取得这么多成功？外面也有人说凭什么是你们京东，告诉大家，就因为我们的团队！前几天，我在朋友圈看到同事发的，我们快递的兄弟，遇到一个老年人，已经 70 多岁了，得了疾病，离家出走，家人通过派出所和公安到处寻找，整整 26 小时没有找到，这个老人已经因为没有吃东西没有喝水昏迷在了大街上，周围围满了人，却没人敢上去扶，很多人不敢扶怕引起麻烦，这时候我们快递兄弟看到了，冲进人群把老人背到派出所，令老人和家人团聚。今天我们的这位兄弟在场，请站起来一下！大家为他鼓掌！

像这样的故事很多，我记得几年前，我们北京全城遭遇"7·21"暴雨的时候，整个城市都陷入了一场灾难，我们的快递员，依然坚持冒着暴雨为我们的用户送货，很多用户家里甚至停电了，没有水没有食物，急需我们送产品到他们家去。那一天，我们整个北京的快递员，不仅仅给我们的用户送货，他们还自发地、在公司没有命令的情况下，参与北京市的抢险，有的背老人，有的推车，有的帮忙抢救货物。一个晚上，我可以告诉大家，我们京东快递兄弟们为北京做了很多好事。

两年前，有一辆汽车在北京出了车祸，司机和乘客在车里已经陷入昏迷，因为车速过快，整个车已经是倒过来了，翻在一个大十字路口，有市民看到却不敢上去救，害怕车爆炸，这个时候我们快递兄弟经过，没有想，上去拿工具把车窗砸破，把伤员拖救出来，放在地上，打了120，最后把两个伤员送到了急救车上，他继续骑车为我们的用户送货，到今天为止我都怀疑这两个人不知道是我们的京东快递兄弟在那一刻救了他们。

我们做了无数的事情，却很少对这些进行宣传。最近几年，国家遭遇很多地震灾害，在 2013 年，我们赴西南救灾，做得非常非常及时，当时在早会上，我给全国所有的高管人员下了一个命令，当这个国家和社会出现任何灾难，需要水、需要京东库房里面任何一个产品的时候，我授权给各个区域总经理，无须向总部进行请示报告，有权把所在区域每一瓶水、每一顶账篷、每一份食物送到灾区去。什么是京东人？这就是我们，是我们京东人的价值观。

这是过去京东成功的一个最关键的基石。有的人说京东是做得很好，京东是很牛，可是到哪儿都说京东公司亏钱。甚至我们快递员回来和我说，刘总，父母问，公司是好公司，可是你们公司亏损会不会出问题。我当时告诉他，兄弟，相信我，而且相信你自己，如果我们想赚钱，只要做一点点事情就可以赚无数钱。

如果我们像中国的某些工厂，像有些快递公司，对待产业工人，通过劳务派遣，通过合作加盟的方式，把对公司员工的责任推掉，不给他们缴纳五险一金；或者，如果按照地方政府规定的最低缴纳额缴纳，以我们接近10万个兄弟来算，我们要缴纳超过25亿元社保基金，如果公司规避了这25亿元，我们很容易盈利。

而京东的每个员工、每个快递人员、每个打包的兄弟，都跟京东签署了合同，我们为全员全额缴纳五险一金，快递员拿到8 000元，我们就按照8 000元的基数给你缴纳五险一金。今天每个快递员、每个兄弟，工作满一年以上的，都能感受到自己活得有尊严。但是我还希望，我们过了60岁的时候，不能够从事劳动的时候，我们每个兄弟依然能像今天一样过得有尊严。我不能容忍任何一个京东兄弟在有体力的时候能够生存，有一天不能干的时候，却过着痛苦的日子。除了工资、五险一金、国家《劳动法》规定的福利之外，京东还为我们的同事提供大量额外的福利，每个库房提供饮料，提供各种各样的劳动用品，这些都是额外的福利，不是法律要求，也不是劳动合同签署的，是完全额外的支出。

我们还有可以赚钱的方式。2013年，我决定每一年，公司必须投资一个大的新业务，不是小投资，必须有一个重大投资，这个投资要三年甚至五年以后才能真正为集团创造收入，创造利润。2013年，我们成立了金融集团，2014年我们和腾讯合作以后成立了拍拍网，让其作为独立的全资子公司进行发展。这两家公司还处在投资和培育期，要取得巨大的成功，需要加大投入，给它们支持。如果不投资这两家子公司，只是京东商城，按照美国人的财务标准，我们已经盈利了，即使全额纳税，缴纳全部员工的五险一金，所有成本全部算在内，京东商城依然可以实现盈利。但是，那不应该是我们京东人的目标和梦想，单一的模式不能为我们的用户提供全方位的服务，今天不为明天进行投资，不为5年后进行投资，那么几年之后这家公司将不再是令人骄傲、激动的公司。所以我们坚持，2015年，我们还会进行投资。每一年我们都会投资一项新的业务。

如果睁一只眼闭一只眼，让卖水货和假货的商家大量入驻京东，我们瞬间可以赚取大量的利润。

如果少为兄弟们发一点期权，我们也可以赚钱。2007年，第一年发期权以来，整个给集团员工发放的期权的价值，按照昨天的收盘价格来计算，已经超过了100亿元人民币。

所以说，公司想赚钱太容易了，但是，不该赚的钱，京东永远不会动一点点脑筋，永远不会花一秒钟的时间去思考要不要少交税。这些赚钱的渠道，不值得骄傲和自豪，只会让我们产生深深的羞耻感。

2015年年会的主题是什么？"创新突破"，有的人说我们京东过去几年没有大的商业模式创新，我们把10年时间花在商城业务上，不断进行业务创新、产品创新、服务创新，说到模式，商城的模式就是最优秀的模式，无须进行重大的改变。我们有很多创新，比如说211限时达、京东帮服务站、O2O项目、村民代理和校园代理、拍拍网做的去中心化的移动购物、微店项目，都取得了巨大成功。我们拍拍微店从2014年10月中旬上线以来，短短两个多月时间，单日交易额破2 000万，单日交易额峰值超过6 000万。

今天，重点给大家讲一下京东集团金融产品的创新，开拓大家的思路。我们已经开放了京东白条、京保贝，达到数百亿的放贷额，不知道用户的姓名，没有一个放贷员，没有一个营业网点。所有供应商和卖家都可以实现三分钟拿到放款，这都是巨大的尝试。我相信，这能为我们的供应商和我们的卖家，还有我们的消费者带来巨大的价值。

我们的产品众筹，上线几个月时间，截至2013年12月份，京东产品众筹占到产品众筹市场超过60%的市场份额，成为行业绝对第一名。2013年，京东众筹超过千万的产品有三个。

2014年，我们还要上股权众筹。京东股权众筹的社会价值在哪儿？就是希望有一天资本能够得到平等，拥有1万元人民币的人和拥有1 000万美元的人，能够得到平等投资的机会，否则世界上穷人的钱只能存到银行里面去贬值，有钱人却能投资像京东这样的企业，获得绝大回报，变得更有钱，导致社会财富的分化更加严重。所以我希望我们京东集团的兄弟们一定要记住，股权众筹解决的最核心的问题是创造让普通人获得赚钱的机会，让普通人有逆袭的机会。

一个农村家庭，特别是在比较贫困的地方，给他几千块钱买一辆拖拉机帮助别人家拉稻子、收麦子，搞一点简单运输的话，也可能改变一个家庭的命运。所以从今天开始，我们京东白条的服务，不仅仅用大数据分析的方式推向城市白领，2015年开始还要进入农村和校园。目前，京东已经开设了大量京东县级服务中心，通过服务中心，深入到村子里面去，建立村民代理店，将来我们不仅有超过 10 万名员工，在中国还有数万个农民兄弟做我们的推广员，去负责整个村庄的下单、支付、送货、售后，还有做信贷业务。

我从农村出来，我在农村生活了 18 年，太清楚农村的现状，几乎每个农民都有过借高利贷的经历。无数的农民，因为背负了高利贷，给家庭带来灾难，5 年 10 年都翻不了身。每年赚的所有钱只付了利息，本金永远还不清。每年都有很多农民买到假种子，辛辛苦苦种下去了，施肥了，第二年收的时候颗粒无收，或者收入达不到他的成本。京东有超过将近 70% 的兄弟是来自农村，我相信你们每个人，包括我在内，都曾经看到过，因为买到了假种子、假农药、假化肥，有无数的农民站在地头，看着颗粒无收的田地感到绝望。十几年前，几乎每个机构都为中国的农民打白条，今天我希望中国的农民能够向别人打白条，向京东打白条，买到正品的种子、农药、化肥，以及电器、服装、食品。

临近年底的时候，非常热闹，四个字，媒体称之为"国家企业"。我觉得国家企业不够自豪，一个真正能够赢得尊敬和自豪的企业应该叫"国民企业"，既属于这个国家，又属于这个国家的全体人民。什么是国民企业？任何一个国家的国民企业，永远不是把假货水货卖到全国，还在全球进行假货输出的企业；永远不是不纳税的企业；也不是那种只有自己赚钱，几乎每个合作伙伴都不赚钱甚至亏钱的企业。

有这么一家企业，是美国人创立的，沃尔玛，今天它的市值一般，但是，几乎每个美国人，包括美国总统，都很清楚，他们国家的国民企业是沃尔玛。我可以告诉大家，美国政府不可以承受沃尔玛倒闭的风险和损失，沃尔玛的创始人是迄今为止，唯一一个获得了总统勋章的美国企业家，这是美国最至高无上的荣誉。所以，我们定义的国民企业，并不是在某个时间节点是市值最大的企业，而是在任何时候，都是为社会创造最大价值的企业，才有资格成为中国的国民企业。

兄弟们，终究有一天，在中国会出现这么一家企业，它的销售收入将超过一万亿人民币，是销售收入，不是平台交易额。这样一家企业，将成为中国最大的民营企业，没有任何背景，70% 的员工是来自农村的一帮简单的年轻人，通过自己的打拼，将成为全球 500 强的前 20 名。这家公司将会在全球超过 100 个国家有贸易往来，有生意往来，有合作伙伴，或者有客户。这家公司只要坚定地坚守我们的价值观，坚持为社会创造价值，坚持今天坚持的一切，终有一天这家公司会成为全球大贸易流通的规则的参与者，甚至制定者。

兄弟们，这样一家企业，我可以告诉大家，在中国出现的时候，一定是我们！埋头做事，用我们的双手，为全球的华人，为中国人，为这个国家，去创造一个伟大的、值得每个人骄傲的、令人尊敬的、信赖的企业，成为中国的"国民企业"，这是我们新的梦想。2015 年，兄弟们，让我们继续并肩战斗！谢谢大家！